JN120283

口絵① 花を訪れる蝶：A シロオビアゲハ，B ナミアゲハ，C スジグロシロチョウ，D キタキチョウ，E ベニシジミ，F アカタテハ。
〈写真 A～C：Fukano *et al.*（2016）を改変〔Ⅱ－5参照〕，写真 D～F：井出純哉〉

口絵② アカタテハ幼虫の巣：A 巣，B イラクサの葉で巣を作る幼虫，C 巣を多数作られたカラムシ。〔Ⅰ－3参照〕〈写真：井出純哉〉

口絵③　頭部またはその近くに長い突起をもつチョウの幼虫：柔らかい突起をもつ種（A アオジャコウアゲハ，B アサギマダラ，C オオゴマダラ）／硬い突起をもつ種（D ゴマダラチョウ，E フタオチョウ，F イシガケチョウ）。〔I－2 参照〕〈写真：香取郁夫〉

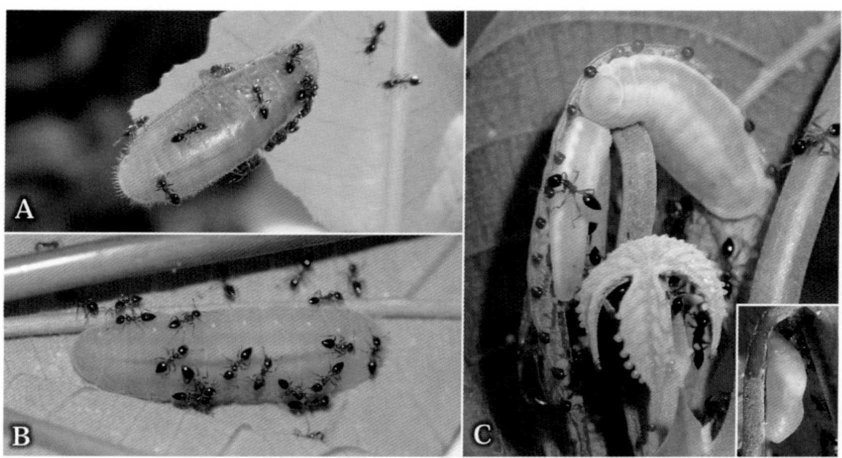

口絵④　アリと共生するオオバギ属植物食のムラサキシジミ：A *Arhopala amphimuta* の終齢幼虫，B *A. dajagaka* の終齢幼虫，C *A. zylda* の 3 齢幼虫（左）と終齢幼虫（右）と蛹（右下枠内）。〔詳細はⅣ－13 参照〕〈写真：清水加耶〉

口絵⑤　配偶行動：A 実験室内で越冬前交尾したキタキチョウの秋型メスと夏型オス〔Ⅲ-⑩参照〕, B スジグロシロチョウのオス（上）と交尾拒否をするメス（下）〔Ⅳ-⑰参照〕。〈写真 A：小長谷達郎 / B：大秦正揚〉

口絵⑥　性フェロモンを使ったアサギマダラの配偶行動：A オスの後翅肛角部, B メスの後翅肛角部, C オスのヘアペンシル, D 匂い付け行動中のオス。〔詳細はⅡ-⑦参照〕〈写真：本田計一〉

口絵⑦　蝶の体温調節：A 日光浴をするキタテハの秋型成虫〔Ⅲ-⑩参照〕, B 横から射す朝日で日光浴をするベニシジミ〔Ⅱ-⑧参照〕。〈写真 A：小長谷達郎 / B：井出純哉〉

口絵⑧　草原の蝶と生育環境：A ヤマキチョウ, B コウゲンヒョウモン（手前）とギンイチモンジセセリ, C ゴマシジミ, D アサマシジミ, E カセンソウ, F キセワタ, G フナバラソウ, H ワレモコウとオミナエシ（手前）, I 草原（夏；山梨県）, J 草原（春の火入れ；同県）。〔Ⅲ－⑫参照〕〈写真：大脇 淳〉

環境 Eco選書 15

チョウの行動生態学

編集：井出純哉

（久留米工業大学工学部教育創造工学科）

北 隆 館

Behavioural ecology of butterflies

Edited by

Dr. Jun-Ya IDE
Kurume Institute of Technology

Published by

The HOKURYUKAN CO.,LTD. Tokyo, Japan : 2022

はじめに

蝶ほど多くの人に親しまれている昆虫はいないでしょう。世界中に蝶を趣味にしている人がたくさんいて愛好会や保全団体がいくつもあり，図鑑や写真集が次々と出版されています。こんなに人気があるのはなぜでしょうか。それはもちろん蝶が美しいからでしょう。野外で蝶の調査している最中に思わず見とれてしまうことがあるほどです。しかし，蝶の魅力は美しい見た目だけではなく，行動や生態の面白さにもあるのではないでしょうか。

考えてみれば，蝶は奇妙な生き物です。派手な翅を持っていて捕食者にすぐ見つかりそうだし，ひらひら飛ぶので追いかけられたら逃げきれそうもありません。どうして今まで生き延びることができたのか不思議なくらいです。

行動生態学は，動物のふるまいが個体の適応度を高めるのに役立っているか明らかにする学問です。適応度は残すことのできた次世代の数のことですから，行動生態学は動物の行動がどれだけたくさんの子孫を残すことにつながるかを解明しようとします。蝶の翅の模様も飛び方も，どれだけ子孫を残すことができるかという視点から掘り下げてみると理解できるかもしれません。実際に蝶を対象とした行動生態学の研究は多数行われ，蝶の翅や飛び方の謎もだんだんと解明されてきています。

本書は「昆虫と自然」2021 年 3 月号（特集：チョウの配偶行動，最近の話題）に掲載された内容をもとに企画されました。配偶行動はそれだけでも非常に重要で面白い行動ですが，蝶の一生のうちの一場面でしかありません。せっかく本を出版するのですから，より多くの読者にもっといろいろな蝶の行動を知ってもらいたい。そう思い，新たに執筆者を増やし，幅広く蝶の興味深い行動や生態についての研究を解説していただくことにしました。全体として蝶の一生を概観できるような構成にしたつもりです。

今，本書がほぼできあがって改めて読んでみると，それぞれの章から著者の研究に対する姿勢や考え方が浮かび上がってきて，特色のある本になったと感じています。本書が蝶という生き物の生き方，さらには研究という営みの面白さを理解する一助になれば幸いです。

最後に，忙しい中，短期間で寄稿していただきました著者の皆様に深く感謝申し上げます。また，北隆館編集部の角谷裕通氏には刊行に至るまで様々な面でたいへんお世話になりました。ここに記して心からお礼を申し上げます。

2022 年 2 月

井出純哉

目　次

▼執筆者（五十音順）

市岡孝朗（京都大学大学院人間・環境学研究科）
井出純哉（久留米工業大学工学部）
内田葉子（地方独立行政法人 北海道立総合研究機構 林業試験場）
大秦正揚（京都先端科学大学バイオ環境学部）
大原　雅（北海道大学大学院地球環境科学研究院）
大村　尚（広島大学大学院統合生命科学研究科）
大脇　淳（山梨県富士山科学研究所）
香取郁夫（近畿大学農学部）
来田村 輔（京都精華大学共通教育機構）
甲山哲生（東京大学大学院農学生命科学研究科）
小長谷達郎（奈良教育大学理科教育講座）
近藤勇介（株式会社ワールドインテック R&D 事業部）
佐藤宏明（奈良女子大学理学部）
清水加耶（島根大学生物資源科学部）
鈴木紀之（高知大学農林海洋科学部）
高木　俊（兵庫県立大学自然・環境科学研究所）
竹内　剛（大阪府立大学大学院生命環境科学研究科）
田中陽介（公益財団法人 東京動物園協会 多摩動物公園）
檜山充樹（環境省沖縄奄美自然環境事務所）
深野祐也（東京大学大学院農学生命科学研究科）
本田計一（西条生態学研究所（広島大学名誉教授））

総　論

1 蝶の行動生態学への招待

1. 蝶の分類

蝶は世界中で約 19,000 種が記載されており，鱗翅目の中では最大の分類群である（Mitter *et al.*, 2017）。こう書くとずいぶんたくさんの種類がいるようだが，蝶と蛾を合わせた鱗翅目全体では約 16 万種が記載されている。つまり鱗翅目の 8 割は蛾である。蛾と比べれば蝶の種数は少ない。

今，当たり前のように蝶と蛾を対比したが，蝶と蛾はどう違うのだろうか。蝶は昼間に飛び，蛾は夜に飛ぶ。蝶はとまるときに翅を立てて閉じるが，蛾は開いたまま。蝶は派手で蛾は地味。いろいろなことが言われているが，どれも例外があり蝶と蛾を区別するはっきりした特徴はないのである。実は「蛾」という分類群は存在しない。鱗翅目のうち蝶を除いたものを蛾と呼んでいるのであって，蛾に特有の特徴があるためにまとめられたということではない。

蝶の方はアゲハチョウ上科 Papilionoidea という単一の分類群である（Mitter *et al.*, 2017）。生殖口が交尾口と産卵口に分かれている二門類の中の一系統とされている。以前は，蝶はアゲハチョウ上科とセセリチョウ上科に分けられていた（阿江, 2005）。しかし，以前のアゲハチョウ上科の中にセセリチョウ上科が含まれることを示す研究成果が得られるようになり，最近では一つの上科にまとめられることが多くなっている。

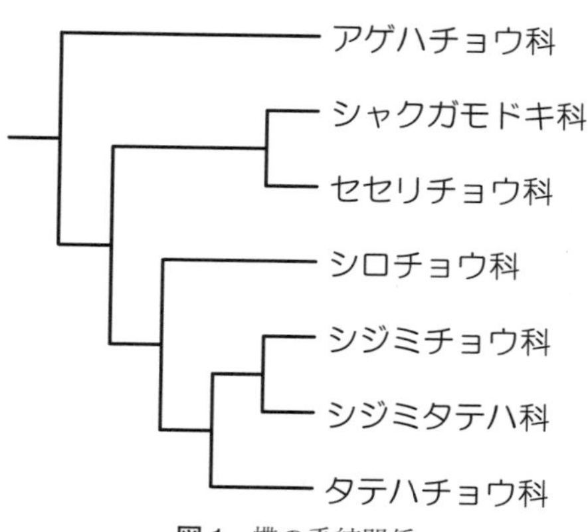

図 1　蝶の系統関係
Mitter *et al.*（2017）をもとに描く。

アゲハチョウ上科の系統関係を図 1 に示す。このうちシャクガモドキ科のみが夜行性で，他は全て昼行性である（Kawahara *et al.*, 2018）。シャクガモドキ科は南米に分布する小さい分類群だが，見た目にはシャクガ科の蛾によく似ている。外見も生態も蝶とは思えないため，1980 年代までシャクガモドキ科はシャクガ科の中またはその近くに置かれていた。この科を蝶に分類した当人も「蝶から排除したいと，心情的に感じてしまう」と述べているほどだ(Scoble, 1994)。しかし，最近の分子系統解析によってもシャクガモドキ科を含む蝶の単系統性は支持されている(Espeland *et al.*, 2018)。

アゲハチョウ上科は図 1 の 7 科によって構成されているが，タテハチョウ科はマダラチョウ科やジャノメチョウ科などに細分されることも多い。この方がなんとなく実感に合うような気がする。広義のタテハチョウ科には派手なものから地味なものまで多様な種が含まれており，各系統の個性が際立っているためそう感じるのだろうか。

2. 蝶はなぜ様々な色をしているのか

蝶の特徴は何と言っても鮮やかな翅の色彩や模様だろう。熱帯アジアに分布するトリバネアゲハ類や主に南米に分布するモルフォチョウ類の輝く翅は有名だが，身近にごく普通に見られるモンシロチョウの白い翅やヤマトシジミの青い翅もじっくり見るとはっとするほどの美しさがある。一方，蛾は比較的地味な種類が多い。なぜ鱗翅目の中で蝶だけがこれほどに色彩豊かなのだろうか。この疑問に答えるために，蝶が進化してきた道のりを振り返ってみよう。

蝶は約 1 億年前に出現した。白亜紀の中頃，恐竜が繁栄していた時代である。この時代には花をつける被子植物も多様化していた。昆虫に花粉を運んでもらうようになった被子植物は，目立つ花弁を持ち，昆虫への報酬として花蜜を用意するようになった。そこで蝶の先祖は昼間に咲く花の蜜を利用するというニッチへ進出したらしい。その結果，それ以前から基本的に夜行性だった蛾とは袂を分かち，蝶は昼行性へと移行したと考えられる(Kawahara *et al.*, 2019)。ところで，蝶の昼行性への移行はコウモリによる捕食から逃れるためであるという興味深い仮説が以前は提唱されていた(Yack & Fullard, 2000)。しかし，蝶が昼行性へ移行したのはコウモリが出現したのより古い時代なので，この仮説は否定されている(Kawahara *et al.*, 2019)。

昼行性になった蝶は色彩の世界へ進出することになった。夜の貧弱な光環境のもとでは，明るい色か暗い色か，という程度の区別しかできない。濃い灰色と薄い灰色しかない世界と言ってもいいかもしれない。ところが昼間の明るい光環境のもとでは様々な色の光が目に飛び込んでくるようになったのだ。とはいえ，初めから蝶に色が見えたわけではない。先祖が夜行性だったために，色を識別するための視物質（オプシンタンパク質）の遺伝子の一部が失われていたと思われるのである（Kawahara *et al.*, 2018）。

昼行性になった蝶ではオプシンの遺伝子に突然変異が生じ，オプシンが急速に多様化した結果，色覚が復活した（Sondhi *et al.*, 2021）。このオプシン遺伝子の多様化は南米の毒蝶 *Heliconius* 属では翅の色彩の多様化と相関している（Briscoe *et al.*, 2010）。例えば，黄色い模様を持つように進化した種では黄色い光を受容するオプシンが進化しているというようなことが起きているのだ。蝶の配偶行動は視覚に頼って行われ，多くの種が色を利用して交尾の相手を認識している（Rutowski, 2003; 本田, 2005）。このような種内のコミュニケーションに翅の色が利用されてきた結果，翅の色の進化は色覚の進化をもたらし，色覚の進化は翅の色の進化をもたらしたのではないだろうか。オプシン遺伝子と翅の色の相関はこうした進化的相互作用があったことを示していると思われる。同じような色覚と体色の共進化について，他の蝶類でも証拠が見つかってきている（Lind *et al.*, 2017）。豊かな色彩の進化の陰には昼行性への移行と色覚の進化があったのだ。

蝶の色彩の多様化には，他にも警告色や擬態といった現象が関係している（Kunte, 2009; 大崎, 2009）。これらは明るい光のもとで主に視覚を利用する捕食者に対する適応である。つまりこちらも元をたどれば蝶が昼行性になったことから始まっていると言えるだろう。

3. 行動生態学とは

多様な色彩を持ち昼間に活動するということは，蝶が多くの人に愛される理由だと思われる。ただしそれだけでなく，蝶のこういった特徴は研究をする上でもたいへんありがたい。

まず，多様な色彩や模様が注目されたため，蝶の分類研究や基礎的な生態についての情報の蓄積が非常に進んでいる。これは研究者にとってとても重要である。研究対象が何という名前の種でいつどこにいるのかわからなければ，そもそも研究などできないのだ。また，蝶は昼間に活動するので，行動を直接観察することができる。しかも種ごとに色や模様の違いが大きいので，捕まえなくても種名がわかる。このために蝶の種ごとの野生での姿やふるまいを知ることができるのである。大したことではないようだが，このような特徴を持つ動物がどれほどいるだろうか。おかげで，蝶を対象とした研究は多い。その中には生物学の発展に大きく貢献した研究がいくつもある（Watt & Boggs, 2003）。行動の研究に絞っても，蝶を対象とした研究は昔からよく行われてきた。特に，種ごとに特異な行動が見られる配偶の場面は非常に注目され，雄と雌が出会うまでの縄張り行動（Davies, 1978）や山頂占有性（Shields, 1967），出会った後の求愛行動（Pliske, 1975）や交尾拒否行動（小原, 1964）などについて，多くの優れた研究が行われている。

本書の題名にもなっている行動生態学とは「動物の行動が，自然淘汰や性淘汰を主な要因とする進化によってつくられた適応的挙動であるとの視点から，野外における淘汰のはたらき方によって行動を理解しようとする研究分野」である（巌佐, 2003）。現在生きている動物の祖先は常に自然淘汰や性淘汰を受けてきた。その結果，多くの子孫を残した個体の持つ特徴が受け継がれ，集団の中に広まった。だから，現在では多くの子孫を残すように（適応度が高まるように）行動する個体ばかりになっているはずである。つまり動物の行動の多くは適応的挙動のはずなのだ。そこで行動生態学では，一つ一つの行動が適応度を高める上でどのように有利なのか，ということを行動の機能の面から追究し，動物の行動がどのような理由で進化したのかを解明しようとする。

では，実際の行動生態学の研究がどのように進むのかを，モンシロチョウ *Pieris rapae*（図 2）の飛び方を例にして紹介しよう（小原, 2012）。雄のモンシロチョウが雌を探すとき，食草のキャベツの株のすぐ近くをせわしなく上下左右に方向転換しながらちょこまかと飛び回る。なぜこのような飛び方をするのだろうか。この飛び方が適応的だとすると，雌を見つける効率が良いのではないかと推測できる。そこで，ちょこまか飛んだ場合の雌発見率と別の飛び方をした場合のそれとを比較し，ちょこまか飛んだ時に本当に雌発見率が高いのか確かめる。別の飛び方は可能性としてはいろいろなものが考えられるが，キャベツ畑の 1 m くらい上を水平に飛びながら雌を探す飛び方が

図2　モンシロチョウ

一目で広く見渡すことができてよさそうである。ところが，実際に上空から雌を探してみると発見率が低い。羽化後しばらくの間，雌はキャベツの葉裏にとまっているので，上空からはなかなか見つからないのだ。一方，キャベツの株のすぐそばで探せば，葉の裏でじっとしている雌も見つけることができる。こうして，雄がちょこまかと飛び回って雌を探すのは，雌発見率が高く適応的であることが確かめられた。このように，行動生態学の研究を進める場合はある行動が適応的であるという仮説を立て，本当にそうなのか他の可能性との間で適応度の指標を比較して検証するという手順を取ることが多い。科学では適切な問題設定が出発点になる（Barnard *et al.*, 1993）。行動が適応的である，という前提は問題を設定する際の思考の補助線として非常に有用であり，行動生態学が大きな成功を収めた理由の一つと言えるだろう（Alcock, 2001）。

4.　行動生態学の広がり

行動生態学は個体の行動を研究の対象としている。しかし，行動は体の大きさや形，生活史などとも密接に関係しているので，必然的に形態や生活史も行動生態学の射程に入る。

例えば，イネの害虫として知られるイチモンジセセリ *Parnara guttata*（図 3）は関東から関西あたりでは 1 年に 3 世代が発生するが，このうちの晩夏に出現する第 2 世代成虫は，羽化直後に長距離を主に南西方向へ飛行する（日浦, 1980）。長距離移動をする蝶といえばアサギマダラ *Parantica sita*（図 4）が有名だが（福田, 2021），他にも移動性を示す鱗翅類はいるのだ（吉松, 2010）。

この小さなセセリチョウも集団で移動するところが時々観察される。イチモンジセセリの長距離移動が確認されているのは全ての個体群ではなく主に本州中部の個体群であるが，この長距離移動という行動はなぜ進化したのだろうか。それは第2世代が産む第3（越冬）世代は生息場所を変える必要があるからである。イチモンジセセリの第1・第2世代はイネなど湿地性イネ科植物の葉を食べて育つ。しかし，第3世代が孵化する頃にはイネが枯れてしまうので，この世代の幼虫はチガヤなどの乾地性イネ科植物の葉を食べる（Nakasuji, 1982）。そのため，第2世代成虫は産卵する前に自分が育った場所から移動しなければいけないのである。チガヤなどの葉はイネより硬いので，それを食べられるような顎が丈夫で頭の大きな幼虫が孵化してくるように，第2世代が産む卵は他の世代より大きくなっている（Nakasuji & Kimura, 1984）。ところが，長距離移動をすると飛行にエネルギーを使うため，卵生産に回せる資源が減ってしまう。そこで，卵の数を確保するために，長距離移動をする個体群は移動しない個体群に比べて小さめの卵を生産している（Seko, 2021）。このように，行動は単体で進化しておらず，形態や生活史形質の進化と連動している。行動を理解するためには，一生をどこで過ごすのか，いつ繁殖するのか，という生活史と切り離すことはできないのである。

図3　イチモンジセセリ

図4　アサギマダラ

生物は一種類だけで生きることはないので，様々な種間相互作用を引き起こす。その過程で，行動や形質の違いが種間関係に影響を及ぼす。捕食や寄生といった直接の相互作用はもちろんだが，配偶行動のような種内で完結しているはずの行動も，その影響は種の枠を超えて種間関係に及ぶ。例えば，配偶行動の場面では多くの動物が交尾をめぐって雄同士で戦ったり鮮やかな婚姻色を呈したりするが，このような性淘汰によって生じる行動や形質は大きなコストを孕んでいる。そしてそのコストは，繁殖への投資量の減少(例えば精包の小型化)という形で適応度に悪影響をもたらすだろう。その影響は個体群の成長にも及ぶはずである。最近の理論研究によると，性淘汰などの種内での競争による適応は個体群の成長にはほとんど貢献せずエネルギーの無駄遣いになっており，種間競争を緩和するので多種共存を促進するという(Yamamichi *et al.*, 2020)。

2000 年代に入ってから，行動や形態に生じる適応が個体群動態や群集構造に及ぼす影響についての理解が大きく進んだ(大串ほか, 2009)。行動生態学は周辺分野へ拡散し，群集生態学や進化生物学の発展に寄与している。本書の第Ⅲ部・第Ⅳ部では，行動生態学が拡散しながら蝶の生態現象の様々な側面に光を当てているところを見ることができるだろう。

〔引用文献〕

阿江茂(2005)系統と種分化．チョウの生物学（本田計一・加藤義臣 編）: 3–27，東京大学出版会，東京．

Alcock J (2001) The triumph of sociobiology. Oxford University Press, Oxford.

Barnard CJ, Gilbert FS, McGregor PK (1993) Asking questions in biology. Longman Group UK Ltd., London.

Briscoe AD, Bybee SM, Bernard GD, Yuan F, Sison-Mangus MP, Reed RD, Warren AD, Llorente-Bousquets J, Chiao CC (2010) Positive selection of a duplicated UV-sensitive visual pigment coincides with wing pigment evolution in *Heliconius* butterflies. *Proceedings of the National Academy of Sciences of the United States of America*, 107: 3628–3633.

Davies NB (1978) Territorial defence in the speckled wood butterfly (*Pararge aegeria*): the resident always wins. *Animal Behaviour*, 26: 138–147.

Espeland M, Breinholt J, Willmott KR, Warren AD, Vila R, Toussaint EFA, Maunsell SC, Aduse-Poku K, Talavera G, Eastwood R, Jarzyna MA, Guralnick R, Lohman DJ, Pierce NE, Kawahara AY (2018) A comprehensive and dated phylogenomic analysis of butterflies. *Current Biology*, 28: 770–778.

福田晴夫(2021)総説：日本，台湾，アジア大陸東縁におけるアサギマダラの季節的移動．蝶と蛾, 72: 59–83.
日浦勇(1980)イチモンジセセリの移動記録．自然史研究, 1: 141–148.
本田計一(2005)配偶行動．チョウの生物学（本田計一・加藤義臣 編）: 302–349，東京大学出版会，東京．
巌佐庸(2003)行動生態学．生態学事典（巌佐庸ほか編）: 158–161, 共立出版，東京．
Kawahara AY, Plotkin D, Hamilton CA, Gough H, St Laurent R, Owens HL, Homziak NT, Barber JR (2018) Diel behavior in moths and butterflies: a synthesis of data illuminates the evolution of temporal activity. *Organisms Diversity & Evolution*, 18: 13–27.
Kawahara AY, Plotkin D, Espeland M, Meusemann K, Toussaint EFA, Donath A, Gimnich F, Frandsen PB, Andreas A, dos Reis M, Barber JR, Peters RS, Liu S, Zhou X, Mayer C, Podsiadlowski L, Storer C, Yack JE, Misof B, Breinholt JW (2019) Phylogenomics reveals the evolutionary timing and pattern of butterflies and moths. *Proceedings of the National Academy of Sciences of the United States of America*, 116: 22657–22663.
Kunte K (2009) Female-limited mimetic polymorphism: a review of theories and a critique of sexual selection as balancing selection. *Animal Behaviour*, 78: 1029–1036.
Lind O, Henze MJ, Kelber A, Osorio D (2017) Coevolution of coloration and colour vision? *Philosophical Transactions of the Royal Society B*, 372: 20160338.
Mitter C, Davis DR, Cummings MP (2017) Phylogeny and evolution of Lepidoptera. *Annual Review of Entomology*, 62: 265–283.
Nakasuji F (1982) Seasonal changes in native host plants of a migrant skipper, *Parnara guttata* Bremer et Grey (Lepidoptera: Hesperiidae). *Applied Entomology and Zoology*, 17: 146–148.
Nakasuji F, Kimura M (1984) Seasonal polymorphism of egg size in a migrant skipper, *Parnara guttata guttata* (Lepidoptera, Hesperiidae). *Kontyû*, 52: 253–259.
小原嘉明(1964)モンシロチョウ（*Pieris rapae crucivora*）の配偶行動に関する研究．II．雌の‘交尾拒否姿勢’について．動物学雑誌, 73: 175–178.
小原嘉明(2012)進化を飛躍させる新しい主役．岩波書店，東京．
大串隆之・吉田丈人・近藤倫生(2009)進化生物学からせまる．京都大学学術出版会，京都．
大崎直太(2009)擬態の進化．海游舎，東京．
Pliske TE (1975) Courtship behavior of the monarch butterfly, *Danaus plexippus* L. *Annals of the Entomological Society of America*, 68: 143–151.
Rutowski RL (2003) Visual ecology of adult butterflies. In: Boggs CL *et al.* (eds)

Butterflies: ecology and evolution taking flight, pp. 9–25. The University of Chicago Press, Chicago and London.

Scoble MJ (1994) 熱帯アメリカの蛾のような蝶 (鱗翅目:シャクガモドキ科). やどりが, 158: 2–10.

Seko T (2021) Intraspecific variation of reproductive traits between migratory and resident populations of the rice plant skipper *Parnara guttata guttata*. *Evolutionary Ecology*, 35: 183–199.

Shields O (1967) Hilltopping. *Journal of Research on the Lepidoptera*, 6: 69–178.

Sondhi Y, Ellis EA, Bybee SM, Theobald JC, Kawahara AY (2021) Light environment drives evolution of color vision genes in butterflies and moths. *Communications Biology*, 4: 177.

Watt WB, Boggs CL (2003) Synthesis: butterflies as model systems in ecology and evolution—present and future. In: Boggs CL *et al.* (eds) *Butterflies: ecology and evolution taking flight*, pp. 603–613. The University of Chicago Press, Chicago and London.

Yack JE, Fullard JH (2000) Ultrasonic hearing in nocturnal butterflies. *Nature*, 403: 265–266.

Yamamichi M, Kyogoku D, Iritani R, Kobayashi K, Takahashi Y, Tsurui-Sato K, Yamawo A, Dobata S, Tsuji K, Kondoh M (2020) Intraspecific adaptation load: a mechanism for species coexistence. *Trends in Ecology and Evolution*, 35: 897–907.

吉松慎一 (2010) 日本周辺における長距離移動性鱗翅類の研究. やどりが, 227: 16–20.

(井出純哉)

Ⅰ．幼虫の行動

② ある種のチョウの幼虫がもつ頭部突起の役割

1. はじめに：まるで仮装パーティー？ 多様な形態をもつチョウ目幼虫

チョウ目の幼虫はツルツルで飾りのないイモムシ状の形態を基本として，クスサンやマイマイガのように全身が毛で覆われたケムシ，イラガやヒョウモンチョウ類のように棘で覆われたもの，ジャコウアゲハやホソオチョウのように肉状突起で覆われたもののほか，シャクガ類は木の枝に似せ，アゲハチョウ類の若齢やマダラエグリバは鳥の糞に似せる，スズメガはお尻に1本だけ突起をもつなど，形は様々である。体色としては基本的に緑色または褐色を主体として植物の中に溶け込む色合いのものが多いが，マダラチョウ類のように毒々しい派手なもの，アゲハチョウ類の終齢やアケビコノハのように目玉模様があるものなど，実に多種多様な形態をもつ(安田, 2014)。これ

図1 頭部またはその近くに長い突起をもつチョウの幼虫
上段：柔らかい突起をもつ種（左からアオジャコウアゲハ，ホソオチョウ，アサギマダラ，オオゴマダラ）／下段：硬い突起をもつ種（左からゴマダラチョウ，フタオチョウ，イシガケチョウ，スミナガシ）。

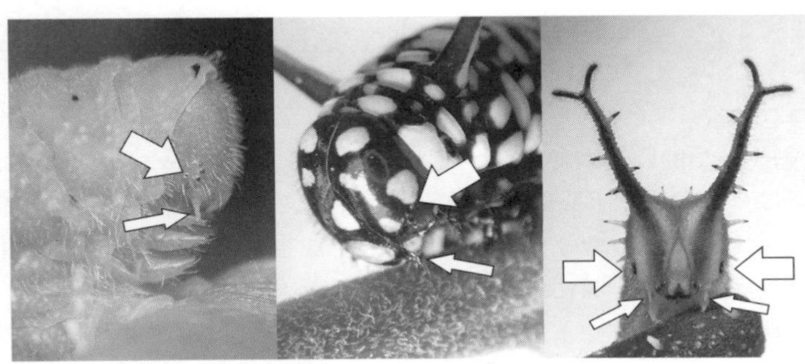

図2　チョウの幼虫の頭部の拡大

左：頭部に目立つ突起のないアオスジアゲハ幼虫／中：頭部後方に柔らかい突起をもつアサギマダラ幼虫／右：頭蓋と一体化した硬い突起をもつゴマダラチョウ幼虫。細い矢印は本物の触角，太い矢印は側単眼を示す。

らの形態には幼虫が生活する上で，または生き残る上で何らかの機能や役割があると考えられる。例えば，幼虫の全身を覆う棘や毛は野外で彼らを襲うアシナガバチやカメムシ，オサムシなどの捕食者や寄生バチなどから身を守るのに有効であることが実験により確かめられている（Murphy *et al.*, 2010, Sugiura & Yamazaki, 2014）。しかし，幼虫の形態について，まだその機能がよくわかっていないものが数多く存在する。例えば，一部のチョウの幼虫は頭部またはその近辺に長い突起を持っている（図 1）。この頭部突起は一見触角のように見えるが触角ではない。幼虫の本当の触角は口のすぐ横に左右一対生えている短くて目立たない突起である（図 2）。では，この突出した頭部突起は何の役に立っているのだろうか。

チョウの幼虫がもつ頭部突起は大きく 2 グループに分けられるだろう。1 つは頭蓋（頭部の固い部分）のすぐ後ろから生える柔らかい突起であり，もう 1 つは頭蓋から直接生える硬い突起である（図 1，2）。著者らは 2 種類の頭部突起に異なる機能があることを世界で初めて明らかにしたので以下に紹介する（Kandori *et al.*, 2015, 2022）。

2. 柔らかい頭部突起の役割：アオジャコウアゲハの場合

(1) アメリカでアオジャコウアゲハと出会う

私は 10 数年前，勤め先の大学の制度を利用して半年間アメリカに研究留学をする機会を得た。留学先はアメリカ合衆国の南部，アリゾナ州ツーソンにあるアリゾナ大学の Daniel. R. Papaj 教授のもとであった。留学当時はそのころ私が盛んに研究していたチョウの訪花学習行動を現地のチョウを用いて，行動生態学的に調べてみたいと思っていた。アオジャコウアゲハ *Battus philenor* は日本でいうナミアゲハ並みに多産した。実験材料として好都合である。当初はこのチョウを幼虫から飼育して成虫まで育て上げ，訪花未経験の成虫を訪花学習の実験に使おうと思っていた。しかし，幼虫を飼育してその形態の特殊さが気になった。この幼虫，日本のジャコウアゲハの近縁種（同じジャコウアゲハ族）でありジャコウアゲハと同様に全身に肉状突起がたくさん生えている。ただし頭部のすぐ後ろに生える最前列の肉状突起が 1 対だけ妙に長いのである。ジャコウアゲハの幼虫ではその部分の突起は短い。しかも幼虫は歩き回るとき，1 対のこの長い突起を上下左右に能動的に動かすことができるのである（動画参照[註 1]）。

(2) 突起の役割についてのいくつかの仮説

アオジャコウアゲハ幼虫の頭部のすぐ後ろに生えた左右一対の長く伸びた柔らかい突起は何の役に立っているのだろうか。まずはもっともらしい仮説をいくつか考えてみた。仮説の 1 つ目は Papaj 教授が発案した「ムカデに擬態」仮説である。ムカデと幼虫では細さは異なるが，体はどちらも黒褐色で，確かにムカデの長い触角とその後ろにたくさん生えた脚は，幼虫の長い頭部突起とその後ろにたくさん生えた短めの突起に色や形がそっくりである。この仮説はいまだ検証されていないが，私は幼虫の棲む乾燥砂地の草原でムカデを見かけたことはなかった。2 つ目は「カモフラージュ」仮説である。幼虫の突起は食草の枝や葉柄に擬態しており，食草上の幼虫はカモフラージュの効果によって天敵に見つかりにくいのではないかという仮説である。確かに現地での主な食草となるウマノスズクサ科の *Aristolochia watsonii* は日本のウマノスズクサと違って茎や葉柄が赤褐色であり，突起の色や細さと似ていなくもない。しかしこの場合，なぜ頭部突起だけが特に長いのかの説明にはならないように思われる。ほかに，ナメクジに似せる，一般的な昆虫の長い触角をまねるなど，いくつか仮説の候補は考えられるが，いずれもそれによって得られる利益（適応的意義）が判然としないため，これらの仮説はゴミ箱行きといったところである。

最も有力な仮説として私が発案したのが「食草探索補助」仮説である。これは，本来幼虫がもっている本当の触角は上述のように短小で食草探索の際に十分役割を果たさないため，この一対の長い頭部突起が本当の触角を補助することによって食草探索を効率化しているのではないかとする仮説である。私は半年間の留学中の研究の大半をこの仮説の検証に費やすこととなった。

(3)「食草探索補助」仮説の検証へ ～ カギを握る突起切除の方法

上記仮説を証明するには，どんな実験をすればいいのだろう。頭部突起の生えた通常の幼虫だけを観察してその行動をつぶさに調べても検証にはつながらない。突起のない，または使えない幼虫を何らかの方法で人為的に作出し，その幼虫(突起無しの幼虫)と通常の突起有りの幼虫の行動を比較して，食草探索の効率が2種類の幼虫間で違うかどうかを調べることがカギとなるだろう。そこで，まずは安易に終齢幼虫の突起をハサミでスパッと切除してみた。すると傷口から大量の体液(血リンパ)があふれ出し，幼虫は弱ってしまった。こんな幼虫では実験にならない。いかに幼虫の血リンパを損なうことなく突起を切除するか。私が試行錯誤の末にたどり着いた方法は次のやり方であった。幼虫が4齢の時期に，突起の基部を細い糸で結紮した。幼虫は糸を結んでしばらくは，痛がっているかのように多少もがくが，やがて慣れて通常の生活に戻り食草をいつものように食べ始めた。その後脱皮し終齢(5齢)になった幼虫は，全く出血することなくきれいに突起を失った(図3)。このようにして作出した突起無しの幼虫は通常の突起有りの幼虫と歩行スピードや蛹化時の体重が変わらないことを確かめた。これは突起無しの幼虫が突起有りの幼虫と同様に元気であることを物語っている。

図3　実験に用いた2処理区のアオジャコウアゲハ幼虫（Kandori *et al.*, 2015 を改変）
上:突起有り（無処理）／下:突起無し（突起を切除）。

(4) 食草探索実験

次に仮説検証のメイン実験として，食草探索実験を行った。用意した幼虫は頭部突起の処理に関する 2 種類の幼虫(突起有りと突起無し)のほかに，幼虫の視覚の処理に関して 2 種類の幼虫を用意した(視覚有りと視覚無し)。一般的にチョウの幼虫の頭部側面には側単眼という眼があり(図 2)，成虫の複眼ほどはっきりは見えないものの幼虫の視覚のすべてをつかさどっていることが知られている。予備実験では幼虫が至近距離で植物の緑に反応して近づこうとすることがわかった。これは食草探索に側単眼からの視覚情報が役立っている可能性を示している。幼虫から視覚を奪い去る方法として，頭部側面にある側単眼(左右各 6 個)を含む頭蓋全体を，口器と触角を除いてアクリル絵の具で塗りつぶした。以上，食草探索実験には突起有り視覚有り(無処理)，突起有り視覚無し，突起無し視覚有り，突起無し視覚無しの計 4 処理区の幼虫を用いた。

次の課題は幼虫が食草探索を行う実験空間の設定である。安直に，広い空間に食草を転々と配置し幼虫を自由に歩かせて単位時間当たり食草発見率(または食草を発見するまでの時間)を調べたのでは，かく乱要因が大きすぎて突起の効果をうまく検出できないかもしれない。そこで考え出したのが簡易の歩行路である。この歩行路は水平におかれた長さ 20 cm の木の棒とそれ

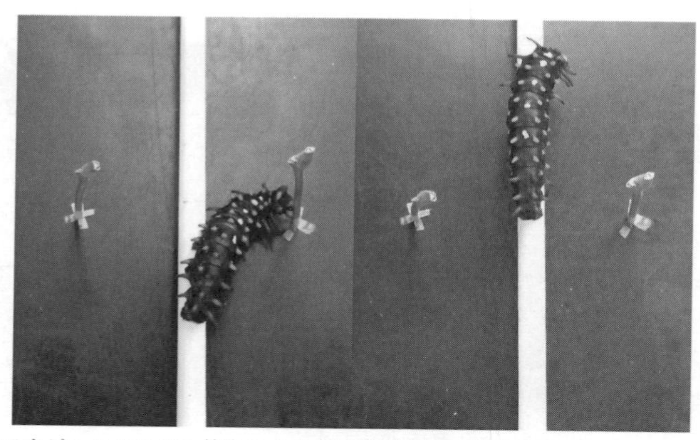

図 4　アオジャコウアゲハ幼虫による食草探索実験の様子 (Kandori *et al.*, 2015 を改変)
左：歩行路を歩行中の幼虫が歩行路から少し離して配置した食草の茎を発見した試行／右：幼虫が食草の茎を発見できず通り過ぎた試行。

を両端の下から支える2本の短い棒でできていた。空腹状態の幼虫にこの歩行路を歩かせると，歩行路からほとんど逸脱することなく食草を探しながらまっすぐ歩行路の上を歩いてくれることを発見した。この歩行路の中央付近で左右に2 cmずつ離れたところに食草の茎の断片を垂直に配置した。そして歩行路を歩いてきた幼虫が食草の茎を発見して口器でかじろうとすれば「食草発見」，食草を見つけることなく素通りすれば「食草未発見」として，各幼虫に連続10回歩行させ各幼虫の食草発見率を算出した(図4)。

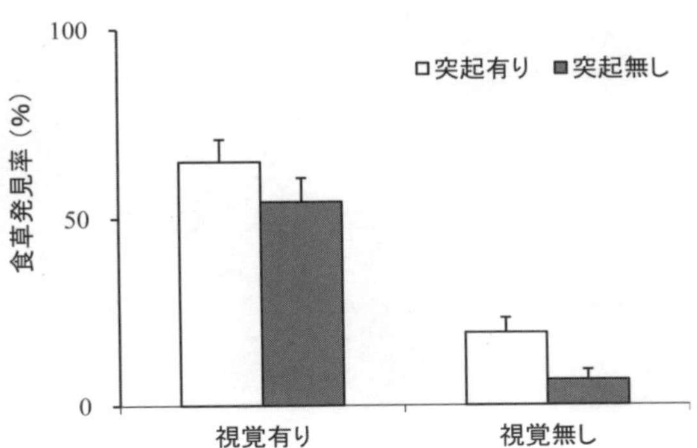

図5 アオジャコウアゲハ幼虫による食草探索実験の結果（Kandori *et al.*, 2015を改変）
グラフは（平均＋標準誤差）を示す。

食草探索実験の結果，幼虫が視覚有りの時は無しの時より食草発見率が45～50％ほど高まった。また，突起有りの時は無しの時より食草発見率が10～15％ほど高まった(図5)。統計解析の結果，これらの差はともに有意であった。つまり，アオジャコウアゲハ幼虫は食草探索を効率的に行うために主に側単眼からの視覚情報に頼っているが，頭部突起から得られる何らかの情報も使用することが示された。

(5) 幼虫は頭部突起からどんな情報を得ているのか

チョウ目幼虫の本当の触角は前述のように非常に短いが，食草か非食草かを見分けるセンサー(化学感覚子)がついていることが知られている。ではこの幼虫の頭部突起にも化学感覚子はついているのだろうか。走査型電子顕微鏡(SEM)を用いて突起表面の微細構造を観察したところ，毛のような構造をした感覚子(毛状感覚子)が点々と生えていた(図6)。この毛状感覚子は化学感覚子ではなく機械感覚子と考えられた。その根拠として，感覚子先端部を拡大しても，化学感覚子特有の小さな孔が開いていないこと。さらに突起有

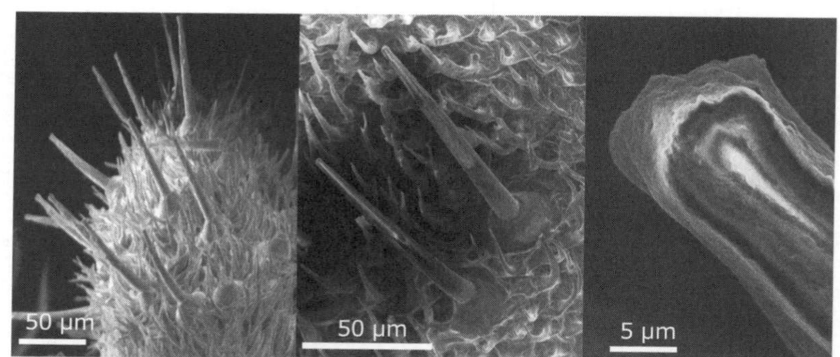

図 6　走査型電子顕微鏡（SEM）を用いたアオジャコウアゲハ幼虫の頭部突起表面の毛状感覚子の観察（土原和子氏 写真提供）
左：突起先端部分／中：毛状感覚子とその横断面／右：毛状感覚子横断面の先端部拡大。

り視覚有りと突起無し視覚有りの 2 処理区の幼虫を用いて，食草探索実験と同様の方法で非食草（イネ科植物）の探索実験を追加で行ったところ，突起有りの幼虫は突起無しの幼虫に比べ食草も非食草も同程度に発見率が高かったことが挙げられる（図 7）。これは，突起には食草の匂いや味を感知する機能がなく，単に人間が物に手で触れた時に感じるような接触感覚（触覚）のみがあることを示唆している。

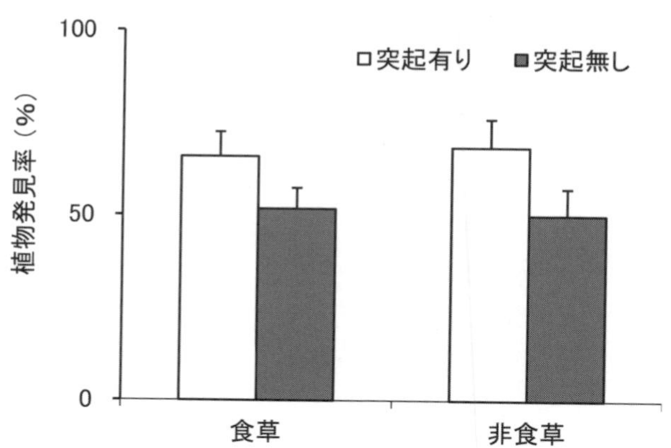

図 7　視覚有りのアオジャコウアゲハ幼虫を用いた食草・非食草探索実験の結果
グラフは（平均＋標準誤差）を示す。（Kandori *et al.*, 2015 を改変）

以上まとめると，幼虫は食草探索の際，側単眼からの視覚情報と頭部突起からの接触感覚情報をたよりに食草候補となる植物を探し出し，最終的には短い触角で触れたり口器でかじったりすることで，食草かどうかの判断をしていると考えられる。

(6) 野外の幼虫は食草を探索する必要があるか

たとえ，幼虫の側単眼と頭部突起が食草探索に役立つとしても，野外で生活している幼虫が実際に食草を探索する必要性がなければ，それは宝の持ち腐れである。例えば，モンシロチョウの幼虫1匹は畑のキャベツ1株を食い尽くすことはないだろうし，アゲハチョウの幼虫1匹もミカンの木1本を丸裸にすることはないだろう。彼らは幼虫としての成長を完了する（蛹になる）までに今食べている植物体（株）を食い尽くす心配はまずないので，食草を探索する必要もないのである。果たしてアオジャコウアゲハの幼虫は野外で食草を探索する必要があるだろうか。

紙面の都合上，詳しい図表の提示を省略するが，野外の幼虫は頻繁に食草探索しているらしい。野外調査の結果，アリゾナの生息地（乾燥した砂地，図8）において，長い乾季の間アオジャコウアゲハのメインの食草となっている *A. watsonii* の1株は小さく（地上重の平均 2.1 g），1匹の幼虫が成長を完了するまでに摂食する食草の重量（平均 4.3 g）よりも少ない場合が多かった。

図8 アリゾナにおけるアオジャコウアゲハの生息地の乾季の風景（左）と食草から離れて地面を歩いていた終齢幼虫（右）

さらに食草は砂地に点々と生えており，比較的密度の高い場所においても株間最短距離は平均3 mであった。つまり食草を1株食い尽くした幼虫は次の食草を探して少なくとも3 m以上歩かないといけない。現実に幼虫は右往左往しながら歩くため，ゆうに10 m以上歩いて食草を探し回っているに違いない。私は野外生息地にて，食草から離れた場所を歩いている幼虫を時々目撃したが(図8)，彼らは次の食草を求めて探索中の幼虫だったのかもしれない。

3. 硬い頭部突起の役割：ゴマダラチョウの場合

(1) そしてゴマダラチョウの幼虫の突起へ

アメリカでアオジャコウアゲハの柔らかい頭部突起の役割について，ほぼ解明し終えた私は，日本に戻ってきてからも(味を占めて？)チョウの幼虫の突起を研究し続けた。次に気になったのは硬い突起である。例えばゴマダラチョウ *Hestina japonica* の幼虫の頭部突起は，アオジャコウアゲハの場合と異なり，頭部と一体化していて硬い。角と呼んでもいいだろう。じっくり見ると突起は先端付近で2本に枝分かれしており，頭部の周縁にも鋭くとがった棘がいっぱい生えている(図2)。いかつい顔つきだ。

(2) 突起の役割についてのいくつかの仮説

ゴマダラチョウ幼虫の硬い頭部突起は何の役に立っているのだろうか。ここでもやはり，まずはもっともらしい仮説をいくつか考えてみた。仮説の1つ目は，「カモフラージュ」仮説である。先端部に枝分かれのあるごつごつした硬い突起は幼虫の食草であるエノキの枝ぶりをまねており，エノキの枝葉に紛れることで天敵に見つかりにくくしているのではないか，とする仮説である。この仮説は一見もっともらしいが，仮説では説明つきにくい点がある。この幼虫の頭部突起と顔の周りには小さな棘状突起がたくさん見られるが，このような細かな棘はエノキの枝には見られない。また幼虫がエノキの枝ぶりをまねて静止するなら，2本の突起の広がる向きを枝葉が分かれて広がっていく方向に向けて静止すべきであろう。ところがこの幼虫は通常エノキの葉おもてに台座を作り，枝葉が広がる方向とは反対方向，つまり葉の付け根の方向に突起を向けて静止しているのである(図9)。

仮説の2つ目は，「餌をめぐる競争(または縄張り争い)」仮説である。シ

図９ 食草エノキの葉上で枝葉の広がる向きとは反対方向に頭部突起を向けて静止するゴマダラチョウ幼虫

カやカブトムシは配偶者を獲得するために同種の雄どうしで戦い，その時に頭部の角を武器として用いる。これと似たように，幼虫どうしが餌の奪い合いや縄張り争いをするときにこの突起を用いて戦うのではないかとする仮説である。確かに狭い容器の中で何匹も本種の幼虫を飼育していると，幼虫どうしの体が触れ合った時に突起を使って相手を攻撃したり威嚇するような様子が観察される。しかし野外において通常広大なエノキの木の葉上で単独生活する彼ら幼虫が，同種他個体と餌の葉っぱをめぐって争ったり，縄張りを防衛する必要性はないだろうし，実際観察したこともない。人間がエノキの葉についている本種幼虫を見つけるのは非常に難しいほど，野外の幼虫はエノキの上では低密度であり，幼虫にしてみれば周りに餌はふんだんにある。

３つ目の仮説は「天敵からの防衛」仮説である。これは，本種幼虫は硬い頭部突起を使って天敵の攻撃を防御するのではないか(盾のように使って急所を守るか，または振り回して天敵を追い散らす)という仮説である。第六感によって(？)この仮説が最も怪しいと考えた私は仮説を検証していくこととした。

(3)「天敵からの防衛」仮説の検証へ ～ まずは野外天敵調査から

この仮説を検証するにあたり，まずは野外において本種幼虫の主要な天敵は何かを特定する必要がある。なぜならこの突起が向けられるべき相手によってその防衛効果は異なるかもしれず，天敵を用いた防衛実験をするには，幼虫の主要な天敵を用いるべきだからである。

幼虫を襲う可能性のある天敵としては鳥，カエル，ハチ(カリバチ，寄生バチ)，寄生バエ，アリ，クモ，カマキリ，捕食性のカメムシ，捕食性の甲虫など様々なグループが考えられるが，これらの種類と数を特定すべく，野外天敵調査を行った。

調査地は著者の所属する近畿大学農学部キャンパス周辺(矢田山丘陵)とその近くの生駒山麓(ともに奈良県北西部)であり，どちらも里山的環境である。以前ゴマダラチョウの幼虫や卵を見つけたことのあるエノキの木を事前に選定しておき，手の届く高さの枝にメッシュネットで袋掛けしてその中に4齢または5齢幼虫を数匹ずつ投入した。翌日幼虫は通常葉の表に吐糸して台座を作りその上に静止していた。それを確かめて袋掛けを外し，三脚とビデオカメラを数m放して設置し，幼虫にフォーカスして朝から夕方まで長時間撮影を何日も行った。

2017年4月から9月の晴れまたは曇りの日に計55日間約500時間に及ぶ野外調査を行った結果，ゴマダラチョウ幼虫に対する天敵の攻撃シーンを121回観察することができた(表1)。

天敵相は多様とは言い難く，むしろ非常に偏っていた。最も多いグループがアシナガバチ類で全攻撃回数のうち実に87%を占めた。さらにその内訳としてセグロアシナガバチが最も多く，ヤマトアシナガバチ，キアシナガバチと続いた。次に多いグループはシジュウカラやホオジロといった小鳥の仲間であったが，それでもたったの8%程度に過ぎなかった。これら以外の天敵はごくまれで，アリ，寄生バエ，クモは各1回だけ攻撃シーンがビデオに写り，カマキリは一度だけ写ったものの攻撃には至らなかった。その他の天敵グループは写ることさえなかった。

またビデオ撮影では天敵と幼虫の攻防の一部始終(攻撃開始から，天敵と幼虫との攻防を経てその後の結果，つまり幼虫が防衛に失敗して天敵に殺された(死亡)か，天敵が去り防衛に成功した(生存)か)が映し出されていた。それを観察すると幼虫はアシナガバチに対して頭部突起を振りかざして一生懸命防衛し，しばしば生き残ったが(動画参照[註2])，鳥に対しては全くの無力で，あっさりついばまれて持ち去られた(動画参照[註3])。

表1 野外においてゴマダラチョウ幼虫を攻撃した天敵および攻撃を受けた直後の幼虫の生存率（防衛率）（Kandori *et al.*, 2022 を改変）

天敵	攻撃 回数	(%)	生存 回数	生存率[c] %
昆虫綱				
ハチ目				
セグロアシナガバチ	56	(46.3)	30	53.6
ヤマトアシナガバチ	24	(19.8)	20	83.3
キアシナガバチ	14	(11.6)	9	64.3
キボシアシナガバチ	2	(1.7)	2	100.0
コアシナガバチ	1	(0.8)	1	100.0
フタモンアシナガバチ	1	(0.8)	1	100.0
不明アシナガバチ[a]	7	(5.8)	7	100.0
クロスズメバチ	3	(2.5)	3	100.0
クロヤマアリ	1	(0.8)	1	100.0
ハエ目				
寄生バエの一種[b]	1	(0.8)	1	100.0
蛛形綱				
クモ目				
アリグモの一種	1	(0.8)	1	100.0
鳥綱				
スズメ目				
シジュウカラ	8	(6.6)	0	0.0
ホオジロ	2	(1.7)	0	0.0
合計	121	(100.0)	75	62.0

[a] ビデオカメラのフォーカスや写る角度の問題で種まで同定できなかった場合を含む。
[b] ハエは幼虫の体表に複数卵産卵に成功したが，寄生された幼虫のその後の生死は追跡しなかった。
[c] 天敵が攻撃した回数のうち幼虫がその直後に幼虫が生存していた回数の割合（＝防衛率）。

(4) 天敵アシナガバチを用いた捕食実験 ～ 準備編

野外天敵調査の結果，アシナガバチ類，中でもセグロアシナガバチがゴマダラチョウ幼虫の最も主要な天敵となっていることが判明した。そこで次にこのアシナガバチを使って，野外アミ室内で幼虫を襲わせてその攻防を観察する捕食実験へとコマを進めた。

ここでもやはり仮説を実証するには実験系を巧妙に設定しないといけない。突起のある無処理の幼虫とアシナガバチの攻防戦をつぶさに観察してい

図 10　アシナガバチによる捕食実験に使用されたゴマダラチョウの3 処理区の幼虫の頭部（Kandori *et al.*, 2022 を改変）

左：突起有り（無処理）／中：突起無し（突起を切除）／右：突起接着（突起を切除後，別個体の突起を接着）。

るだけでは仮説を検証できないだろう。アオジャコウアゲハの時と同様に突起のない幼虫を何らかの方法で人為的に作出し，その突起無しの幼虫と通常の突起有りの幼虫の行動を比較して，防衛率に差があるかどうかを調べることがカギとなるだろう。そこで，まずは安易に終齢幼虫の突起をハサミでスパッと切除してみた。するとまたも傷口から大量の体液があふれ出し，幼虫は弱ってしまった。こんな幼虫では使い物にならない。いかに幼虫の血リンパと活力を損なうことなく突起を切除するか？　試行錯誤の末にたどり着いた方法はアオジャコウアゲハの場合とは異なる次のやり方であった。幼虫が 4 齢の時期に，保冷剤で冷やして一時的に麻痺させた。次にピンセットの先端をガスバーナーで赤くなるまで加熱し，頭部突起の中央部分をはさみ焦がした。その後，幼虫は通常の飼育に戻した。多くの場合，彼らはちゃんと 5 齢に脱皮し，出血なしに突起を失った（図 10）。こうして作出した「突起無し」の幼虫と，無処理の「突起有り」の幼虫のほかに，我々は「突起接着」の幼虫も作出した。この幼虫は上述の方法で作出された突起無しの幼虫の突起があった部分に，他個体が蛹化時に脱ぎ捨てた頭部突起の殻の部分を切り取って接着剤で貼り付けた処理区である（図 10）。この処理区は，突起を切除するという幼虫への潜在的ダメージが，天敵からの防衛にマイナス効果をもたらす可能性を考慮して追加された。

次に実験に用いるセグロアシナガバチを準備した。まず，大学のキャンパス周辺で5月ごろ営巣初期段階の小さな巣を女王蜂ごと採集した。これらのハチと巣は持ち運びが便利なように，横倒しした小型コンテナ内の天井面に巣を接着した状態で，実験に用いる野外アミ室に導入した。ハチは自分たちの巣で育てている幼虫たちの餌としてチョウ目幼虫を狩りし，肉団子にして巣まで運ぶ。実験ではハチの狩りの経験（前歴）が実験中の狩りの成功率（またはゴマダラチョウ幼虫の防衛率）に影響を与える可能性があったため，ワーカーの狩りの経験は未経験でそろえた。ただし，巣内の幼虫にワーカー自身で給餌してもらうため，実験に使用する前のワーカーには半死状態にしたカイコの幼虫を定期的に与え，これによってワーカーに狩りの経験を積ませずにコロニーを維持した。これらのカイコ幼虫は，事前にアミ室内に導入した鉢植えのエノキの枝葉に設置し，アシナガバチのワーカーが自由に飛翔して餌探索しエノキの葉に餌があることを経験させた。これによりアシナガバチは実験中頻繁にエノキ周辺を餌探索して飛び回ることになる。アミ室内に巣を移しておよそ1か月たち，ワーカーの数が増えてきたところでワーカーに個体識別のマーキングをして，いよいよ本実験のスタートである。

(5) 天敵アシナガバチを用いた捕食実験　～ 本番編

実験の前日，3処理区のいずれかのゴマダラチョウ幼虫をハチのいるアミ室内の鉢植えのエノキの葉上に止まらせ，メッシュネットで袋掛けした。実験当日，葉の表側に幼虫が静止していることを確認した後，袋掛けを外し，餌探索中のハチのワーカーに幼虫をさらした。ハチが幼虫を発見し攻撃した後，幼虫が防衛に成功し，ハチが諦めて飛び去ったか（＝生存），または幼虫が防衛に失敗し，ハチによって殺されたか（＝死亡）を記録した。

ハチと幼虫の攻防を詳細に観察した結果，ハチが幼虫を攻撃したとき，ほとんどの幼虫は単純に頭をハチの方に向けるだけだった。幼虫はまれにハチを頭部突起で突いたり叩いたり，口器でハチに噛みついたりして反撃したが，基本的に防戦するのみだった。幼虫が防衛に失敗した（＝ハチが狩りに成功した）全てのケースで，ハチは幼虫の「首」（頭蓋のすぐ後ろ）を噛んだ。3つの処理区の幼虫の中で，突起有りの幼虫と突起接着の幼虫は，しばしばハチの攻撃から身を守ることに成功した。対照的に，突起無しの幼虫はしば

図 11　捕食実験中のアシナガバチとゴマダラチョウ幼虫の攻防の様子

左：突起有りの幼虫が防衛している様子／右：突起無しの幼虫が防衛に失敗し「首」に噛みつかれた様子。（Kandori *et al.*, 2022 を改変）

しば防衛に失敗し，首を噛まれてハチに殺された（図 11；動画参照[註4]）。データを集計して幼虫の生存率（＝防衛率）を算出し，3 処理区の幼虫間で比較した（図 12）。その結果，突起有りと突起接着の幼虫間では生存率に差はなかったが，これら 2 処理区の幼虫は共に突起無しの幼虫よりも生存率が有意に高かった。

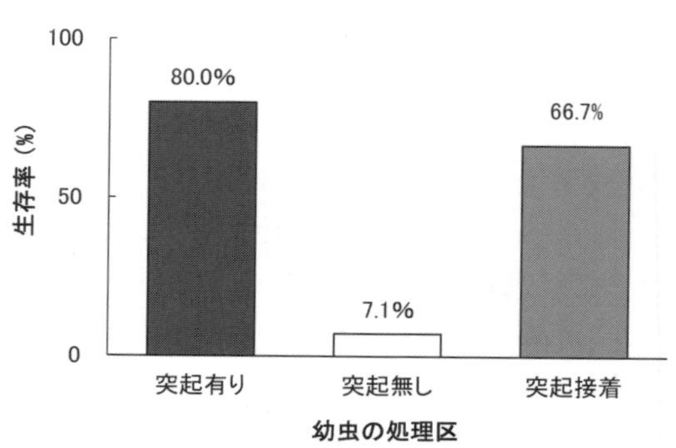

図 12　アシナガバチによる捕食実験における 3 処理区のゴマダラチョウ幼虫の生存率（防衛率）（Kandori *et al.*, 2022 を改変）

以上の結果は，ゴマダラチョウ幼虫の頭部突起がアシナガバチの攻撃から身を守るのに有効であることを示唆している。また突起接着の幼虫が突起有りの幼虫と比較して生存率があまり低下しなかったという結果は，今回用いた突起の切除法が幼虫の体力や活力を低下させ，それによって防衛力が低下する可能性はほとんどないことを物語っている。

(6) 頭部突起の表面をSEMで観察する

走査型電子顕微鏡(SEM)を用いて突起表面の微細構造を観察したところ，突起表面は非常にゴツゴツしており，ドーム状の構造から毛状の感覚子が生えていた(図13)。この毛状感覚子は構造的におそらく機械感覚子と考えられた。突起は盾のように固い表皮で覆われているものの，表面に多数の機械感覚子を配置することで敏感に天敵の攻撃位置を感じ取り，攻め込まれないための最適な防御姿勢を取るのに役立っているのだろう。

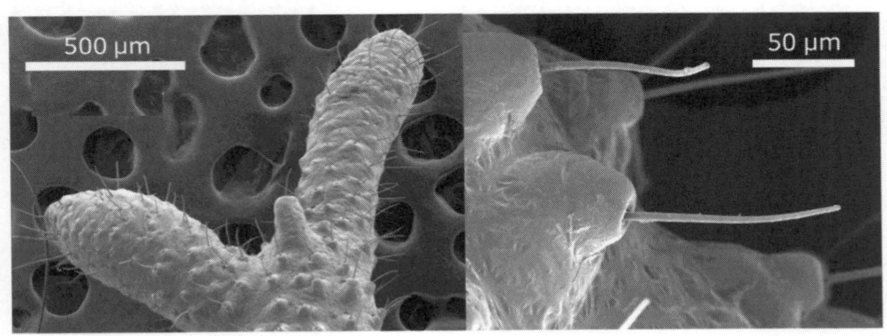

図13 走査型電子顕微鏡（SEM）を用いたゴマダラチョウ幼虫の頭部突起表面の毛状感覚子の観察（土原和子氏 写真提供）
左：突起先端部分／右：毛状感覚子。

(7) 頭部突起を用いた防御についての考察

チョウ目幼虫は天敵から身を守るための様々な防衛手段を進化させてきた。行動的防御(シェルターを作る，攻撃を受けると木の葉から自発的に落下するなど)，化学的防御(体内に毒を蓄積する，襲われた時に嫌な匂いや液体を出すなど)と並んで非常によく見られるのが形態的防御である(Greeney *et al.*, 2012)。最初に記述した幼虫の多様な形態の大半は天敵から形態的に防御するために進化してきたようである。例えば，シャクトリムシが木の枝に似せ，アゲハチョウの若齢幼虫が鳥の糞を真似るのは天敵の目を欺いて自分たちを餌と気づかせないためである。また幼虫の体表全体を覆う毛や棘は捕食性の甲虫やカメムシの鋭い口や寄生バチの産卵管が体表に届かないようにするための防護服の役割を果たす。また，マダラチョウ類の幼虫のような派手な体色は警告色として働き，自分たちには毒があるよ，食べてもまずいよというシグナルを天敵に向けて発しているとされる。目玉模様のある幼虫は，天敵である小鳥に対して，さらにその天敵となるヘビを想起させることで幼虫を捕食するのをためらわせる効果があるとされる。今回の研究によって，私たちはチョウ目幼虫の形態的防御の新しい方法を追加した。それが，硬い頭部突起を盾として用い天敵から身を守る防御法である。

(8) たった２本の突起で効果的に防御できるのはなぜ？

野外調査で撮影したビデオによる観察やアミ室内の捕食実験の観察によると，アシナガバチは，狩りに成功したとき必ず幼虫の「首」（頭蓋のすぐ後ろ）を噛んだ。その様子はまるでライオンが狩りをするときに必ず草食動物の首筋に噛みつく様を彷彿とさせた。予備実験では，ゴマダラチョウ以外のチョウ目幼虫に対しても，手ごわそうな（比較的大きい）相手には基本的に最初に首に噛みつこうとすることがわかった。この行動はアシナガバチの種類が変わっても共通しているようである。というのは，野外調査で幼虫に攻撃を仕掛けた主要なアシナガバチ3種について集計してみると，どの種も狩りに成功した試行において，ほぼ100％幼虫の首に噛みついていたからである。首へしっかりと噛みつかれた後に幼虫が生き残る（アシナガバチを追い払う）ことは一度もなかった。ここは幼虫にとって急所ともいえる場所なのである。幼虫の首への噛みつきに成功したハチは，幼虫の頭部を固定した状態で，首にさらに深く噛みついていき，やがて大量の体液が傷口からあふれてきて，幼虫は反撃する力を失い，さらにハチが噛み進んで幼虫の頭蓋を噛み切って落とす。この時点で幼虫は死亡して，ただの肉塊となる。その後，ハチは大顎で肉塊を噛み続けて肉団子に仕立てていく。これがチョウ目幼虫を狩りするときにハチが思い描く理想のシナリオなのである。この「狩猟戦略」は，反撃されるリスクなしに幼虫を無力化できるのだろう。もしハチが間違えて幼虫の後部に噛みつこうものなら，幼虫は頭部の突起や棘をハチに激しく突き立てて防戦したり，通常は葉っぱを食べる小さな口（大顎）でハチに噛みつき返そうとしてくるだろう（実際に幼虫はハチとの攻防中，常に口を大きく開いて，ハチに噛みつく機会をうかがっている；図 11)。

捕食実験における観察では，3 処理区のすべての幼虫が，攻撃してくるハチに対して単純に頭を向けるだけであった。この行動は，ハチが頭部突起のある幼虫の首に噛みつきにくくしているようである。たった 2 本の突起とハチに対する単純な行動反応によって，ハチは狩猟戦略を筋書き通りに実行できず，やがてあきらめて飛び去るのである。したがってゴマダラチョウ幼虫の硬い頭部突起は，首を保護するための防御シールドとして機能していた。

ところで，幼虫の頭部突起はアシナガバチ以外の天敵に対しても有効なのだろうか。野外天敵調査の結果は，幼虫の突起が小鳥に対しては全くの無力であることを示唆している。幼虫と小鳥では体格差が大きいため，幼虫は鳥の攻撃に抵抗できないようであった。クモ，捕食性の甲虫やカメムシ，アリ，カマキリ，寄生バチ，寄生バエも幼虫の天敵であるかもしれない。しかし，野外調査のビデオにはめったに写っていなかった。したがって，幼虫の突起がこれらの天敵に対して有効であるかどうかはわからず，今後の課題として残った。

4. チョウの幼虫の頭部突起の系統進化を考える

チョウの幼虫がもつ頭部突起は大きく 2 グループに分けられると考えられる。1 つは頭蓋のすぐ後ろから生える柔らかい突起であり，もう 1 つは頭蓋から直接生える硬い突起である。

不思議なことに，これらの目立つ頭部突起はチョウの仲間には散見されるが，ガの仲間にはほとんど見られない。例えば，柔らかい頭部突起はアゲハチョウ科の中のホソオチョウ属とアオジャコウアゲハ属(両者は同じ科の中では系統的に遠い)，タテハチョウ科の中のマダラチョウ亜科にのみ見られる形質のようである。一方硬い頭部突起は，タテハチョウ科の中でのみ見られる形質であるが，この科の中では比較的広く見られるようである。具体的に，タテハチョウ科に属する 12 亜科のうち 9 亜科に見られ，スミナガシ亜科，コムラサキ亜科(ゴマダラチョウを含む)，イシガケチョウ亜科およびクビワチョウ亜科の 4 亜科ではすべての属に見られるほか，他の 5 亜科では多くの属に見られたり一部の属に見られたりと様々である。これらの事実はチョウの系統進化の中で硬い突起も柔らかい突起も 1 度だけ発生したのではなく繰り返し発生していることを示している。網羅的な文献検索によると，タテハチョウ科を構成する約 540 属のうち約 100 属は終齢幼虫の時に硬い頭部突起をもっており，約 180 属はそれらを持っていなかった(残りの属は情報なし)。これは概ねタテハチョウ科の 3 属に 1 属は硬い頭部突起をもっているということを示唆する。

5. 動物の頭部突起の役割と その中におけるチョウの頭部突起の位置づけ

以上の実験結果を学術雑誌に投稿するにあたり，私は動物が頭部またはその近くに目立つ突起を恒常的にもっているケースを網羅的に調べた(Kandori *et al.*, 2015)。その結果，頭部突起(角，毛ではないヒゲ，大顎，牙や歯，触角など)はそれらが持つ役割・機能によって大きく 4 グループに分けられると考えられた。

1 つ目は，成体の雄が配偶相手として同種の雌を獲得するために，雄どうしの戦いや雌へのアピールに使用されるケースであり，主に「攻撃の武器」として使用される。例としてシカやカブトムシの角が挙げられる。2 つ目は，捕食者から身を守る「防具」として使用するケースであり，例としてツノトカゲの角，ウシ科の雌の角が挙げられる。3 つ目としては，突き出した牙のような歯や角を用いて，穴を掘ったり，食べ物をつかんだりするなど「生活の道具」として使用されるケースである。例としてハダカデバネズミの飛び出た歯やアリモドキ科の甲虫であるホソアシチビイッカクの角，ケシゲンゴロウ幼虫の角などが挙げられる。そして 4 つ目に，ある種の突起は表面に多くの機械的・化学的なセンサーを持ち餌や棲家，配偶相手などの資源を見つけるための「探針」として使用されている。例としては昆虫や他の節足動物がもつ触角，コイやナマズなど魚類のヒゲが挙げられる。

今回役割の判明したアオジャコウアゲハ幼虫の柔らかい頭部突起は 4 つ目のカテゴリーに分類されるが，昆虫など節足動物において体節付属肢(註 5)以外の突起を使って，資源を探索する例は今回はじめて発見された。また，ゴマダラチョウ幼虫の硬い頭部突起は 2 つ目のカテゴリーに分類されるが，昆虫など節足動物における例として初めての発見となった。

6. おわりに

簡単にまとめると，チョウの幼虫がもつ頭部突起は大きく2グループに分けられるだろう。1つは頭蓋のすぐ後ろから生える柔らかい突起であり，もう1つは頭蓋から直接生える硬い突起である。前者については，アオジャコウアゲハ幼虫を用いてその役割を調べた結果，食草探索に補助的に用いていることがわかった。この「食草探索補助」仮説は同じように柔らかい頭部突起をもつ他種のチョウの幼虫にも当てはまるのだろうか。現在アサギマダラ幼虫を用いて調べており，仮説通りの結果が出てきている。

後者については，ゴマダラチョウ幼虫を用いてその役割を調べた結果，天敵からの形態的防衛に用いていることがわかった。この「天敵からの防衛」仮説は同じように硬い頭部突起をもつ他種のチョウの幼虫にも当てはまるのだろうか。現在フタオチョウ幼虫を用いて調べており，仮説通りの結果が出てきている。

謝辞

最後に。SEMによる観察はいずれも東北学院大学の土原和子博士にご協力いただいた。アオジャコウアゲハの実験は私がアメリカに研究留学中に自分自身でデータを取ったが，滞在期間中アリゾナ大学のDaniel R. Papaj教授や当時のポスドク，A.S. Leonard博士とR. L. Kaczorowski博士には研究と生活の両面で大変お世話になった。ゴマダラチョウの捕食実験は近畿大学農学部昆虫学研究室で私の指導のもと卒業研究を行った以下の多くの学生たちの汗と努力の結晶である（藤田新，西尾友輝，日比野拓人，山中佑紀，片岡美樹，柴田実奈，惣田実菜子，平松衛，樋口真孝，中島伸也，舩見瞬，敬称略）。この場を借りてお礼申し上げる。

〔註〕

（註1）動画：アオジャコウアゲハ幼虫の歩行

（註2）動画：野外においてゴマダラチョウ幼虫を襲う天敵 1. キアシナガバチ

註1：動画

註2：動画

（註 3）動画：野外においてゴマダラチョウ幼虫を襲う天敵 2. シジュウカラ
（註 4）動画：捕食実験にて突起無しのゴマダラチョウ幼虫を襲うセグロアシナガバチ

註 3：動画

註 4：動画

（註 5）節足動物では基本形として各体節から 1 対の肢が生えていて，これを体節付属肢という。進化の過程で様々な形に変化し，通常の脚のほか触角や小顎肢，下唇肢，大顎，尾角などになった。昆虫では退化し，なくなってしまった体節付属肢が多い。

〔引用文献〕

Greeney HF, Dyer LA, Smilanich AM (2012) Feeding by lepidopteran larvae is dangerous: A review of caterpillars' chemical, physiological, morphological, and behavioral defenses against natural enemies. Isj-Invertebrate Survival Journal, 9: 7-34.

Kandori I, Tsuchihara K, Suzuki TA, Yokoi T, Papaj DR (2015) Long frontal projections help *Battus philenor* (Lepidoptera: Papilionidae) larvae find host plants. *PLoS ONE*, 10: e0131596.

Kandori I, Hiramatsu M, Soda M, Nakashima S, Funami S, Yokoi T, Tsuchihara K, Papaj DR (2022) Long horns protect *Hestina japonica* butterfly larvae from their natural enemies. *Scientific Reports*, 12: 2835.

Murphy SM, Leahy SM, Williams LS, Lill JT (2010) Stinging spines protect slug caterpillars (Limacodidae) from multiple generalist predators. *Behavioral Ecology*, 21: 153–160.

Sugiura S, Yamazaki K (2014) Caterpillar hair as a physical barrier against invertebrate predators. *Behavioral Ecology*, 25: 975–983.

安田守（2014）イモムシハンドブック 3．文一総合出版．東京．

（香取郁夫）

3 アカタテハの巣作り行動

1. 巣を作る昆虫

巣を作る昆虫といったら，何を思い浮かべるだろうか。真っ先に思い浮かぶのはアリやハチだろうか。縁の下に砂で擂り鉢状の巣を作るアリジゴクや砂粒を集めて筒状の巣を作り川底に潜んでいるトビケラ，昆虫ではないがクモが思い浮かんだという人もいるだろう。このように，巣を作る虫は意外とたくさんいる（小松, 2016）。

蝶や蛾の仲間である鱗翅目でも幼虫が食餌植物の組織を使って巣を作る種類は珍しくない。少なくとも24科に巣を作る種類がいることが知られている（Lill & Marquis, 2007）。特にセセリチョウ科ではほとんどの種の幼虫が巣を作る（Greeny & Jones, 2003; Greeny, 2009）。巣の形は様々で，葉を巻いたり，二つ折りにしたり，折りたたんだ上から吐いた糸でテントを張ったようなものまである。

蝶や蛾の幼虫が巣を作るのはなぜだろうか。第一に挙げられるのが捕食者からの防衛である。巣の中に身を隠しておけば捕食者に見つからないかもしれないし，見つかっても巣の外からは攻撃しにくいだろう。例えば，*Baronia brevicornis* という蛾の幼虫は食樹の葉を寄せ集めて管状の巣を作るが，巣の外にいるときに比べ巣の中にいると樹上性のオサムシ *Calosoma angulatum* による捕食が著しく減少する（Covarrubias-Camarillo *et al.*, 2016）。

ただ，巣を作ることの利点はこれだけではなくて，他にも幾つかの機能があることが知られている。巣内の微気象を改善することも機能の一つである（Hunter & Willmer, 1989）。葉を寄せ集めて周囲を囲うと，直射日光を遮ることができる。また，風は弱まり，湿度が高く保たれる。虫だって吹きさらしに放置されるよりは巣の中がいいに違いない。

巣を作ることには餌の質を改善するという機能もある。鱗翅目幼虫の巣はたいてい食餌植物の葉からできているので，巣であると同時に食物でもある。出たばかりの新葉を折り曲げて巣にしてしまうと，その葉に光があまり当たらない。その結果，葉が硬くならず長い間美味しくいただけるというのであ

図 1　コチャバネセセリ幼虫の巣

る（Sagers, 1992）。

もっとも，巣を作ることはいいことばかりではない。巣作りには労力がかかるし，同じ場所に居続けることで捕食者から見つかりやすくなるという面もある。特に，巣内に糞がたまるとその匂いが寄生蜂などの捕食寄生者を惹きつけることがある（Weiss *et al.*, 2003）。巣を作ったら簡単には移動できないので，巣を作る場所を選ぶときは厳密にならざるをえない。コチャバネセセリ *Thoressa varia* の幼虫が笹の葉に巣を作るときには，気に入った葉に到達するまで十枚以上の葉を渡り歩くことがある（Ide, 2004a; 図 1）。巣の引越しも一苦労だ。

2. トレンチ行動

昆虫が葉を加工する行動には巣を作ること以外にもいろいろあるが，ここではトレンチ行動を取り上げたい。トレンチとは塹壕のことである。第一次世界大戦の西部戦線では延々と塹壕が掘られたが，その塹壕内で兵士が着たコートがトレンチコートである。話が逸れたが，簡単に言うとトレンチとは溝のことである。そして昆虫が植物組織に溝を掘る行動をトレンチ行動という。

なぜ昆虫がトレンチ行動を行うのかというと，植物の化学的防御を打ち破り，餌の質を改善するためであると考えられている。植物は動物に食べられないように様々な防御手段を進化させた。その防御手段の中に，動物にとって有害な防御物質を備える化学的防御がある。例えば，苦味や渋みを感じさせるフェノール類を蓄えたり，摂食を阻害する乳液を分泌したりするというものである（Lattanzio *et al.*, 2008; Agrawal & Konno, 2009）。こうした防御物質は葉脈を通して送られてくる。従って，葉にトレンチを掘って葉脈を切ってしまえば，切ったところから先は安全に食べることができるというわけだ(Dussourd, 1993)。ウリ科植物の葉を食べるウリハムシ *Aulacophora indica* やクロウリハムシ *A. nigripennis* は葉に飛来するとまず葉の表面に円形にトレンチを作る(図2)。そして円の内側だけを食べる。葉脈を通って送り込まれる防御物質はトレンチによって遮られて円の内側には届かないのだ。葉には円形の奇妙な食痕が残るが，これは植物の「食べさせない」という進化と植食性昆虫の「何としても食べる」という進化がぶつかり合った戦いの跡であると言えよう。

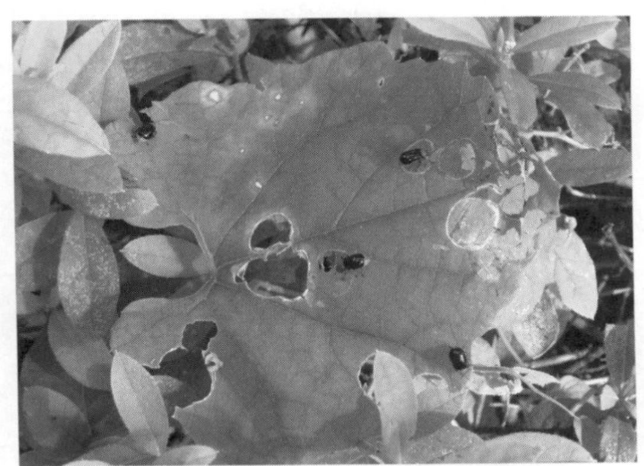

図2 クロウリハムシのトレンチ行動

植物の防御に対抗するためには葉面に広く溝を掘らなくても，葉脈を切るだけでも用は足りる。この場合はトレンチ行動とは呼ばないが，植物の化学的防御を物理的に打ち破るという点で同じ意味を持つ行動といえる。トレンチ行動と葉脈を切る行動のいずれかが見られる分類群は鱗翅目，鞘翅目，直翅目くらいであまり多くはないが，その中で鱗翅目はこの行動を行っている種が比較的多い(Dussourd, 2009)。身近なところではアサギマダラ *Parantica sita* やリュウキュウアサギマダラ *Ideopsis similis* の幼虫もトレンチ行動を行うことが知られている(福田ほか, 1982)。

3. アカタテハの巣作り行動

巣作りとトレンチ行動の両方を行うのがアカタテハ *Vanessa indica* である(Ide, 2004b; 図3a)。アカタテハの幼虫はカラムシやヤブマオなどのイラクサ科の植物を食草とする。幼虫は孵化直後から巣を作り始め，巣の内側から巣を作っている葉を食べて成長し，蛹まで巣の中で過ごす。一つの巣を食べ尽くすまで使い続けることはなく，頻繁に別の葉に移って新しい巣を作る(合田ほか, 1971)。

図3　アカタテハ

(a)成虫，(b)若齢幼虫の巣，(c)老齢幼虫の巣，(d)老齢幼虫の巣を開いたところ。矢印の先にトレンチが作られている。

アカタテハ幼虫がカラムシ *Boehmeria niponoivea* の葉で作る巣は葉を縦に二つ折りにしたもので，餃子のような形をしている。葉の白い裏面が外側を向き目立つので，カラムシ群落の中から巣を見つけるのは容易である。若齢幼虫の巣は新芽に近い小さい葉に作られることが多い(図3b)。老齢になると十分に成長した大きな葉が使われる(図3c)。巣を開いてみると，葉の付け根のところで三本の太い葉脈を切るようにトレンチが作られている(図3d)。

幼虫の巣作りを観察するのは難しくない。巣を見つけたら中の幼虫を取り出して食草の葉に置いてみよう。巣を作る葉の位置に関して幼虫には好き嫌いがあるので(Ide, 2009)，置いた葉ですぐに巣を作ってくれるとは限らない。しかし，気に入った葉に行き着いたら観察者の存在など気にせず巣作りを始める(図4)。まず，幼虫が葉の上に乗り葉の付け根の方を向いて静止する。次に首を左右に振りながら糸を吐き，葉の付け根の左右の葉縁に付着させる。これを何十回も繰り返して葉縁間に糸を張っていると，葉が曲がってくる。さらに左右の葉縁間に糸を張り続けると，葉縁どうしが近づいてやがてくっつく。幼虫は葉の先の方へ進みながら葉縁間に糸を張り，

図 4　アカタテハ幼虫の巣作り行動

(a)葉の付け根の左右の葉縁に糸を吐く，(b)葉縁間に糸を張り，葉を曲げていく，(c)葉縁どうしが近付く，(d)葉縁どうしがくっつく，(e)葉の先の方へ進みながら葉縁どうしを綴り合わせていく，(f)翌日に葉の裏から見るとトレンチ（矢印）が作られていた。

葉縁どうしを綴り合わせていく。葉の先まで葉縁どうしを綴り合わせたら巣はできあがりである。

トレンチをいつ作るのかというと，巣が完成してから食べ始めるまでの間らしい。巣ができあがったときにはトレンチがなかったのに，次の日に見に行くとたいていはちゃんとトレンチが作られている（図 5）。トレンチを作るのは安全に葉を食べるためだから，巣作りとは関係なく，葉を食べるときにトレンチ行動を行うのだろう。幼虫が脱皮するときは巣ができてからしばらくトレンチを作らないことが多いことも，この考えを裏付けている。ところが，時々トレンチを作ってから葉を曲げて巣を作っている幼虫を見かけ

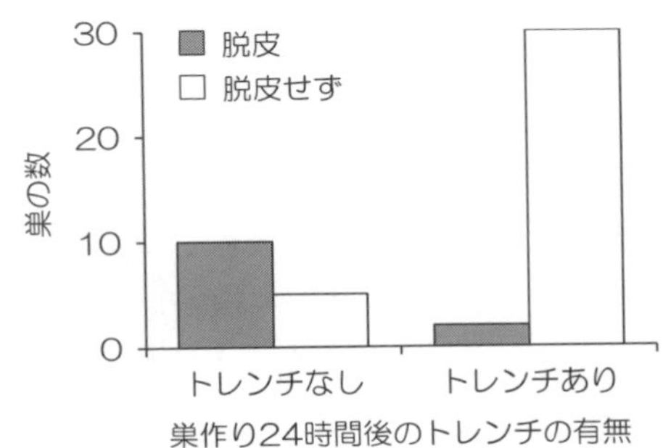

図 5　葉を曲げる前にトレンチを作らなかった巣の 24 時間後のトレンチの有無と幼虫の状態

24 時間後にもトレンチがなかった巣では幼虫が脱皮を始めていた割合が有意に高かった（正確確率検定，$P < 0.0001$）。

図 6　トレンチを先に作ってから巣作りを行うアカタテハ幼虫

るのである（図 6）。巣を作っている間，幼虫は隠れるものもなく身を危険に晒しているので，なるべく早く巣を作ってしまいたいはずだ。それなのに，巣ができあがった後で作ることのできるトレンチを，葉を曲げるよりも先に作るのはおかしい。もしかしたら巣作りに必要だから先にトレンチを作ったのではないだろうか。そこでアカタテハの巣とトレンチの関係について，詳しく調べてみることにした。

4. トレンチのある巣とない巣

私が所属していた熊本大学の構内には至る所にカラムシが生えていた。初夏にはアカタテハの巣が鈴生りになっていたので，学内で調査を始めることにした。もっとも幼虫が頻繁に引越すために巣の数だけが増えているので，見た目ほどにアカタテハが大発生しているわけではない。カラムシ上で大発生する虫は別にいて，フクラスズメ *Arcte coerulea* というヤガ科の蛾の幼虫が秋になるとカラムシの葉を食い尽くしてしまう（Ide, 2006）。アカタテハは多化性なので幼虫は秋にもいるのだが，あまり目立たない。食草を同じくするこの二種の関係も気になるのだが，まだ手をつけることができていない。

まずアカタテハの幼虫がどんな巣を作っているのか調べてみた。巣を見つけたら中に幼虫がいるか確認し，幼虫の齢と巣を構成している葉の枚数，葉の長さ，トレンチの有無を記録した。調査地が学内なので，調査は手軽に行うことができる。時間ができたからちょっと一仕事，といった調子である。生態調査というと山奥の原生林やアフリカのサバンナで行うものと思っている方もいるかもしれないが，身の回りの自然に着目して生態学の研究を行うこともできるのだ。

そんな気楽な調査を続けて全部で 836 個の巣を調べたところ，多くの巣は

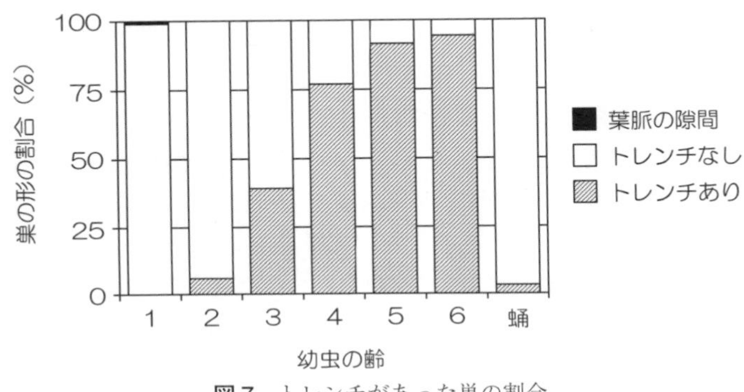

図7　トレンチがあった巣の割合

一枚の葉から作られていた。二枚以上の葉が使われる場合，一枚の葉で巣の大部分が作られてそれに二枚目以降が追加される形だった。巣の主要部分を作っている葉のトレンチの有無を見ると，若齢幼虫の巣にはトレンチがないことが多く，成長するにつれてほぼ全個体がトレンチを作るようになることがわかった(図7)。若齢幼虫は顎で噛む力が弱いので，葉脈を傷つけるのが難しいのかもしれない(Hochuli, 2001)。蛹の巣にはトレンチが作られないことが多かったが，蛹は葉を食べないのでトレンチは必要ないのだろう。

同じ齢でもトレンチを作る場合と作らない場合とがある。この違いはどうして生じるのだろうか。そこで，トレンチのある巣とない巣で使われている葉の大きさを比べてみた。すると，トレンチのある巣の方が大きな葉で作られていることがわかった(図8)。この結果を見て，トレンチを作ると大きな葉を利用できるのではないかと思いついた。大きな葉は硬くて曲げにくいだ

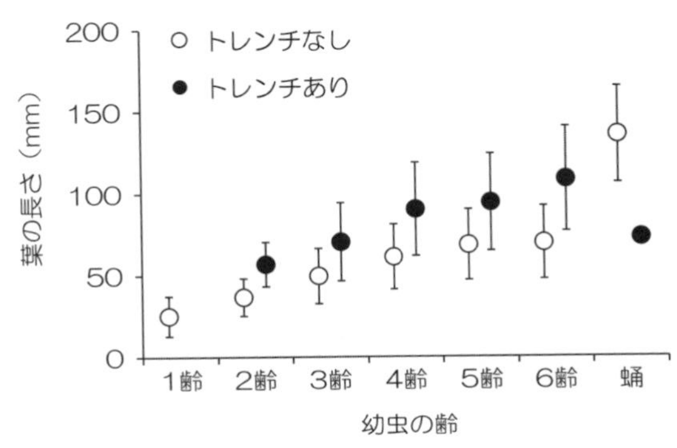

図8　巣に使われた葉の長さ（平均±標準偏差）
2～6齢幼虫でトレンチのある巣とない巣の間に有意差あり(Mann-Whitney の U 検定，$P < 0.05$)。

ろうから，巣を作るのに利用しにくいだろう。しかし，葉脈を傷つければそこから曲がりやすくなるので，利用できるはずだ。巣を作る時にトレンチを先に作っていた幼虫は，そのままでは曲げられない葉を曲げるためにトレンチを作っていたのではないだろうか。元々巣作りとは関係のない行動であるトレンチ行動が，葉を曲げやすくするという機能を持ち，巣作り行動の一部に組み込まれたのではないかと考えたのである。

実はアカタテハの中齢～老齢幼虫は開き始めたばかりの新しい葉よりも，ちょうど開ききった成熟した葉を食べた時の方が成長が良い（Ide, 2009）。つまり，大きくてある程度硬くなった葉を利用するのが適応的である。従って，トレンチ行動によって大きな葉を利用できるようになるのなら幼虫にとって好都合なのだ。

5. トレンチは葉を曲げやすくするためか

「トレンチ行動には葉を曲げやすくする機能があり，巣作り行動に組み込まれている」という仮説ができたので，これを検証していくのだが，その前に仮説の前提となる仮定が正しいのか確かめておきたい。「大きな葉は硬くて巣を作りにくい」とか「葉脈を傷つければ葉が曲がりやすくなる」とかというのはまだ確かめたわけではないので仮定である。確かめるまでもないことのような気もするが，こういう些細なところをきちんと検証していくことが研究を進める上で大切なのである。

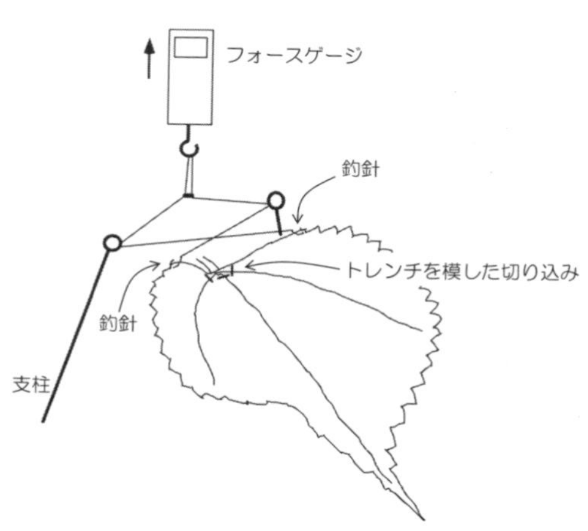

図9　葉を曲げる力を測定する方法

そこで，葉を曲げるのに要する力を測定することにした。図9の装置でフォースゲージ（引っ張る力を測定する機械）を上に持ち上げると葉が曲がる。葉縁どうしがくっつくまで持ち上げて，かかっている力を測定した。その結果，葉が長いほど葉を曲げるのに要する力が大きくなっていた(図10)。そして，同じ葉の葉脈にトレンチをまねた切り込みを入れると，曲げるのに要する力が小さくなった。

仮定が正しいことがわかったので，いよいよ仮説の検証である。トレンチに葉を曲げやすくする機能があるのなら，曲がりにくい大きな葉ほどトレンチを先に作るはずだ。逆に小さな葉ならそのままで葉が曲がるので，巣ができあがるまでトレンチを作らなくてもよいはずだ。従って，小さな葉で巣を作るときは巣ができた後でトレンチ行動を行うが，大きな葉で巣を作るときは葉を曲げるより先にトレンチを作る，と予想される。この予想が正しいかどうか，4齢から6齢までの幼虫に様々な大きさの葉に巣を作らせて確かめてみた。その結果，予想通り葉が大きいほどトレンチを先に作る傾向があった(図11)。やはり巣作り行動の一部としてトレンチ行動が行われていたのだ。

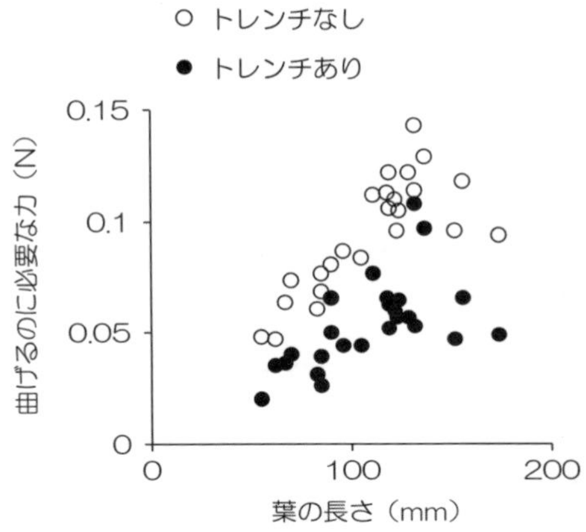

図10　葉の長さと葉を曲げるのに要した力の関係

このときの巣作り行動を見ていると，巣作り開始時点では葉の大きさによる行動の違いは見られない。どの個体も葉の付け根の左右の葉縁の間に糸を張り始める。そのまま順調に葉が曲がっていくと，トレンチを作らず巣ができあがっていく。しかし，大きな葉で巣作りをしている場合には張った糸がしばしば切れてしまう。糸が切れても幼虫は吐糸を続けるが，何度も何度も糸が切れてちっとも葉が曲がらないと，幼虫はついにトレンチ行動を始めるのだ。トレンチを作った後には再び糸を葉縁の間に張るが，今度はすんなり葉が曲がって巣ができあがる。

この観察の興味深いところは，葉を食べているときにトレンチ行動を始めるのではないところである。というのは，イラクサギンウワバ *Trichoplusia ni* という蛾の幼虫はやはりトレンチ行動を行うのだが，食草の葉に含まれる

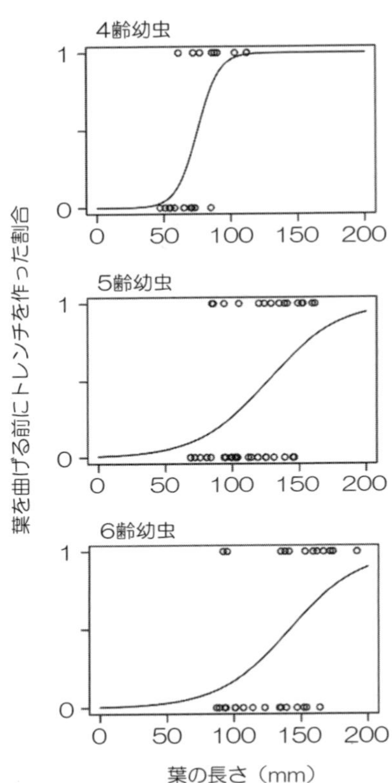

図 11　葉の長さとトレンチを作る順番の関係

巣作りの際に葉を曲げる前にトレンチを作らなかった場合を 0，作った場合を 1 とした。曲線はロジスティック回帰をして当てはめたもの。4 ～ 6 齢全てで，葉が長いほどトレンチを先に作る傾向があった。

ラクチュシン，ミリスチシン，ロベリンといった化学物質が口から取り込まれることによってトレンチ行動が引き起こされることがわかっているからだ(Dussourd, 2003)。イラクサギンウワバはこれらの化学物質を含まない葉を与えてもトレンチ行動を行わない。

アカタテハは化学物質の刺激でトレンチ行動を行うのではないようである。糸を張り続けているのに葉が曲がらないという状況がトレンチ行動を引き起こしているように見える。この状況の中の何がトレンチ行動を引き起こす刺激となっているのか，気になるところだ。

巣作りとトレンチ行動の両方を行う昆虫は極めて稀だが，アカタテハだけではない。しかし，両方を行う場合でもトレンチ行動は巣作りとは無関係の別の行動として行われている(Abarca & Boege, 2011)。そもそもこの二つの行動は独立に進化したのだろうか。もしそうだとしたら，なぜアカタテハでだけトレンチ行動が巣作りに取り入れられ，植物の化学防衛の打破と巣作りという二つの機能を持つようになったのだろうか。こうした問題を解くためには，巣作り行動とトレンチ行動がどのように進化してきたのか，その系統発生を明らかにする必要があるだろう。それには近縁種の行動を調べて比較することになるが，残念ながらアカタテハの同属の近縁種は日本にはいない(国内で最も近縁なヒメアカタテハ *Cynthia cardui* は同属とされることもある。幼虫は巣を作るがトレンチは作らない)。気楽な調査とはいかないかもしれないが，外国のアカタテハの仲間の幼虫の行動を調べてみたいと思っている。

〔引用文献〕

Abarca M, Boege K (2011) Fitness costs and benefits of shelter building and leaf trenching behaviour in a pyralid caterpillar. *Ecological Entomology*, 36: 564–573.

Agrawal AA, Konno K (2009) Latex: a model for understanding mechanisms, ecology, and evolution of plant defense against herbivory. *Annual Review of Ecology, Evolution, and Systematics*, 40: 311–331.

合田健二・赤羽トモ子・池田正良・内田博栄・中村秀夫(1971)アカタテハの生態．インセクト, 22(2): 1–4.

Covarrubias-Camarillo T, Osorio-Beristain M, Legal L, Contreras-Garduño J (2016) *Baronia brevicornis* caterpillars build shelters to avoid predation. *Journal of Natural History*, 50: 2299–2310.

Dussourd DE (1993) Foraging with finesse: caterpillar adaptations for circumventing plant defenses. In: Stamp NE, Casey TM (eds) *Caterpillars: ecological and evolutionary constraints on foraging*, pp. 92–131. Chapman and Hall, New York.

Dussourd DE (2003) Chemical stimulants of leaf-trenching by cabbage loopers: natural products, neurotransmitters, insecticides, and drugs. *Journal of Chemical Ecology*, 29: 2023–2047.

Dussourd DE (2009) Do canal-cutting behaviours facilitate host-range expansion by insect herbivores? *Biological Journal of the Linnean Society*, 96: 715–731.

福田晴夫・浜栄一・葛谷健・高橋昭・高橋真弓・田中蕃・田中洋・若林守男・渡辺康之(1982)原色日本蝶類生態図鑑(I)．保育社，大阪.

Greeney HF (2009) A revised classification scheme for larval hesperiid shelters, with comments on shelter diversity in the Pyrginae. *Journal of Research on the Lepidoptera*, 41: 53–59.

Greeney HF, Jones MT (2003) Shelter building in the Hesperiidae: A classification scheme for larval shelters. *Journal of Research on the Lepidoptera*, 37: 27–36.

Hochuli DF (2001) Insect herbivory and ontogeny: How do growth and development influence feeding behaviour, morphology and host use? *Austral Ecology*, 26: 563–570.

Hunter MD, Willmer PG (1989) The potential for interspecific competition between two abundant defoliators on oak: leaf damage and habitat quality. *Ecological Entomology*, 14: 267–277.

Ide JY (2004a) Selection of age classes of *Sasa* leaves by caterpillars of the skipper butterfly *Thoressa varia* using albo-margination of overwintered leaves. *Journal of Ethology*, 22: 99–103.

Ide JY (2004b) Leaf trenching by Indian red admiral caterpillars for feeding and shelter construction. *Population Ecology*, 46: 275–280.

Ide JY (2006) Inter- and intra-shoot distributions of the ramie moth caterpillar, *Arcte coerulea* (Lepidoptera: Noctuidae), in ramie shrubs. *Applied Entomology and Zoology*, 41: 49–55.

Ide JY (2009) Ontogenetic changes in the shelter site of a leaf-folding caterpillar, *Vanessa indica*. *Entomologia Experimentalis et Applicata*, 130: 181–190.

小松貴（2016）虫のすみか．ベレ出版，東京．

Lattanzio V, Kroon PA, Quideau S, Treutter D (2008) Plant phenolics – secondary metabolites with diverse functions. In: Daayf F, Lattanzio V (eds) Recent advances in polyphenol research, volume 1, pp. 1–35. Wiley-Blackwell, Oxford.

Lill JT, Marquis RJ (2007) Microhabitat manipulation: ecosystem engineering by shelter-building insects. In: Cuddington K *et al.* (eds) *Ecosystem engineers: plants to protists*, pp. 107–138. Academic Press, Burlington.

Sagers CL (1992) Manipulation of host plant quality: herbivores keep leaves in the dark. *Functional Ecology*, 6: 741–743.

Weiss MR, Lind EM, Jones MT, Long JD, Maupin JL (2003) Uniformity of leaf shelter construction by larvae of *Epargyreus clarus* (Hesperiidae), the silver-spotted skipper. *Journal of Insect Behavior*, 16: 465–480.

（井出純哉）

Ⅱ．成虫の行動

4 シロオビアゲハの行動擬態と翅模様の光学的性質

1. 毒をもつ動物とベイツ型擬態

毒をもつ動物は派手で目立つ外見をしていることが多い。毒針をもつオオスズメバチ *Vespa mandarinia* は派手な色彩をしているし，背びれに毒腺を備えた棘をもつミノカサゴ *Pterois lunulata* は鮮やかで目立つ姿形をしている。このような派手な色彩は警告色とよばれている。では，どうして有毒の動物たちはこのような特徴をもっているのであろうか？ これは捕食者による学習効率と関連があると考えられている（Yachi & Higashi, 1998）。過去にまずい餌を食べたことのある捕食者は，その餌の外見的な特徴を記憶する。このとき，地味で目立たない外見であればすぐに忘れ去られてしまうだろうが，派手で目立つ外見であれば記憶されやすくなるため避けられやすくなる。また，有毒の動物は外見だけでなく行動にも特徴があることが多い。有毒の動物はふつうゆっくりと移動する傾向がある。例えば，警告色をもつミノカサゴは大変ゆっくりと泳ぐことが知られている（Edmunds, 1974）。有毒の動物のこのような行動は，捕食者が餌動物の色模様を認識しやすくさせ，警告色に対する学習効率を高めていると考えられている（Ruxton *et al*., 2004; Sherratt *et al*., 2004）。

有毒の動物に外見を似せている無毒の動物も存在する。このような動物はベイツ型擬態種と呼ばれ，有毒な動物（モデル種）に姿形を似せることで捕食回避効果を得ていることが知られている（Bates, 1862; Brower, 1958）。ベイツ型擬態種の中には，行動をもモデル種に擬態すること（行動擬態）で，捕食回避効果を高めているものもいる。攻撃的なアリに姿形を似せるアリグモの一種である *Myrmarachne formicaria* は，前脚をアリの触角のように動かすことでよりモデル種に似せている（Shamble *et al*., 2017）。チョウ類においてもベイツ型擬態種は存在するが，チョウ類は三次元空間で飛翔するので，解析の難しさからこれまで行動擬態の詳細な研究はほとんど行われてこなかった（Srygley, 1994）。本章では，毒をもつチョウはどのように飛翔しているのか，ベイツ型擬態種はモデル種の飛翔行動を真似しているのか，さらに，モデル種やベイツ型擬態種は鳥にはどのように見えるのか，などについての最近の研究を解説する。

2. シロオビアゲハと行動擬態

(1) シロオビアゲハ

筆者(来田村)が「チョウの行動擬態」のテーマに出会ったのは，大学院修士課程1回生のときである。当時の指導教員である今福道夫教授に，ベイツ型擬態チョウは，モデル種に行動擬態をしている可能性があるので，調べてみないかと誘われた。いくつか提示されたテーマの中で，チョウの行動擬態を選んだ理由はシロオビアゲハ *Papilio polytes*(図1)の存在が大きかった。シロオビアゲハは南西諸島以南に生息する南方系の無毒のチョウであり，オスの色彩型は1つしか存在しないが，メスにはオスと似た非擬態型(form *cyrus*)と呼ばれる型と，有毒のチョウであるベニモンアゲハ *Pachliopta*

図1 実験に使用したチョウ

a シロオビアゲハ非擬態型; b シロオビアゲハ擬態型; c ナミアゲハ(メス); d ベニモンアゲハ (メス)

aristolochiae（図 1）にベイツ型擬態をする擬態型（form *polytes*）が存在する（Euw *et al*., 1968）。そのため同種である擬態型と非擬態型で飛び方が異なり，さらに擬態型の飛び方がモデル種に似ていれば，概ね行動擬態をしていると考えて差支えがないと思われる。日本には，シロオビアゲハの他にもメスアカムラサキ *Hypolimnas misippus* やナガサキアゲハ *Papilio memnon* などベイツ型擬態種と考えられているチョウが存在するが，シロオビアゲハは野外での個体数の年次変化（Uesugi, 1991），鳥による捕食圧の調査（Ohsaki, 1995），鳥による捕食実験（Uesugi, 1996）を始めとする数多くの先行研究があり，ベイツ型擬態種としての信頼性が高い。また，沖縄県では街中でもハイビスカスなどで吸蜜をしている姿をよく見かけること，日本全国の昆虫館などの施設で累代飼育されているように飼育が容易なことなど，実験材料の入手は比較的容易であることも理由の一つとなった。

モデル種のベニモンアゲハもシロオビアゲハと同様に南方系のチョウで，幼虫期の食草であるウマノスズクサ *Aristolochia debilis* に由来する毒を体内に保持し，鳥などの捕食者から身を守っていることが知られている。モデル種のベニモンアゲハでは胸部や腹部に赤色の毛が多く含まれているのに対して，擬態種のシロオビアゲハはほとんど黒色であるので，腹部や胸部を見れば両者の区別は簡単にできる。また，ベニモンアゲハは特有の刺激臭を発するのに対して，擬態種はそのような臭いは発しない。

（2）翅の動き

チョウにおける行動擬態を検討するため，対象となるチョウの翅の動きと，チョウ自身の動き（飛翔の軌跡）を分けて解析した。まず翅の動きだが，方法は単純で，飛翔中のチョウの翅の動きをビデオカメラで撮影し，画像解析を行うというものである。野外で撮影することも考えたが，野外では風の影響を大きく受けるため，温室内での撮影を選択した。撮影場所に選んだのは大阪府箕面公園昆虫館で，当時の館長である久留飛克彦氏に撮影のお願いをしたところ，快く承諾してくださった。箕面公園昆虫館には放蝶園と呼ばれる 13 × 14 × 10 m の非常に大きな温室があり，シロオビアゲハをはじめとする南方系のチョウや近隣で採集できるチョウなどが数多く放し飼いにされている。スタッフの皆さんはこれらのチョウの母蝶から採卵し，累代飼育をすることで放蝶園内の個体の維持，管理をされている。放蝶園内に放し飼いにされているシロオビアゲハの非擬態型，擬態型，ベニモンアゲハ，さらに対照区として無毒のナミアゲハの撮影を行った。チョウの羽ばたきは非常に速く，アゲハチョウの仲間では1秒間に10羽ばたき前後になる。一般的なビデオカメラのシャッター速度は1/60秒であるので，約6コマ分の画像で1羽ばたきが完結してしまう。これでは詳細な翅の動きを捕えることができない。そこで，高速度ビデオカメラの出番となる。使用した高速度ビデオカメラのシャッター速度は最速で1/500秒に設定可能なため，非常に詳細な翅の動きを観察できる。

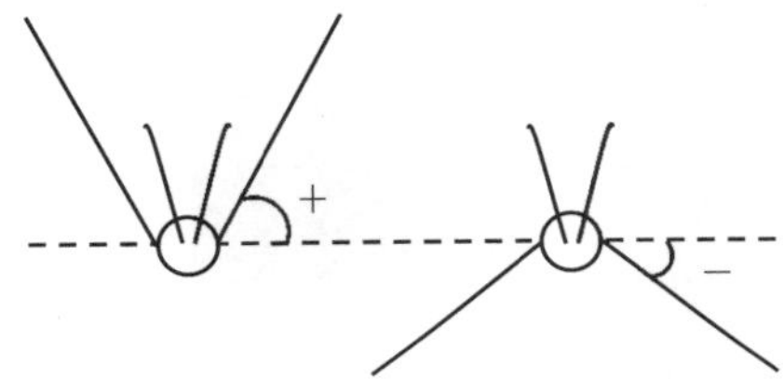

図2 チョウの模式図と翅の打ち上げ時(左)と打ち下ろし時(右)の水平面からの角度
チョウを正面からみた模式図。破線は水平面を示す。水平面から上の角度を正，下の角度を負とした。

解析では一連の羽ばたき運動のうち，翅を打ち上げた時と打ち下ろした時のそれぞれ1コマの画像のみを使用した(図2)。それぞれの画像において，水平面からどれだけの角度で翅を上下させて飛翔しているかを測定し，翅の角速度(翅の回転速度)と羽ばたき周波数(1秒あたりの羽ばたき回数)を算出した(表1)。翅の角速度は，ベニモンアゲハと擬態型はナミアゲハや非擬

表1 ナミアゲハ，シロオビアゲハ，ベニモンアゲハのメスにおける角速度(° / msec)と羽ばたき周波数(Hz)の比較（平均±標準誤差）

	個体数	角速度	羽ばたき周波数
ナミアゲハ	8	2.44 ± 0.5	10.8 ± 0.8
シロオビアゲハ			
非擬態型	10	2.20 ± 0.3	10.8 ± 1.2
擬態型	11	2.08 ± 0.5	11.3 ± 0.7
ベニモンアゲハ	14	2.05 ± 0.3	11.4 ± 0.4

統計学的な差は認められない。Kitamura & Imafuku, 2010 を改変。

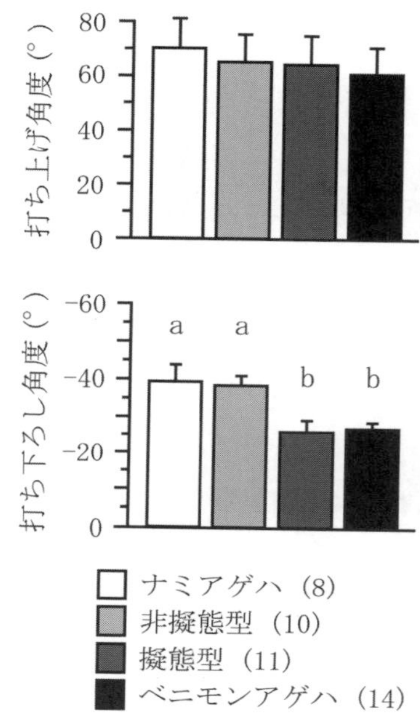

図3　翅の打ち上げ時(上)と打ち下ろし時(下)の水平面からの角度(平均＋標準誤差)

( )内の数字は個体数を示す。異なるアルファベット間に統計学的な差があることを示す。Kitamura & Imafuku, 2010 を改変。

態型よりもやや低い傾向がみられたが統計的有意差は認められず，有毒のチョウであるベニモンアゲハはこれまで考えられていたようにゆっくりと羽ばたいて飛翔しているわけではないことがわかる。また，羽ばたき周波数においても有意差は認められなかった。翅の水平面からの打ち上げ角度(図3上)も種間で違いはみられなかったが，有毒のチョウと無毒のチョウで大きな違いがみられたのが翅の水平面からの打ち下ろし角度である(図3下)。ベニモンアゲハの翅の打ち下ろし角度は水平面に近く，翅を浅く打ち下ろしながら飛翔する。一方，ナミアゲハや非擬態型は翅を深く打ち下ろす飛翔をしていた。では，擬態型はどうだろうか？擬態型は，同種である非擬態型とは異なる翅の打ち下ろし角度をみせ，ベニモンアゲハに似た浅い打ち下ろし角度で飛翔していた。つまり，行動擬態が行われていると言えよう。では，ベニモンアゲハや擬態型がみせる浅い打ち下ろし角度はどのような機能があるのだろうか。ベニモンアゲハやシロオビアゲハの派手な紋様は後翅に存在する。画像解析では飛翔に重要な前翅の動きを測定したが，チョウの翅は部分的に前翅が後翅の上に重なり，物理的にも両者はリンクしているため，ほぼ同様に動く。ベニモンアゲハや擬態型の浅い打ち下ろし角度の飛翔は，非擬態型やナミアゲハがみせる深い打ち下ろし角度の飛翔に比べ，後翅を上方に提示するような飛翔であるため，上方から襲う鳥のような捕食者に色模様を認識しやすくさせ，それにより捕食回避効果を高めている可能性が考えられる。

(3) 飛翔の軌跡

羽ばたき運動において，有毒のチョウと無毒のチョウの違い，さらに行動擬態の存在が示されたが，チョウ自身の動きについては違いがあるだろうか？ チョウは三次元空間を飛翔するので，飛翔の軌跡は三次元的に解析する必要がある。この三次元解析というハードルがあるため，これまではチョウの飛翔時の軌跡に関する研究は，ほとんど存在していなかった。まず，本格的な三次元解析をする前に，予備調査を行った。ぶっつけ本番で三次元解析を行った場合，あまり良い成果が得られないと時間的にも精神的にもダメージが大きいからである。予備調査で行ったことは非常に簡単で，飛翔中のチョウを目で追いながら，手元は見ずにペンでチョウの軌跡を野帳にトレースするというものである。統計学的な解析に耐えうる定量的なデータではないが，何らかの違いが表れるのではないかと期待した。数個体の非擬態型と擬態型の軌跡をトレースした後，野帳をみると，非擬態型の軌跡には曲線が多く含まれていたのに対し，擬態型の軌跡には直線が多く含まれていた。この結果を見て三次元的研究を進めても問題はないと考えた。

動物の三次元解析の手法はいくつか存在するが，実験は筆者一人で行っていたため，二台の固定したビデオカメラでそれぞれ別の方向から同一のチョウを同時に撮影する手法を選択した(図 4)。常時撮影中のビデオカメラの範囲内に侵入したチョウの位置を三次元空間の座標に変換することでチョウの飛翔の軌跡を得ることができると考えた。しかしながら，実際に撮影をする

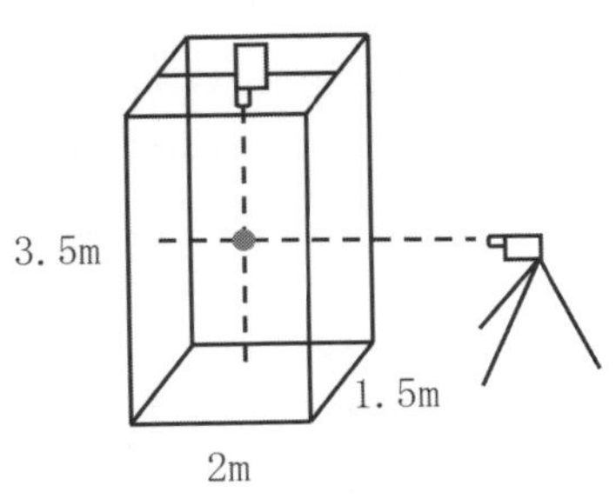

図 4 撮影セットの模式図(左)実際の撮影の様子(右)
矢印は上部のビデオカメラ位置を示す。

となかなか大変なことがあった。まず，二台のビデオカメラのうち一台は撮影地点に向かって水平に撮影をする。残りの一台は上方から撮影するのだが，1 秒程度のチョウの飛翔を撮影するには，カメラに広角レンズを装着しても，少なくとも 3.5 m ほどの高さは必要になる。そのため，図 4 のようにパイプでセットを組み，上部からビデオカメラを吊り下げて撮影を行った。このセットを組み上げるのに 1 時間半ほど必要となる。また，セットは大掛かりで一般客の迷惑になるため，なるべく休館日に実験を行った。さらに，このセットは固定されているため，チョウの気分次第では，全く撮影範囲を通過しない日もある。また，通過してもその後捕獲できなければ個体識別ができないため，撮影し直しとなる。今ではこのように非常に時間と手間のかかる研究を行うことは難しいが，時間と体力のある院生の特性を生かせた研究だったのではないかと思う。

さて，なんとかチョウの撮影が終わると，次は二台のビデオカメラの画像を合成して，三次元空間におけるチョウの座標の時間変化を計算する。この作業には動作解析システム（Frame dias）を使用した。Frame dias はスポーツ分野における動作解析によく用いられている解析システムだが，京都大学自然人類学研究室で霊長類の動作解析に応用されていたものを荻原直道助教（現東京大学教授）のご厚意でお借りすることができた。作業自体は単純で，画像に映るチョウの胸部にマークを入れ，平面内での位置座標（二次元的データ）を取得する。同時刻の別のアングルで撮影した画像でも同様の作業をし，Frame dias で三次元空間内での座標に変換する。撮影は秒間 60 コマの速度で行っていたので，連続した約 60 個の座標を取得した。余談であるが，筆者は当初エクセルでプログラムを組み，3 次元空間における位置座標を計算していた。しかし，チョウの位置が画面の中央付近では比較的精度の良い軌跡が得られたが，画面の端に寄るにつれて精度が悪化した。これはビデオカメラのレンズの歪みに起因する問題であったが，Frame dias はレンズの歪みを補正することができ精度の高いチョウの位置座標を得ることができた。

解析は次の二通りの方法で行った。一つ目は，羽ばたきにより発生する上下運動の解析（図 5 上）で，一連の一羽ばたきの座標のみを使用する。これを「一羽ばたき解析」と呼ぶ。もう一つは，上下運動を除去した軌跡の解析（図 5 下）で，翅を打ち上げた時の座標のみを使用する。これを「翅打ち上げ解析」

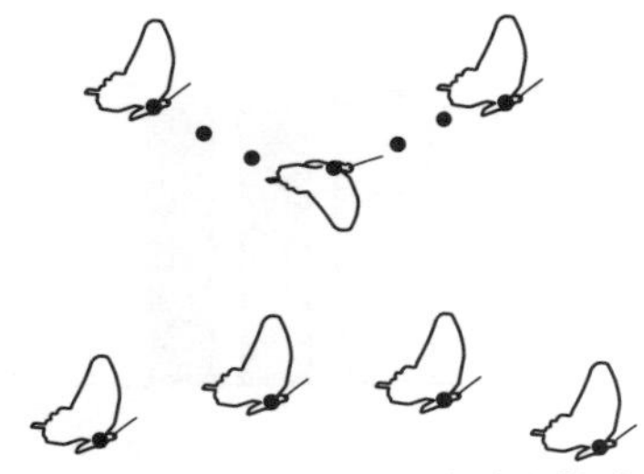

図 5　「一羽ばたき解析」(上)と「翅打ち上げ解析」(下)でのチョウの位置
黒塗りの点はチョウの位置座標を示す。

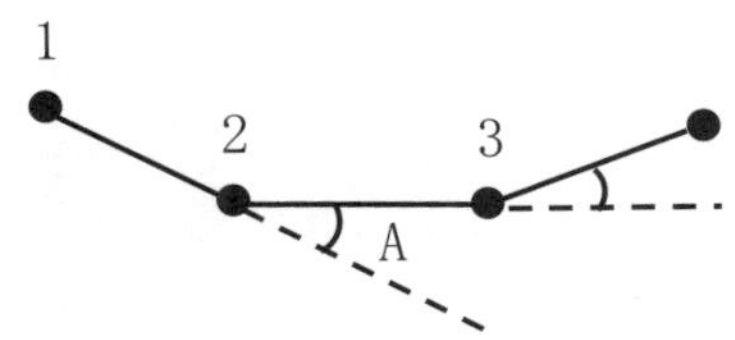

図 6　方向変化度(° / s)の算出例
黒塗りの点はチョウの位置座標を示す。方向変化度は，直線 1–2 と直線 2–3 の成す角度 A の時間変化になる。

と呼ぶ。どちらの解析でも，座標から飛翔速度と方向変化度を算出した。方向変化度は連続する三点の座標から算出される値で，最初の二点を結ぶ直線と後の二点を結ぶ直線の成す角度(図 6 の A)の時間変化になる。仮にチョウが直線的に飛翔すれば方向変化度は 0 になり，ジグザグに飛翔するほど方向変化度は大きくなる。

両解析ともに，飛翔速度では有意差は認められず(図 7 上)，したがってベニモンアゲハはゆっくりと飛んでいるわけではないことがわかる。一方，方向変化度は「翅打ち上げ解析」では有意差は認められなかったが，「一羽ばたき解析」では有意差が認められた。ベニモンアゲハの方向変化度はナミアゲハや非擬態型のものより小さかった(図 7 中)。つまり，ベニモンアゲハは羽ばたきに伴い発生する上下運動が小さく直線的に飛翔するのに対し，ナミアゲハや非擬態型は大きな上下運動を繰り返して飛翔していることがわかる。擬態型は同種である非擬態型とは異なり，モデル種であるベニモンアゲハのような直線的な飛翔をしており，軌跡においても行動擬態をしていることが示された。さらに，これらのチョウたちの上下運動が一定に行われているのかを調べるために，「一羽ばたき解析」で方向変化度の分散(ばらつき)の比較を行った(図 7 右下)。ベニモンアゲハや擬態型の方向変化度の分散は小さく，常に直線的な飛翔をしていることがわかる。一方，ナミアゲハや非擬態型の方向変化度の分散は大きく，平均的には上下運動は大きいのだが直線的な飛翔も混ざる様々な軌跡を描きながら飛翔していることが示された(図 8)。

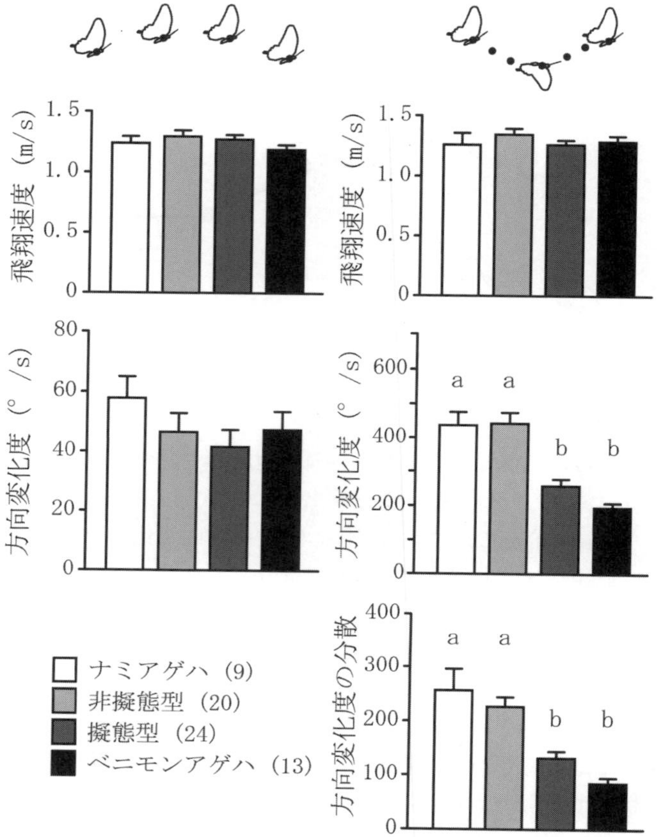

飛翔速度（m/s）
1.5
1.0
0.5
0

飛翔速度（m/s）
1.5
1.0
0.5
0

方向変化度（°/s）
80
60
40
20
0

方向変化度（°/s）
600
400
200
0
a a b b

方向変化度の分散
400
300
200
100
0
a a b b

ナミアゲハ（9）
非擬態型（20）
擬態型（24）
ベニモンアゲハ（13）

図7　飛翔速度，方向変化度と方向変化度の分散の比較（平均＋標準誤差）
左の列が「翅打ち上げ解析」，右の列が「一羽ばたき解析」。（ ）内の数字は個体数を示す。異なるアルファベット間に統計学的な差があることを示す。Kitamura & Imafuku, 2015 を改変。

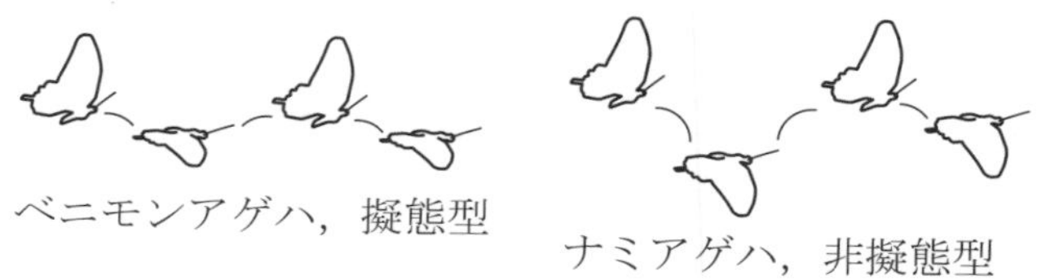

図8　ベニモンアゲハ，擬態型（左）とナミアゲハ，非擬態型（右）の飛翔の違い
ベニモンアゲハと擬態型は，翅を浅く打ち下ろし直線的に飛翔する。ナミアゲハと非擬態型は，翅を深く打ち下ろし非直線的に飛翔する。

(4) 捕食回避戦略

このような飛翔軌跡の違いは，それぞれのチョウの捕食回避戦略の違いに起因すると思われる。無毒のチョウは有毒のチョウのように捕獲された後の有効な防衛手段を有していない。そのため捕獲されないことが重要になる。無毒のチョウは，上下運動を大きくするだけでなく，直線的な飛翔も交えた様々な軌跡で飛翔することで鳥による捕獲や飛翔方向の予測を困難にさせる「避ける飛翔」を行っていると考えられる。一方，有毒のチョウやそれに擬態するチョウは捕獲される前に自らが不味い生物であることを捕食者に知らせて身を守る。ベニモンアゲハや擬態型の常に直線的な飛翔は，捕食者に翅の色模様を認識しやすくさせる，いわば「見せる飛翔」であると考えられる。また，ベニモンアゲハや擬態型の飛翔はそれ自体が目立つ警告的なシグナルになっている可能性がある。筆者が遠く離れた位置から飛翔中の非擬態型，擬態型やベニモンアゲハを視認した場合，黒地のチョウが飛んでいることしかわからず，色模様からはどのチョウかは判断できない。しかしながら，その距離でも飛翔パターンの違いはよくわかるため，無毒のチョウと有毒のチョウ(もしくは擬態型)の区別は可能である。捕食者である鳥も同様に，チョウとの距離が遠い場合は飛翔パターンで食べられるかどうかを判断し，距離が近い場合には色模様と飛翔パターンの両方の情報から総合的に判断しているのかもしれない。

これまでは，ベニモンアゲハと擬態型の飛翔パターンの類似を行動擬態として説明してきたが，他にも説明可能な仮説がある。例えば，ベニモンアゲハの飛翔は，翅の打ち下ろし角度が浅く直線的な軌跡を描くため，エネルギー的に効率がよいと考えられる。擬態型は色模様により捕食者から襲われにくいため「避ける飛翔」をする必要はなく，エネルギー効率のよい飛翔をするようになり，偶然ベニモンアゲハの飛翔と似たということも考えられる。こうした点については結論はでていないが，今後明らかにしたいと考えている。

3. シロオビアゲハの翅模様

(1) 鳥から見た翅の色・模様

人間は3種類の錐体細胞(S錐体，M錐体，L錐体)を持っている。錐体細胞とは，色を感知する視細胞のことで，人間のS錐体は青色，M錐体は緑色，

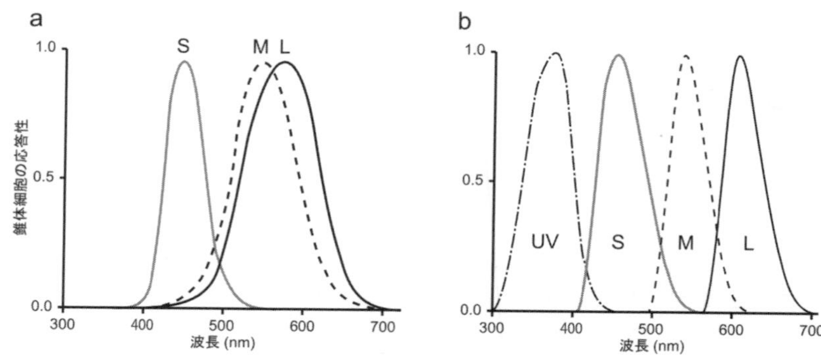

図 9　人間(a)とアオガラ(b)の錐体細胞応答性

黒実線がL錐体，破線がM錐体，灰色実線がS錐体，一点鎖線がUV錐体を示す。それぞれ Fairchild, 2013; Hart & Vorobyev, 2005 から改変。

L錐体は赤色(正確には，赤色と緑色)によく反応する。一方，鳥類を含めた動物には4種類の錐体細胞(上記の3種類に加えて紫外線を感知するUV錐体)を持つものがいる(図9aに人間，bにアオガラ *Parus caeruleus* の各錐体細胞の波長に対する応答性を示した)。そのため，これらの動物は人間と異なる色･模様の見え方をしているだろうと予想される。実際に，モンシロチョウ *Pieris rapae crucivora* は人間の眼ではオスもメスも白く見えるが，メスの翅は紫外線を反射し，オスは紫外線を吸収する。この違いによって，オスがメスの翅の紫外線反射を認識していることが知られている(Obara & Hidaka, 1968；Obara, 1970)。

シロオビアゲハの擬態型はベニモンアゲハと非常に似た色・模様の配置を持っており，捕食者である鳥からの捕食を回避していると考えられている。しかし，鳥にはシロオビアゲハやベニモンアゲハの色・模様がどのように見えているのかを検証した例はなかった。そこで，チョウの翅の紫外線反射率と鳥の視細胞の応答性を調べることで，検証を行った。シロオビアゲハの翅の紫外線反射については松野(1989)が記録を残しているが，文献が古く画像も小さいため，詳しい模様の比較が困難であった。そこで，紫外線反射をデジタルカメラで撮影し，非擬態型，擬態型とベニモンアゲハで比較を行った。

(2) 紫外線反射と蛍光のデジタルカメラでの撮影

研究のために紫外線の撮影を行う必要があったが，撮影当時フィルムカメラが廃れ，デジタルカメラが一般的になっていたため，デジタルカメラによる紫外線の撮影手法がほとんど確立されていなかった。多くのデジタルカメラは紫外線から撮像素子(CCD)を保護するために紫外線カットフィルタが装着されているため，紫外線カットフィルタが付いていないデジタルカメラ(ニコン社製，D70)を使用した。また，レンズもガラスレンズでは紫外線が減衰してしまうため，紫外線を透過する石英ガラスレンズ(ニコン社製，UV-Nikkor 105-㎜　F/4.5)を用意した。さらに，紫外線のみを透過させるために紫外線透過フィルタ(SCHOTT 社製，UG11)を使用したが，UG11 は僅かに近赤外光を透過するため，近赤外光カットフィルタ(ケンコートキーナ製，DR655)を併用することで紫外線のみをレンズに導くようにした。光源には紫外線ライト(Alonefire，SV003, 365nm)を使用した。試しに撮影してみたが，画像全体が赤い色で表示されてしまった。よく調べてみると，カメラの撮像素子は人間の錐体細胞のように，3 種類の素子 (R，G，B) を搭載している。それぞれの素子は紫外線領域に着目すると R，G，B の 3 素子すべてがわずかに反応しており，R が最も高いため赤色の画像になったと推測された。そこで，画像編集ソフトを使用して画像を R(赤色)，G(緑色)，B(青色)のチャネルに分解した。紫外線領域の隣に青色の領域があるため，B チャネルの像だけを抽出し紫外線反射の画像とした。また，紫外線を照射すると非擬態型は蛍光を発した。蛍光とは，紫外線などの短い波長の光を吸収し，異なる色(緑色，オレンジ色，赤色など)を発色する現象のことである。セキセイインコ *Melopsittacus undulatus* では，蛍光が強い個体が交尾相手として好まれることが知られている(Arnold *et al.*, 2003)。しかし，ほとんどの陸上生物ではその役割について詳しく調べられていない。シロオビアゲハの非擬態型の蛍光は 500 nm 付近にピークをもつ青緑色であるため，蛍光に関しては一般的なデジタルカメラで撮影した。今回，本書を執筆するにあたって大阪府箕面公園昆虫館の中峰空館長，清水聡司副館長のご厚意により所蔵する標本と撮影場所をご提供いただけた。心より感謝申し上げる。

図 10 に示すように，シロオビアゲハの非擬態型では 6 つある白い模様のうち内側 2 つが強い反射を示しており(中段左)，外側の 4 つが蛍光していた(下段左)。一方で，擬態型とベニモンアゲハでは全ての白色模様は反射しており，蛍光は見られなかった(それぞれ，擬態型の紫外線反射が中段中央，蛍光が下段中央，ベニモンアゲハの紫外線反射が中段右，蛍光が下段右)。

図 10　明視野(上段)，紫外線反射(中段)と蛍光(下段)の写真
2021 年 11 月に大阪府箕面昆虫館にて撮影。

つまり，擬態型はベニモンアゲハの模様の配置だけでなく，紫外線領域も含めた色が似るように進化したと言えそうだ。定性的に擬態型とベニモンアゲハの色が似ていることはわかったが，どの程度似ているのかを定量的に評価し，鳥などの捕食者からどのように見えているのかを検証した例はなかった。そこで，擬態型と非擬態型で紫外線反射に違いがみられる白色模様の様々な波長の反射率を調べた。

(3) 擬態型とベニモンアゲハの色の類似性

最初に，積分球ユニットを搭載した分光光度計(日本分光製，V-670)で紫外線，可視光，近赤外光を白色模様に照射し，波長ごとの反射光量を測定した。

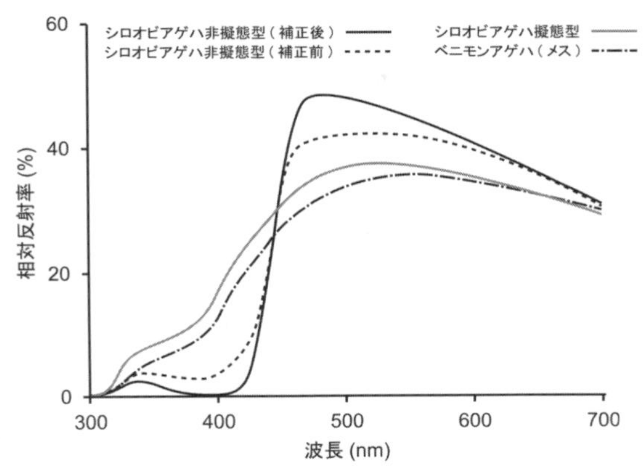

図 11　シロオビアゲハ非擬態型，擬態型，ベニモンアゲハ（メス）の白色斑紋の反射曲線

黒実線 シロオビアゲハ非擬態型の紫外線吸収光量と蛍光光量補正後の値；黒破線 シロオビアゲハ非擬態型の実測値；灰色実線 シロオビアゲハ擬態型；一点鎖線 ベニモンアゲハ（メス）を示す。Yoda *et al.*, 2021 を改変。

予め，標準白板（日本分光製，6916-H422A）で測定した際の反射光量を 100 として，相対反射率を算出した。ここで問題になるのが蛍光を持つ非擬態型の白色模様である。分光光度計で非擬態型の白色模様に紫外線を照射すると，装置の都合上，紫外線反射と蛍光が一緒に検出されてしまう。そこで，紫外線反射と蛍光を分けるために，非擬態型の白色模様に紫外線を照射し，別の分光計（Ocean Optics 製，Maya2000）で測定することで，蛍光の波形を把握し，紫外線反射光量と蛍光光量の比率を得た。これらを用いて，分光光度計で得た非擬態型の相対反射率の波形の紫外線領域から蛍光光量分を引き，蛍光領域（500 nm 付近）に加えた（図 11 の破線が実測値，黒実線が紫外線吸収と蛍光光量補正後）。

筆者（近藤）は，擬態型とベニモンアゲハの白色模様では紫外線反射が見られ，蛍光が見られなかったことから，擬態型とベニモンアゲハの白色模様は非常によく似た反射曲線を持っていると考えていた。予想通り，非擬態型の反射曲線は擬態型やベニモンアゲハのものと大きく異なる曲線を示し，擬態型とベニモンアゲハの反射曲線は非常によく似ていた（擬態型が灰色実線，ベニモンアゲハが一点鎖線）。アゲハチョウ属は紫外線によって蛍光を示す色素パピリオクローム II が知られており，非擬態型の白色模様はこの色素を持っている（Umebachi & Yoshida, 1970）。筆者は擬態型やベニモンアゲハではパピリオクローム II ではない白色色素，または色素を持たない透明な鱗粉で白色模様を構成していると予想している。色素を持っている場合は擬態型とベニモンアゲハで同じ色素なのか，今後調べていきたいと思う。

(4) 鳥の眼から見た白色模様の色

これまでに紹介したように，擬態型とベニモンアゲハの白色模様の色はよく似ており，非擬態型は大きく異なっていた。では，天敵である鳥類から見たときにどの程度似ているのかという点について検証を行った。先に示したアオガラの錐体細胞応答性(図 9b)と白色模様の反射曲線(図 11)を用いて，Kelber *et al.*(2003)の式(下式)に当てはめることで，各錐体細胞の Quantum catch(Qi)を算出した。

$$Q_i = \int_{300}^{700} I(\lambda)R_i(\lambda)d\lambda$$

光は波であり，エネルギーでもあるが，錐体細胞でシナプス顆粒によって電気刺激として神経細胞へと伝達される。シナプス顆粒の量に神経の活動電位も応答するため，Quantum(Q)という表現を用いている。式中の i は錐体細胞の種類，I は白色模様の反射曲線の値，R は錐体細胞応答性の値が入る。この式から，各錐体細胞が白色模様に対してどの程度反応しているかを推算することが可能である。

推算の結果，非擬態型と擬態型では錐体細胞の反応比率が大きく異なっていた(図 12 左が非擬態型，中央が擬態型)。非擬態型では S，M，L 錐体細胞がどれも高く応答していたが，UV 錐体細胞は応答が極端に低くかった。擬

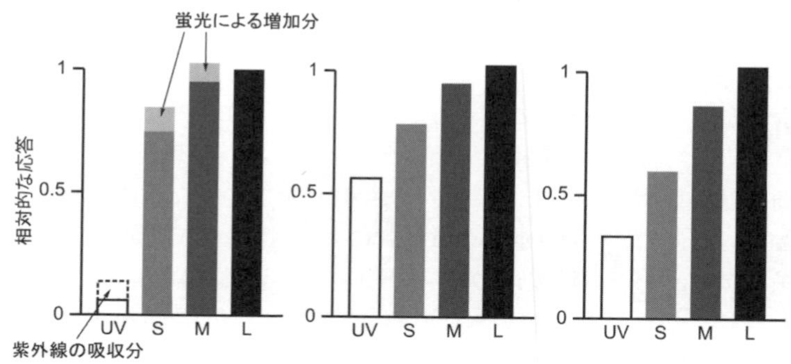

図 12　シロオビアゲハ非擬態型(左)，擬態型(中央)，ベニモンアゲハのメス(右)の白色斑紋に対する，アオガラの錐体細胞の反応

UV，S，M，L はそれぞれ錐体細胞の種類を示している。非擬態型のグラフ内 UV の破線四角部分は紫外線吸収分，S と M の上部にある薄灰色部分は蛍光による増加分を示す。Yoda *et al.*, 2021 を改変。

態型ではL，M，S，UV錐体細胞の順に応答していた。特に，非擬態型は紫外線を吸収するのに対して擬態型は紫外線反射するため，より違いが顕著になっていた。一方で，擬態型とベニモンアゲハでは応答のパターンが同じで，ある程度似た色として認識されると推測される。もちろん，鳥類の脳内で複雑な処理が行われることで擬態型とベニモンアゲハの色を見分ける可能性は否定できないが，擬態型は紫外線領域における光学的特徴がベニモンアゲハに似るように進化することで，擬態の効果を高めていると筆者は考える。また，紫外線の反射と蛍光は配偶行動で何らかの役割を果たしている可能性も考えられるので，今後も調べていきたい。

〔引用文献〕

Arnold KE, Owens IPF, Marshall NJ (2003) Fluorescent signaling in parrots. *Science*, 295(5552): 92.

Bates HW (1862) Contributions to an insect fauna of the Amazon valley. Lepidoptera: Heliconidae. *Transactions of the Linnean Society*, 23: 495–566.

Brower JVZ (1958) Experimental studies of mimicry in some North American butterflies. Part I: the Monarch, *Danaus plexippus*, and Viceroy, *Limenitis archippus*. *Evolution*, 12: 32–47.

Edmunds M (1974) Defense in animals: a survey of antipredator defenses. *Harlow, UK: Longman.*

Euw JV, Reichstein T, Rothschild M (1968) Aristolochic acid–I in the swallowtail butterfly *Pachliopta aristolochiae* (Fabr.) (Papilionidae). *Israel Journal of Chemistry*, 6: 659–670.

Fairchild MD (2013) *Color Appearance Models 3rd Edition: Chapter 1*, Wiley-IS&T, Chichester, UK.

Hart NS, Vorobyev M (2005) Modelling oil droplet absorption spectra and spectral sensitivities of bird cone photoreceptors. *Journal of comparative physiology A*, 191(4):381–392.

Kelber A, Vorobyev M, Osorio D (2003) Animal colour vision—Behavioural tests and physiological concepts. *Biological reviews of the Cambridge Philosophical Society*, 78: 81–118.

Kitamura T, Imafuku M (2010) Behavioral Batesian Mimicry Involving Intraspecific Polymorphism in the Butterfly *Papilio polytes*. *Zoological Science*, 27(3): 217–221.

Kitamura T, Imafuku M (2015) Behavioral mimicry in flight path of Batesian intraspecific polymorphic butterfly *Papilio polytes*. *Proceedings of the Royal*

Society B, 282: 20150483.
松野宏(1989)シロオビアゲハにおける擬態と認識色. やどりが, 140: 2–10.
Obara Y (1970) Studies on the mating behavior of the white cabbage butterfly, Pieris rapae crucivora Boisduval. III. Near-ultraviolet reflection as the signal of intraspecific communication. *Zeitschrift für vergleichende Physiologie*, 69: 99–116.
Obara Y, Hidaka T (1968) Recognition of the female by the male, on the basis of ultra–violet reflection, in the white cabbage butterfly, *Pieris rapae crucivora* Boisduval. *Proceedings of the Japan Academy*, 44: 829–832.
Ohsaki N (1995) Preferential predation of female butterflies and the evolution of Batesian mimicry. *Nature*, 378: 173–175.
Ruxton DG, Sherratt TN, Speed MP (2004) Avoiding attack. *Oxford University Press, Oxford.*
Shamble PS, Hoy RR, Cohen I, Beatus T (2017) Walking like an ant: a quantitative and experimental approach to understanding locomotor mimicry in the jumping spider *Myrmarachne formicaria*. *Proceedings of the Royal Society B*, 284: 20170308.
Sherratt TN, Rashed A, Beatty CD (2004) The evolution of locomotory behaviour in profitable and unprofitable simulated prey. *Oecologia*,138: 143–150.
Srygley RB (1994) Locomotor mimicry in butterflies? The associations of positions of centres of mass among groups of mimetic, unprofitable prey. *Philosophical Transactions of the Royal Society B*, 343: 145–155.
Uesugi K (1991) Temporal change in records of the mimetic butterfly *Papilio polytes* with the establishment of its model *Pachliopta aristolochiae* in the Ryukyu Islands. *Japanese Journal of Entomonoly*, 59: 183–198.
Uesugi K (1996) The adaptive significance of Batesian mimicry in the swallowtail butterfly, *Papilio polytes* (Insecta, Papilionidae): associative learning in a predator. *Ethology*, 102: 762–775.
Umebachi Y, Yoshida K (1970) Some chemical and physical properties of papiliochrome II in the wings of *Papilio xuthus*. *Journal of Insect Physiology*, 16: 1203–1228.
Yachi S, Higashi M (1998) The evolution of warning signals. *Nature*, 394: 882–884.
Yoda S, Sakakura K, Kitamura T, KonDo Y, Sato K, Ohnuki R, Someya I, Komata S, Kojima S, Yoshioka S, Fujiwara H (2021) Genetic switch in UV response of mimicry-related pale-yellow colors in Batesian mimic butterfly, *Papilio polytes*. *Science Advances*, 7: eabd6475.

(1, 2：来田村 輔・3：近藤勇介)

5 チョウの訪花行動に対する捕食者と他のチョウの影響 ～多摩動物公園での大量データをもとに～

1．送粉者の訪花行動に影響する要因

花から花へと舞うチョウたちは，どのようにして花を選んでいるのだろうか。チョウやハチなどの送粉者の花の選好性については，花の色や形，匂いといった形質が影響することがわかっている（Waser & Price, 1983; Schemske & Bradshaw, 1999; Willmer, 2011; Hirota *et al.*, 2013）。しかし，花の形質以外にも，送粉者の訪花行動に影響すると考えられる要因はいくつかある。

ひとつは，捕食者の存在である。花の上あるいは近くには，カマキリやクモなどの捕食者がいることがある。そのため，花を訪れる昆虫は，待ち伏せする天敵から捕食される危険性がある（Morse, 1986; Craig *et al.*, 2001; Dukas & Morse, 2003; Robertson & Maguire, 2005）。捕食されたり，捕食者に傷つけられたりすることは，適応度に大きく影響する。そのため，送粉者は，捕食者の手がかりとなるものを避けるよう進化してきた。生きた捕食者や捕食者の死骸，また捕食者の模型に反応して，送粉者は訪花行動を変化させることが報告されている（Dukas, 2001; Dukas & Morse, 2003; Gonçalves-Souza *et al.*, 2008; Tan *et al.*, 2013; Cembrowski *et al.*, 2014）。例えば，マルハナバチの一種 *Bombus impatiens* は生きたキイロクシケアリ *Myrmica rubra* がいる人工花を避ける傾向があることが報告されており（Cembrowski *et al.*, 2014），セイヨウミツバチ *Apis mellifera* ではクモ *Argiope* sp. の死骸がある花を避けることが報告されている（Dukas, 2001）。さらに，送粉者は，捕食に関する手がかりが残った花をも避けることがわかっている（Dukas, 2001; Abbott, 2006）。例えば，マルハナバチの一種 *Bombus vagans* では，同種の死骸や死骸の匂いが残った花を避けることが明らかになっている（Abbott, 2006）。

送粉者の訪花行動に影響すると考えられるもうひとつの要因は，花にいる他の送粉者の存在である（Zimmerman & Pleasants, 1982）。花の蜜や花粉の多くが，送粉者によって消費されるなら，他の送粉者がいる花を避ける行動は適応的だと考えられる。逆に蜜や花粉が豊富にあるなら，他の送粉者が

いる花を好む行動は，花を探索するエネルギーコストを下げるため有利だと考えられる(Baude *et al.*, 2011)。クロマルハナバチ *Bombus ignitus* などの研究で，送粉者は集合性を示さないことから，花にいる他の送粉者を避けることが示唆されている(Palmer *et al.*, 2003; Makino & Sakai, 2004, 2005)。一方で，新たな花を探索する送粉者は，花にいる他の送粉者に惹きつけられるとする研究もある(Slaa *et al.*, 2003; Leadbeater & Chittka, 2005; Kawaguchi *et al.*, 2006)。トラマルハナバチ *Bombus diversus* は，なじみのある花に同種がいる場合はその花を避けるが，なじみのない花に同種がいる場合はその花を好む(Kawaguchi *et al.*, 2007)。つまり花へのなじみの程度に応じて，同種のいる花への反応を変化させている。また，セイヨウオオマルハナバチ *Bombus terrestris* は，過去に危険な目にあった花では，同種と一緒に採餌することを好んだ。これは，危険な経験をした個体にとっては，同種の存在が安全性の指標となっていることを示唆している(Dawson & Chittka, 2014)。

上述のように，訪花行動に対する捕食者や他の送粉者の影響は，近年よく研究されてきた。しかしながら，研究の多くはハチ目で行われ(Romero *et al.*, 2011)，もうひとつの重要な送粉者と考えられるチョウ目ではあまり行われてこなかった。ハチと比較してチョウは，花の色や形，大きさ，匂い，蜜中のアミノ酸に対し，異なる選好性を持つ(Alm *et al.*, 1990; Willmer, 2011)。また，チョウとハチとでは異なるタイプの花に送粉する(Rader *et al.*, 2016)。先行研究では，チョウがクモの模型などの捕食者の手がかりのある花を避けることが報告されている(Muñoz & Arroyo, 2004; Gonçalves-Souza *et al.*, 2008; Romero *et al.*, 2011)。しかし，他のチョウが花にいる場合，また捕食者と他のチョウが同時に花にいるような場合に，チョウの訪花行動がどう影響されるのかはわかっていない。

2. 多摩動物公園での実験

チョウの訪花行動を研究する際に大きな問題となるのが，野外では多数の訪花行動を観察しにくいということである。この問題の解決のため，実験場所として選んだのが多摩動物公園のチョウを展示している大温室である。面積 1,140㎡のこの温室では，年間数千匹のチョウが放たれており，一年中チョウを観察できる(図 1)。この施設で観察を行う利点は，チョウが多数いるこ

図 1　多摩動物公園のチョウの大温室（Fukano *et al.*, 2016 から転載）

とだけではない。まず，野外に比べ温度などが比較的安定しており，風や雨による影響を受けにくい。また，多種のチョウによる多数の訪花行動が一か所で観察できる。そのため，訪花行動を種間で比較でき，チョウのサイズの違いが訪花行動にどう影響するかを調べることができる。そして，温室のほとんどのチョウは飼育された個体であり，全くあるいはほとんど捕食者に襲われた経験がないと考えられる。温室内でカマキリやクモなどの捕食者が見つかることもあるが，見つけ次第職員が取り除いている。このため，温室のチョウは，花の上の捕食者に対してほぼ生得的な反応をすると考えられる。

我々はチョウの大温室で二つの実験を行った。まず，花にいる捕食者がチョウの訪花行動に与える影響を調べた。図 2 のような，10％砂糖水

図 2　訪花行動観察の実験台の模式図（Fukano *et al.*, 2016 を改変）

図 3　実験で観察されたチョウ

1. ヤマトシジミ，2. ツマグロヒョウモン，3. カバタテハ，4. イシガケチョウ，5. スジグロカバマダラ，6. ツマムラサキマダラ，7. オオゴマダラ，8. リュウキュウアサギマダラ，9. タテハモドキ，10. アサギマダラ，11. ジャコウアゲハ，12. シロオビアゲハ，13. クロアゲハ，14. ナミアゲハ，15. ツマベニチョウ，16. スジグロシロチョウ。学名は図 8 のキャプションに記載（Fukano *et al.*, 2016 から転載）

の入った黄色い花を模したプラスチック皿（蜜皿）を二つ置いた実験台を作製し，オオカマキリ *Tenodera aridifolia* の標本を一方の蜜皿の上に置いた。この実験台を温室内に二つ設置して，それぞれをビデオ撮影し，訪れるチョウがどちらの蜜皿に降りるか観察を行った。実物の花ではなく蜜皿を使用したのは，形や色，蜜やにおい等の要因による違いをなるべくなくすためである。なお温室では，チョウの蜜源のため，常時水で薄めたハチミツを入れた蜜皿を設置している。来園者によるチョウの行動への影響を少なくするため，実験台は観覧通路から 2 m 離れた場所に設置した。実験台をビ

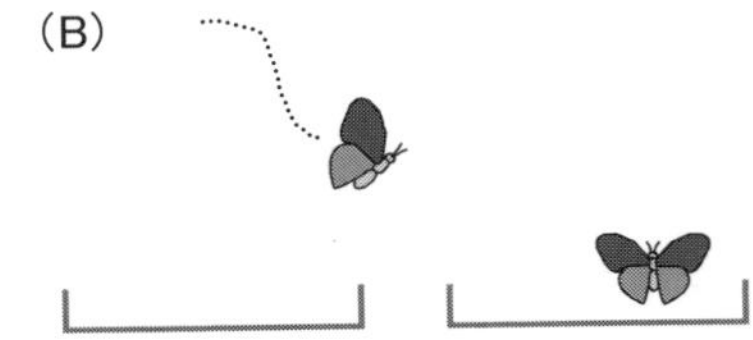

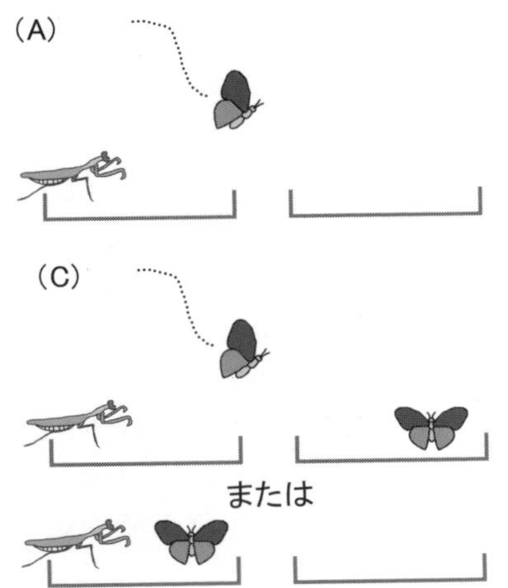

図4 蜜皿上のカマキリと他のチョウの配置パターンのうち，解析に用いたもの
(A)どちらかの蜜皿にカマキリの標本のみがある場合，(B)どちらかの蜜皿に他のチョウが1個体のみいる場合，(C)カマキリと別の蜜皿あるいは同じ蜜皿に他のチョウが1個体いる場合（Fukano *et al.*, 2016を改変）。

デオ撮影し，チョウがよく飛ぶ晴れた日の8時から13時の間で84分の録画を1日2回行った。2015年3月6日～5月13日の間で，合計14日実験を行った。

次に，花にいる他のチョウが，訪れたチョウの行動にどう影響するか調べる実験を行った。蜜皿の上に何も置かず，それ以外は上記の実験と同様の方法で，2015年5月15日～7月7日の間で，合計17日実験を行った。これら二つの実験により，合計16種（図3），3,235回の訪花行動が観察された。

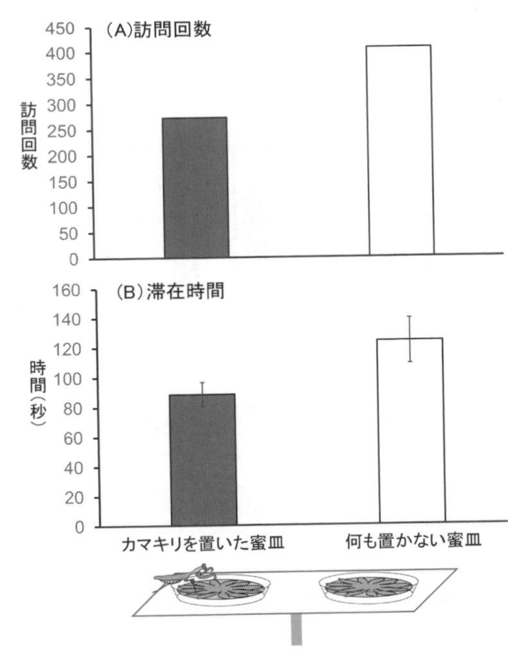

図5 カマキリを置いた蜜皿と何も置かない蜜皿へのチョウの訪問回数(A)と滞在時間(B)（平均±標準誤差）（Fukano *et al.*, 2016を改変）

3. 捕食者がいるときの訪花行動

一方の蜜皿にカマキリを置いた実験で観察されたチョウの訪花行動のうち，どちらの蜜皿にも他のチョウがいない場合(図 4A)は，680 回観察された。このデータを使って，蜜皿の上に死んだ捕食者がいる場合，チョウはそれを避けるのか，またチョウのサイズが避け具合に影響するのかを調べた。チョウの体サイズの指標として，各種 3～5 個体の前翅長を測り，平均値を解析に用いた。その結果，チョウはカマキリのいる蜜皿を避けており(図 5A，P ＜0.01)，蜜皿での滞在時間はカマキリ側の蜜皿でやや短くなった(図 5B，P ＝0.08)。一方，翅のサイズはカマキリへの反応に影響していなかった。

4. 他のチョウがいるときの訪花行動

蜜皿の上に何も置かずに行った実験で観察された訪花行動のうち，どちらかの蜜皿にチョウが 1 個体すでにいる場合(図 4B)は 729 回観察された。このデータを使って，蜜皿の上に他のチョウがいる場合，訪れたチョウはどう反応するのか，また両者の翅のサイズ差が，訪花行動に影響するのかを調べた。その結果，訪れたチョウは，自分より大きなチョウが滞在している蜜皿を避けることがわかった(図 6，P＝0.022)。

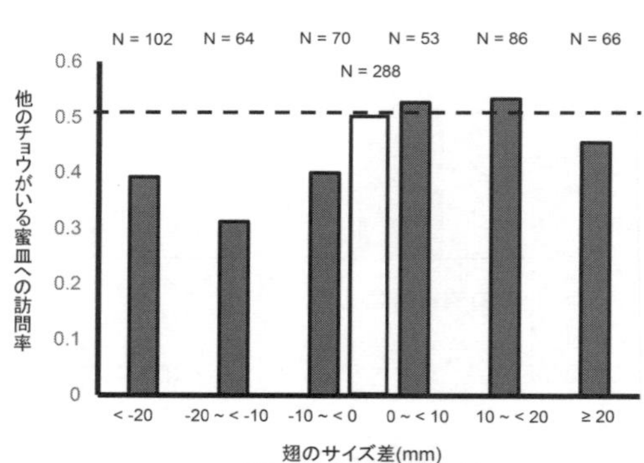

図 6　他のチョウがいる蜜皿への訪問率

灰色のグラフは各種の翅のサイズ差を 6 つに分けたときの訪問率．白いグラフは同種のチョウがいる蜜皿への訪問率（Fukano *et al.*, 2016 を改変）

5. 捕食者と他のチョウ両者がいるときの訪花行動

では，捕食者と他のチョウの両者が同じ蜜皿にいるときや，捕食者と他のチョウがふたつの蜜皿に別々にいるとき，チョウはどう反応するのだろうか。カマキリを置いた実験で観察されたデータのうち，どちらかの蜜皿に他のチョウが1個体いる場合(図4C)が309回観察された。このデータを解析した結果，カマキリと反対の蜜皿に他のチョウがいた場合，訪れたチョウは意外なことにカマキリのいる蜜皿に多く訪れていた。一方，カマキリと他のチョウが同じ蜜皿にいる場合，訪れたチョウはカマキリとチョウのいる蜜皿を強く避けていた(図7, P＜0.01)。

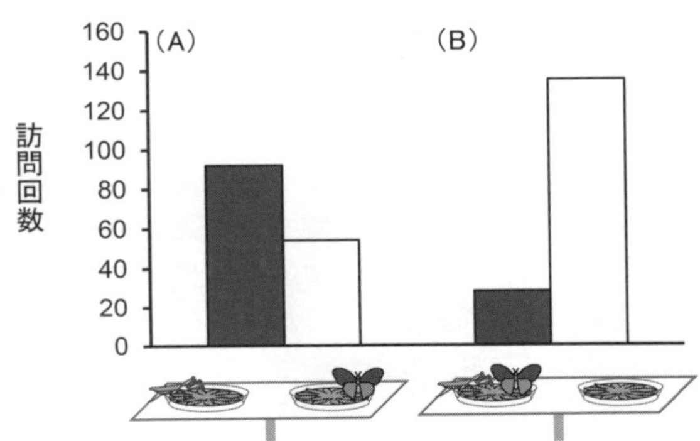

図7 カマキリとチョウが別の蜜皿にいる場合(A)と，同じ蜜皿にいる場合(B)の，それぞれの蜜皿へのチョウの訪問回数（Fukano *et al.*, 2016 を改変）

6. 実験結果の解釈と，今後の課題

我々の行った実験から，チョウは死んだ捕食者のいる蜜皿を避けること，また自分より大きなチョウが滞在している蜜皿を避けることが明らかになった。これらの結果は，ハチ目の送粉者の行動と一致している(Kikuchi, 1965; Morse, 1982; Dukas & Morse, 2003; Slaa *et al.*, 2003; Romero *et al.*, 2011)。

ただし今回の実験からは，チョウは死んだカマキリを捕食者として認識していたかどうかはわからない。主にハチ目の送粉者を対象とした61の先行事例をメタ解析した研究では，花の上の捕食者より，捕食者のモデルやただのプラスチックなどの方を避ける傾向があったという報告がある(Romero *et al.*, 2011)。さらに，クモのレプリカやクモの腹部を似せた球体を置いた花に対して，チョウは訪れる回数が減るという報告もある(Gonçalves-Souza *et al.*, 2008)。そのため我々が行った実験でも，チョウが死んだカマキリを避けたのは，単に花の上の物を避けただけという可能性がある。どんな視覚的なシグナルがチョウの訪花回避行動を誘発するのか，今後の研究が必要である。

温室内のチョウは，花の上の捕食者に襲われた経験がほとんどないと考えられることから，今回観察されたカマキリを避ける行動は，生得的な反応の可能性がある。ただし，訪花を回避する程度は，過去に野外のチョウで行われた研究と比べると弱いようである（Muñoz & Arroyo, 2004; Gonçalves-Souza *et al.*, 2008; Romero *et al.*, 2011）。例えば，上述した先行事例のメタ解析論文では，訪花率は平均36％減少し，滞在時間は51％減少している（Romero *et al.*, 2011）。一方，本研究では，滞在時間は約27％の減少にとどまっている（訪問率は二つから選択する実験なので比較できない）。温室内での捕食の危険性がどの程度かは今回調べていないが，温室内より野外のほうが捕食者に襲われる危険性は高いと考えられる。そのため，野外で見られた強い捕食者回避は，捕食者に襲われた経験による学習を反映しているのかもしれない。今後，チョウの捕食者に対する生得的な反応や学習を詳細に明らかにするには，完全に捕食者のいない条件での実験等が必要だろう。

訪花昆虫のなかで，自分より大きな送粉者がいる花を避けるような，サイズによって優劣が決まる関係は，ハチやハナアブでのみ知られていた（Kikuchi, 1965; Morse, 1982; Slaa *et al.*, 2003）。我々が行った実験により，このような関係はチョウでも見られることがわかった。他のチョウと接触することは，翅が傷ついて飛翔能力や性的魅力に影響する可能性があることから，特に小さいチョウでは，そのようなリスクを避けているのかもしれない。今回実験を行った温室は，チョウの密度が高く，蜜皿は複数のチョウで込み合うこともある。このような条件下では，チョウは自分より大きなチョウに近づくリスクを学習している可能性がある。今後，チョウのサイズによって優劣が決まる関係が野外でも見られるのか調べる必要があるだろう。

カマキリがいる蜜皿とは反対側の蜜皿に他のチョウがいるとき，訪れたチョウはカマキリ側の蜜皿を選ぶことの方が多かった。チョウよりカマキリのほうが危険だと考えられるため，この結果は奇妙に感じられる。もしかすると，花にいるチョウは翅を開いたり閉じたりするため，カマキリよりも目立っていたのかもしれない。あるいは，温室のチョウは蜜皿にいるチョウに近づくリスクは学習しているが，捕食者に近づくリスクは学習していないからかもしれない。しかしいずれにせよ，この結果は，訪れたチョウがカマキリの死体を危険な捕食者というより，単に異質な物として認識していることを示唆している。

カマキリとチョウの両者が同じ蜜皿にいる場合，訪花するチョウはその蜜皿を強く避けていた。この結果は，捕食者と生きたチョウの組み合わせが，訪花を避ける強いシグナルとなりうることを示唆している。この背景にあるメカニズムは不明だが，訪花するチョウにとって，花にいる他のチョウの存在が捕食者の存在を際立たせている(あるいは逆に捕食者がチョウの存在を際立たせている)可能性がある。

7. 昆虫園の飼育・展示にも有益な実験

本研究は，チョウの行動研究にとって，チョウの温室での実験が有効な方法であることも示した。また，この実験を通して得られるデータから，温室内ではどんな種類のチョウがどの程度蜜皿を利用しているかがわかり(図8)，これは昆虫園側にとっても有益な情報となる。蜜皿の利用頻度は種によって様々であり，タテハモドキやオオゴマダラはよく蜜皿を利用していることから，このような種を飼育する上で蜜皿は有効であることがわかる。一方でキチョウの仲間やヤマトシジミなどの小型の種は，大型の種との接触を避け

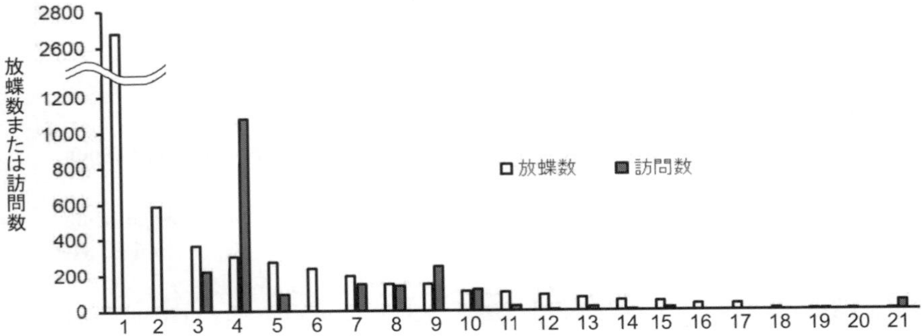

図8 カマキリを置かない実験で観察された各チョウの蜜皿への訪問数（5/15～7/7）と，4/16～7/7 に温室に放された各チョウの個体数

1. タイワンキチョウ *Eurema blanda* またはキタキチョウ *Eurema mandarina*，2. シロオビアゲハ *Papilio polytes*，3. リュウキュウアサギマダラ *Ideopsis similis*，4. タテハモドキ *Junonia almana*，5. ツマムラサキマダラ *Euploea mulciber*，6. ヤマトシジミ *Pseudozizeeria maha*，7. ツマベニチョウ *Hebomoia glaucippe*，8. ツマグロヒョウモン *Argyreus hyperbius*，9. オオゴマダラ *Idea leuconoe*，10. カバタテハ *Ariadne ariadne*，11. スジグロシロチョウ *Pieris melete* またはヤマトスジグロシロチョウ *Pieris nesis*，12. アサギマダラ *Parantica sita*，13. ナミアゲハ *Papilio xuthus*，14. イシガケチョウ *Cyrestis thyodamas*，15. スジグロカバマダラ *Danaus genutia*，16. ベニモンアゲハ *Pachliopta aristolochiae*，17. アオスジアゲハ *Graphium sarpedon*，18. コノハチョウ *Kallima inachus*，19. ジャコウアゲハ *Atrophaneura alcinous*，20. モンキアゲハ *Papilio helenus*，21. クロアゲハ *Papilio protenor*

るため利用頻度が低くなっているのかもしれない。ただし，今回の実験で使用した蜜皿と，常時温室で使用しているハチミツ水を入れた蜜皿とでは，各種のチョウの利用頻度がやや異なる印象がある。以前から使用している蜜皿は，実験での蜜皿と餌の成分が違うだけでなく，複数の色を用いており，温室内の様々な場所に設置している。また季節やチョウの種構成などの違いが，温室のチョウの蜜皿利用頻度に影響している可能性もある。蜜皿の利用率の低い種の蜜源として蜜皿を活用するには，そのような種が好む蜜皿の色や形，匂い，場所などを調べ，改良する必要があるだろう。

ここで紹介した研究は，本稿の著者の 2 人ならびに Sayed Ibrahim Farkhary 氏と倉地卓将氏との共同研究で行った，Fukano *et al.*(2016) の内容を加筆修正したものである。

謝辞

実験や本稿の作成にご協力いただいた，多摩動物公園昆虫園の皆様に感謝いたします。

〔引用文献〕

Abbott KR (2006) Bumblebees avoid flowers containing evidence of past predation events. *Canadian Journal of Zoology*, 84: 1240–1247.

Alm J, Ohnmeiss TE, Lanza J, Vriesenga L (1990) Preference of cabbage white butterflies and honey bees for nectar that contains amino acids. *Oecologia*, 84: 53–57.

Baude M, Danchin É, Mugabo M, Dajoz I (2011) Conspecifics as informers and competitors: an experimental study in foraging bumble-bees. *Proceedings of the Royal Society B: Biological Sciences*, 278: 2806–2813.

Cembrowski AR, Tan MG, Thomson JD, Frederickson ME (2014) Ants and ant scent reduce bumblebee pollination of artificial flowers. *The American Naturalist*, 183: 133–139.

Craig CL, Wolf SG, Davis JLD, Hauber ME, Maas JL (2001) Signal polymorphism in the web-decorating spider *Argiope argentata* is correlated with reduced survivorship and the presence of stingless bees, its primary prey. *Evolution*, 55: 986–993.

Dawson EH, Chittka L (2014) Bumblebees (*Bombus terrestris*) use social information as an indicator of safety in dangerous environments. *Proceedings of the Royal Society B: Biological Sciences*, 281: 20133174.

Dukas R (2001) Effects of perceived danger on flower choice by bees. *Ecology Letters*, 4: 327–333.

Dukas R, Morse DH (2003) Crab spiders affect flower visitation by bees. *Oikos*,101: 157–163.

Fukano Y, Tanaka Y, Farkhary SI, Kurachi T (2016) Flower-visiting butterflies avoid predatory stimuli and larger resident butterflies: Testing in a butterfly Pavilion. *PLoS ONE*, 11: e0166365.

Gonçalves-Souza T, Omena PM, Souza JC, Romero GQ (2008) Trait-mediated effects on flowers: Artificial spiders deceive pollinators and decrease plant fitness. *Ecology*, 89: 2407–2413.

Hirota SK, Nitta K, Suyama Y, Kawakubo N, Yasumoto AA, Yahara T (2013) Pollinator-mediated selection on flower color, flower scent and flower morphology of *Hemerocallis*: Evidence from genotyping individual pollen grains on the stigma. *PLoS One*, 8: e85601.

Kawaguchi LG, Ohashi K, Toquenaga Y (2006) Do bumble bees save time when choosing novel flowers by following conspecifics? *Functional Ecology*, 20: 239–244.

Kawaguchi LG, Ohashi K, Toquenaga Y (2007) Contrasting responses of bumble bees to feeding conspecifics on their familiar and unfamiliar flowers. *Proceedings of the Royal Society B: Biological Sciences*, 274: 2661–2667.

Kikuchi T (1965) Role of interspecific dominance-subordination relationship on the appearance of flower-visiting insects. *The Science Reports of the Tohoku University: Biology. Fourth series*, 31: 275–296.

Leadbeater E, Chittka L (2005) A new mode of information transfer in foraging bumblebees? *Current Biology*, 15: R447–R448.

Makino TT, Sakai S (2004) Findings on spatial foraging patterns of bumblebees (*Bombus ignitus*) from a bee-tracking experiment in a net cage. *Behavioral Ecology and Sociobiology*, 56: 155–163.

Makino TT, Sakai S (2005) Does interaction between bumblebees (*Bombus ignitus*) reduce their foraging area?: bee-removal experiments in a net cage. *Behavioral Ecology and Sociobiology*, 57: 617–622.

Morse DH (1982) Foraging relationships within a guild of bumble bees. *Insectes Sociaux*, 29: 445–454.

Morse DH (1986) Predatory risk to insects foraging at flowers. *Oikos*, 46: 223–228.

Muñoz AA, Arroyo MTK (2004) Negative impacts of a vertebrate predator on insect pollinator visitation and seed output in *Chuquiraga oppositifolia*, a high Andean shrub. *Oecologia*, 138: 66–73.

Palmer TM, Stanton ML, Young TP (2003) Competition and coexistence: Exploring mechanisms that restrict and maintain diversity within mutualist guilds. *The American Naturalist*, 162: S63–S79.

Rader R, Bartomeus I, Garibaldi LA, Garratt MPD, Howlett BG, Winfree R, *et al.* (2016) Non-bee insects are important contributors to global crop pollination. *Proceedings of the National Academy of Sciences of the United States of America*, 113: 146–151.

Robertson IC, Maguire DK (2005) Crab spiders deter insect visitations to slickspot peppergrass flowers. *Oikos*, 109: 577–582.

Romero GQ, Antiqueira PAP, Koricheva J (2011) A meta-analysis of predation risk effects on pollinator behaviour. *PLoS One*, 6: e20689.

Schemske DW, Bradshaw HD (1999) Pollinator preference and the evolution of floral traits in monkeyflowers (*Mimulus*). *Proceedings of the National Academy of Science of the United States of America*, 96: 11910–11915.

Slaa EJ, Wassenberg J, Biesmeijer JC (2003) The use of field-based social information in eusocial foragers: local enhancement among nestmates and heterospecifics in stingless bees. *Ecological Entomology*, 28: 369–379.

Tan K, Hu Z, Chen W, Wang Z, Wang Y, Nieh JC (2013) Fearful foragers: honey bees tune colony and individual foraging to multi-predator presence and food quality. *PLoS One*, 8: e75841.

Waser NM, Price MV (1983) Pollinator behaviour and natural selection for flower colour in *Delphinium nelsonii*. *Nature*, 302: 422–424.

Willmer P (2011) *Pollination and Floral Ecology*. Princeton University Press, Princeton.

Zimmerman M, Pleasants JM (1982) Competition among pollinators: quantification of available resources. *Oikos*, 38: 381–383.

（田中陽介・深野祐也）

6 アゲハチョウの交尾をつかさどる化学シグナル

1．魅惑の匂い：フェロモン

「フェロモン」という言葉を聴いて，みなさんは何を想像するだろうか？

きっと多くの人が艶めかしい男と女の関係で使われる媚薬を想うことであろう。

フェロモンとは，生物が体外に放出し，同種の他個体に届いて何らかの変化を引き起こす化学物質のことである。フェロモンは，他個体の行動を変化させる「解放フェロモン」と生長･発育･生理状態を変化させる「引き金フェロモン」に大別される。解放フェロモンは，交尾に関わる「性フェロモン」，仲間を集める「集合フェロモン」，仲間に危険をつたえ離散させる「警報フェロモン」など行動の種類によって更に分類される。ちなみに，同種の生物間で作用する化学物質がフェロモンであるのに対し，異種の生物間で作用するものは「アレロケミカル」と呼ばれる。

生物が化学物質を使って仲間内でコミュニケーションを行うことは古くから知られていた。しかし，その物質が初めて特定されたのは1959年のことである。ガの仲間カイコガの雌は，尾端から「匂い」を分泌して雄を誘引し，交尾を行う。この匂いに含まれる物質Bombykolは，極微量で雄を性的に興奮させ交尾に導く性フェロモンである（Butenandt *et al.*, 1959）。この歴史的発見から，フェロモン＝媚薬という刷り込みが生まれたのであろう。以降，ガの性フェロモン研究が一気に花開いた。ガの仲間には農業害虫として重要な種がいる。性フェロモンを使うと特定のガを誘引・防除できることから，生物毒となる農薬を多量に使わずに済む。農業での応用的価値が科学研究を強く後押ししたのだ。

一方，学術的背景から新たな疑問が生まれた。ガと同じチョウ目昆虫に分類されるチョウに性フェロモンはあるのだろうか？　チョウは視覚が発達しており，交尾相手を確認する主要な手がかりとして翅模様を用いる（Kemp & Rutowski, 2011）。チョウも交尾において匂いを利用するのだろうか？

2. チョウの匂い

ガは雌が匂いを出すのに対し，チョウは雄が特有の匂いをもつことが多い。ある種の雄チョウは，匂いを分泌するための特殊な器官を翅（例：発香鱗）や尾端（例：ヘアーペンシル）に備えている（Kristensen & Simonsen, 2003）。しかし，ガと比較して，匂い物質の化学構造が明らかにされたチョウは非常に少ない。匂いの生理機能が解明されたチョウは更に限られるが，以下のような事実が明らかにされている。

1) ガで見られるような遠距離で交尾相手を誘引する効果はない。チョウの匂いは，相手に接近してから作用する（Boppré, 1984）。
2) 同種間で作用し，交尾を制御する性フェロモンとして次の 3 つの機能が知られている。
   a. 雌をなだめて交尾をうけいれさせる催淫効果（Andersson *et al.*, 2007）
   b. 交尾した雌に匂いをつけ，他の雄との交尾を阻害する抗催淫効果（Malouines, 2017）
   c. 匂いを基に雌が雄の生理状態を知り，交尾するかどうかを決める性選択効果（Nieberding *et al.*, 2012）
3) 近縁種（異種）間で交雑を防ぐアレロケミカルとして機能する（González-Rojas *et al.*, 2020）。

3. 匂いの化学分析

生物が放出する匂いのほとんどは混合物である。匂いの化学分析は図 1 のような手順で行われる。まず，ヘキサンや塩化メチレンなどを溶媒に用いて，生物試料から匂い物質を抽出する。これを溶媒抽出法という。このとき，揮発性の低い脂溶性物質も同時に抽出される。得られた抽出物は，低温で溶媒だけを揮発させて濃縮した後，ガスクロマトグラフ－質量分析計（GC-MS）で分析する。注射器でガスクロマトグラフ（GC）に導入された抽出物は高温で気化され，GC から質量分析計（MS）に送られる。その際，含まれている物質毎に GC を通過するのに必要な時間（保持時間）が異なる。この時間差を利用して混合物を個々の成分 A・B・C・・・に分離する。MS では，分離さ

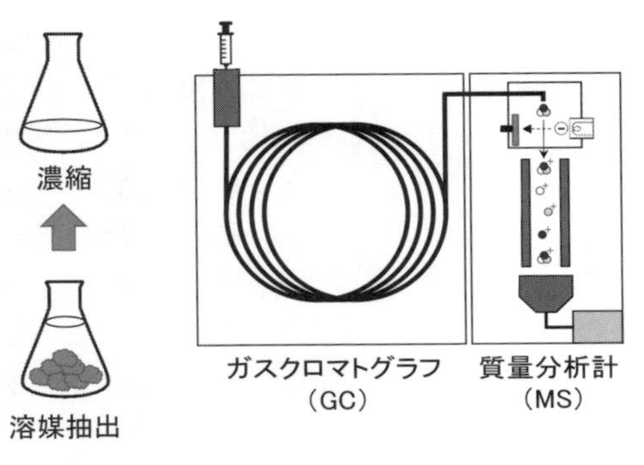

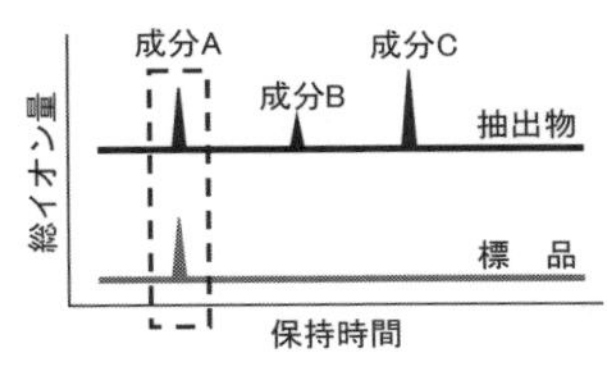

図1　匂いの化学分析

れた個々の成分にエネルギーを与え，分子をイオン化する。最初に生じた分子イオンは分子構造に沿って分解し，複数の小さな開裂イオンが生み出される。このようにして生じた総てのイオンを検出し，保持時間を横軸に，総イオン量を縦軸にして描いた図を総イオンクロマトグラム(TIC)とよぶ。各成分は，固有の保持時間で上方向に伸びる山(ピーク)として表される。ピークを構成するイオンの種類(m/z)を横軸に，量を縦軸にして描いた図をマススペクトルとよぶ。物質毎にイオンの種類・量は異なるため，マススペクトルから個々の成分の分子構造を推定することができる。最後に，標準物質(標品)を同じ条件でGC-MS分析し，分離した成分と保持時間・マススペクトルが一致することを確認して，物質を特定(同定)する。

4. アゲハチョウの匂い

アゲハチョウの仲間は美しい翅模様を持つものが多く，人を惹きつける魅力に富む。アゲハチョウの交尾や種分化に関する研究は広く行われているが，成虫が持っている匂いの性質や機能に関する研究はなぜか少ない。日本産のアゲハチョウでは，ジャコウアゲハやベニモンアゲハが強い特徴的な匂いをもっている。この他のアゲハチョウにも，成虫を三角紙や密閉容器に閉じ込めると微かな匂いを感じられるものがいる。その一例が，沖縄から奄美諸島に広く分布するシロオビアゲハ *Papilio polytes* である。筆者は，本種の匂いの化学分析を行った(Ômura & Honda, 2005)。

研究室で飼育した羽化1日後のシロオビアゲハを冷凍殺虫したのち，翅

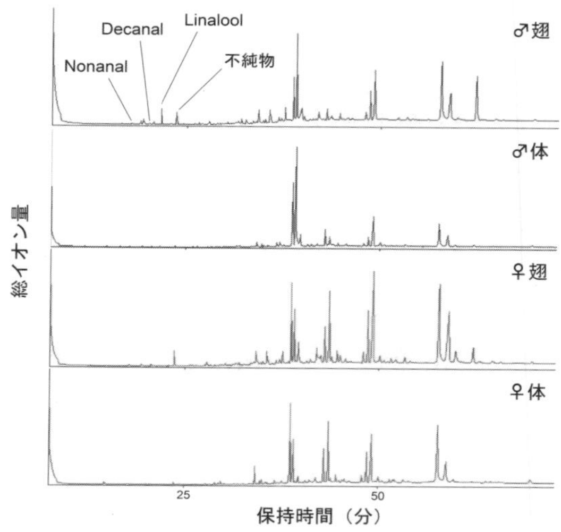

図2　シロオビアゲハ雌雄抽出物のGC-MS分析結果（TIC）（Ômura & Honda（2005）を改編）

成虫を翅と体に分割して，雌雄毎に20個体分をまとめて抽出した。分析には匂い成分の分離に優れる高極性カラムを用いた。

と体に分離してそれぞれを抽出した。1個体分の匂いでは量が少なくGC-MSで検出できないと予想し，雄または雌20個体分をまとめて抽出した。4つのサンプルをGC-MSで分析した結果を図2に示す。保持時間30分以降に大きなピークが検出された。これらは揮発性の低い脂溶性物質で，昆虫の体の表面を覆うワックス（体表ワックス）成分であった。揮発性の高い成分は通常30分以前に出現するがピークは小さく，匂い成分として同定できたのは3成分のみ，成虫1個体当たりの含有量はngオーダーであった。このうちLinaloolは雄特異的で，翅に多く含まれていた。羽化3日後の成虫では，匂いや体表ワックスの成分量が増加することもわかった。

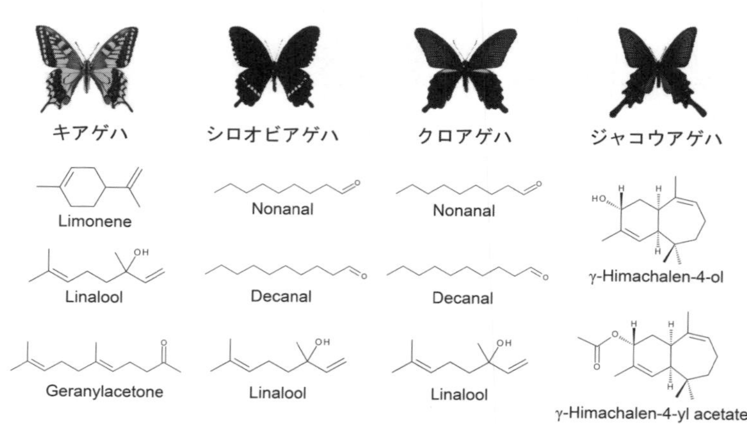

図3　アゲハチョウ雄成虫特有の匂い成分

同様の方法で，キアゲハやクロアゲハ，ジャコウアゲハの匂いを化学分析し，それぞれの雄に特有の匂い成分を明らかにした(図 3：Ômura *et al*., 2001, 2012, 2016)。これらは雌の交尾を促す催淫性の性フェロモンとして機能するのではないかと考え，雄の乾燥死体やカラーコピーして作った模型に匂いをつけて雌の前で動かして見せた。しかし，雌は匂いに全く反応しなかった。その後も実験を重ねたがうまく行かず，アゲハチョウの雄の匂いの役割は現在も不明のままである。

5. 体表ワックスでの発見

雄の匂いの機能解析が暗礁にのりあげていたころ，分析データを見直していて別の発見があった。シロオビアゲハやクロアゲハは，雌雄で TIC のパターンはよく似ているが，体表ワックス特定成分のピークの大きさが異なるのである。体表ワックス成分は 1 個体あたり μg オーダー含まれており，1 個体分の抽出物でも GC-MS で十分検出できる。体表ワックスをターゲットにして 2 種の雌雄を 1 個体丸ごと抽出して分析したところ，TIC パターンに大きな種間差も見られた(図 4)。

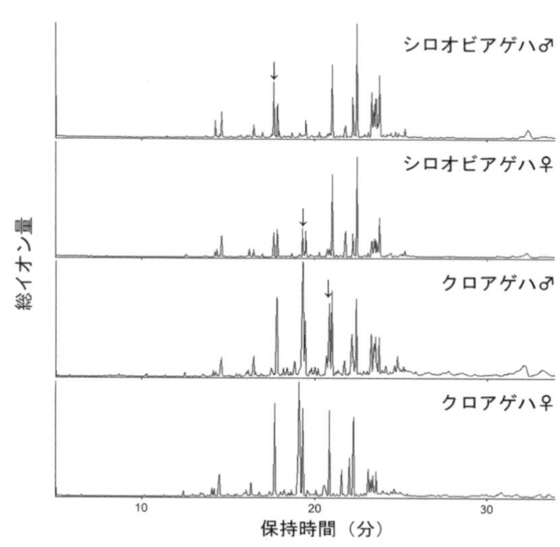

図 4　シロオビアゲハ・クロアゲハ雌雄抽出物の GC-MS 分析結果（TIC）（Ômura *et al.*(2020) を改編）
成虫を 1 個体ずつ抽出した。分析にはワックス成分の分離に優れる低極性カラムを用いた。雌雄で特に異なるピークに矢印をつけた。

これに気をよくして，シロオビアゲハとその近縁 6 種(クロアゲハを含む)について，羽化 3 日後の成虫の体表ワックスを調べた。検出された 100 本以上のピークのうち上位 50 本にあたる成分の相対含有量を指標とした非計量多

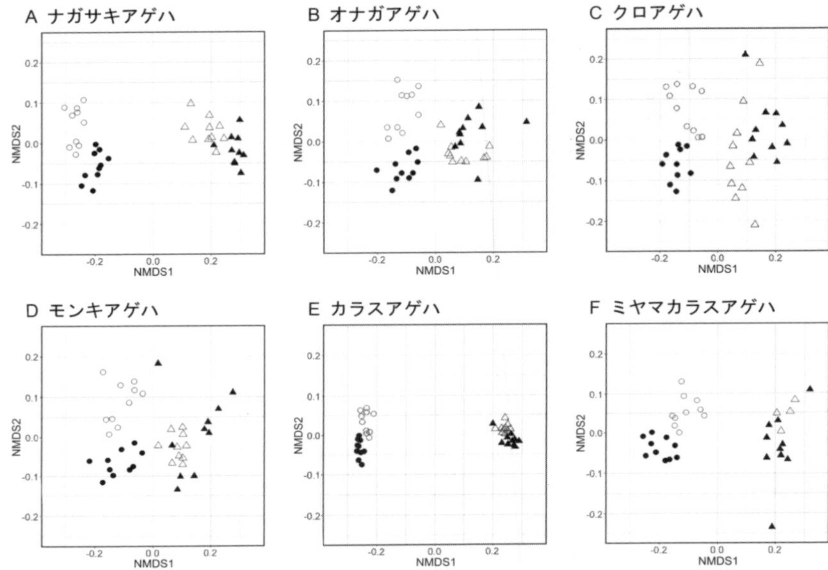

図 5　体表ワックス成分に基づくシロオビアゲハと近縁アゲハチョウの NMDS 分析（Ômura *et al.*(2020)を改編）

シロオビアゲハ雄を●，同雌を○，比較する近縁種の雄を▲，同雌を△でそれぞれ表す。ミヤマカラスアゲハ雌のみ 4 個体，他はすべて 10 個体を分析に用いた。体表ワックス成分の組成が似ている個体ほど，二次元座標上に近接してプロットされる。

次元尺度法(NMDS)で，シロオビアゲハと各アゲハチョウの組成を比較した(図 5)。雌雄差の程度はアゲハチョウの種類によって異なり，シロオビアゲハと同じように比較的大きな種(例：クロアゲハ・ナガサキアゲハ)もあれば，小さな種(例：オナガアゲハ・カラスアゲハ)もあった。シロオビアゲハとの類似度もアゲハチョウの種類によって異なり，ナガサキアゲハやカラスアゲハよりもオナガアゲハやモンキアゲハの方が比較的類似であった。

ミトコンドリア DNA の分子系統樹において，シロオビアゲハとクロアゲハは近縁で，ナガサキアゲハ・オナガアゲハ・モンキアゲハとともに *Princeps* 亜属を形成する(図 6 左)。カラスアゲハとミヤマカラスアゲハは外群の *Achillides* 亜属に分類される(図 6 左)。分析した 7 種 134 個体について体表ワックス 50 成分に基づく系統樹を作成した(図 6 右)。種や性別毎にきれいに分類されることを期待したがそうはならず，得られた系統樹では遺伝的に遠縁の種が近くの群に分類されたり，少数の異種・異性が混在したりし

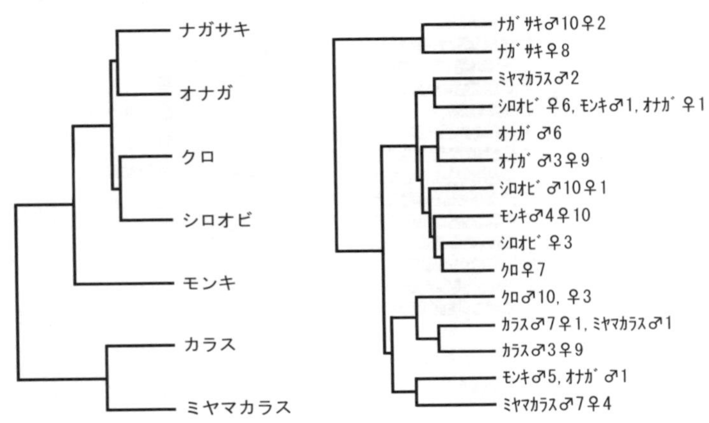

図6 シロオビアゲハと近縁6種の階層クラスター分析
左：ミトコンドリアDNAに基づく階層クラスター分析（Zakharov *et al.*(2004)を改編）。
右：体表ワックス成分に基づく階層クラスター分析（Ômura *et al.*(2021)を改編）。雌雄記号後ろの数字は，個体（分析したサンプル）数を表す。

た。この一要因として，羽化後3日目では体表ワックス組成に種や性の特徴が明瞭に現れていない個体がおり，大きな個体差が生じた可能性が考えられる。カラスアゲハとミヤマカラスアゲハの大部分は近くの群に分類され，分子系統樹とよく一致していた。一方，*Princeps* 亜属の5種ではさほど一致しなかった。ナガサキアゲハは他6種から独立した群を形成し，体表ワックス組成の高い特異性が示唆された。オナガアゲハやモンキアゲハでは雄が2群にわかれ，雄の一部は体表ワックス組成が雌と類似する傾向を示した。シロオビアゲハ・クロアゲハでは雌雄差が比較的大きく，さらに雌が遠くの2群にわかれ，性内多型を持つ可能性が示唆された。

6. アルケン成分の特異性

昆虫の体表ワックスは，脂肪族炭化水素･ケトン･脂肪酸･脂肪酸エステル･コレステロールを含むテルペンなど多様な成分で構成される(Lockey, 1988)。脂肪族炭化水素は，飽和炭化水素(アルカン)や炭素二重結合を含む不飽和炭化水素(アルケン)に代表される。7種のアゲハチョウでは，体表ワックスの5〜7割が脂肪族炭化水素－アルカンとアルケンであった(図7)。含有量の多いアルカン上位5成分は, 炭素数23，25，27，29，31の直鎖分子であった(図8)。アルケン上位5成分も直鎖分子であり，炭素数23，27，31のアルケン

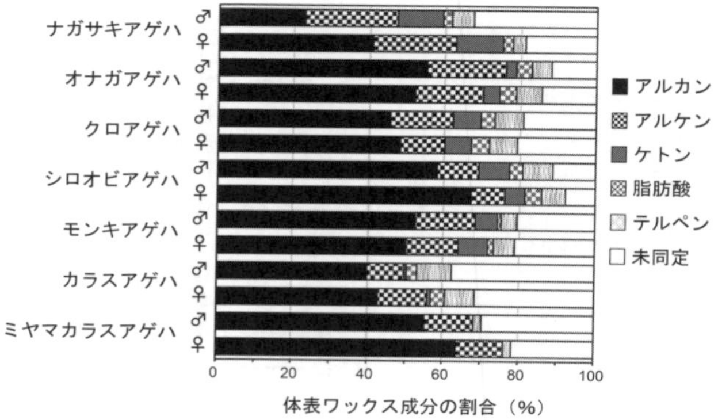

図7　シロオビアゲハと近縁6種の体表ワックス組成（Ômura *et al.*（2021）を改編）

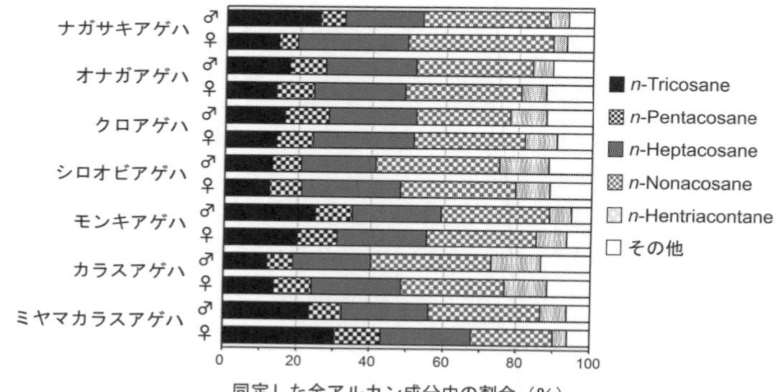

図8　シロオビアゲハと近縁6種の体表アルカン組成（Ômura *et al.*（2021）を改編）

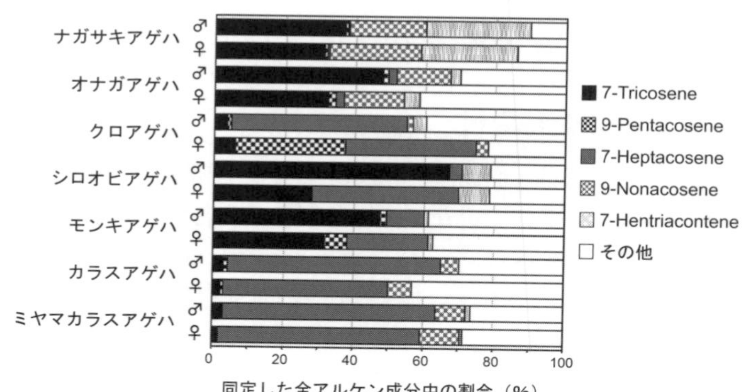

図9　シロオビアゲハと近縁6種の体表アルケン組成（Ômura *et al.*（2021）を改編）

は端から数えて7番目の位置に，炭素数25，29のアルケンは同9番目の位置に炭素二重結合を1つもっていた（図9）。アルカンとアルケンで組成比を比較すると，種や性の特徴をよく表しているのはアルケンであった。

7. 交尾における体表炭化水素の役割

昆虫は体表ワックスを利用して化学的コミュニケーションを行う（Blomquist & Bagnères, 2010）。脚の先（跗節）にある味覚器で体表ワックスを受容し，相手が何者か確認するのだ。ショウジョウバエは交尾相手を，アリは巣仲間を認識するのに体表ワックスを用いる。その際，特定のアルケン成分が重要な役割を果たしている。

アゲハチョウの体表ワックス－特にアルケンの組成に種特異性や性特異性が見つかったことから，ショウジョウバエと同じように交尾の手がかりになるのではないか？と考えた。この仮説を確かめるには，雄が交尾相手と認識できるモデルを準備し，そのモデルに体表ワックスを塗布して雄の行動変化を調べればよい。

図10　雌の死体と交尾するシロオビアゲハ雄成虫
上は昆虫針で固定された雌の死体，下は雄成虫である。

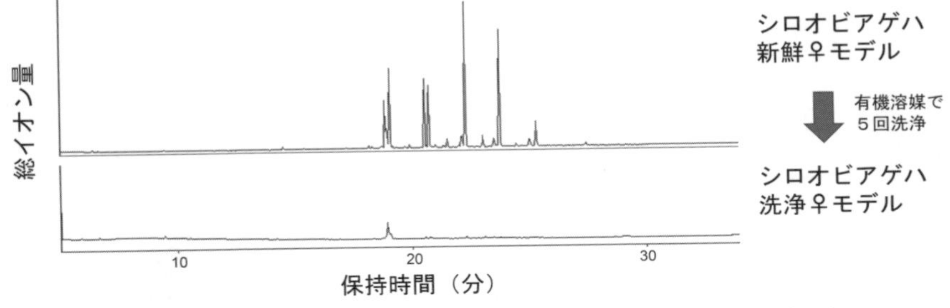

図11　シロオビアゲハ新鮮雌モデル・洗浄雌モデルのGC-MS分析結果（TIC）
上のチャートは新鮮雌モデルの抽出物，下のチャートは洗浄雌モデルの抽出物の分析結果である。洗浄雌モデルは体表脂質がほぼ除去されている。（Ômura *et al.*（2020）を改編）

シロオビアゲハを対象に試行錯誤した結果，雄だけを温室に隔離して数日成熟させると，一部の雄は同種雄に興味を示し，飛来して脚で触りだすことがわかった。このような雄に新鮮な雌の死体を与えると，相手が死んでいるにもかかわらず腹を曲げて交尾を試みた（図 10）。雌の死体にある体表ワックスは，塩化メチレンで 5 回抽出するとそのほとんどを除去できる（図 11）。体表ワックスが残っているものを新鮮モデル，除去したものを洗浄モデルとして，性衝動を高めたシロオビアゲハ雄の交尾（腹曲げ行動）を調べる生物試験を行った。

8. 雄は体表ワックスを使って雌を見分ける

まず雌雄の新鮮モデルと洗浄モデルを準備し，異なる 2 種類のモデルを同時に提示して雄の交尾を観察した。モデルに飛来し脚で接触した雄のうち，腹を曲げて交尾を試みた雄の割合を「交尾率」と定義し，モデルに対する雄

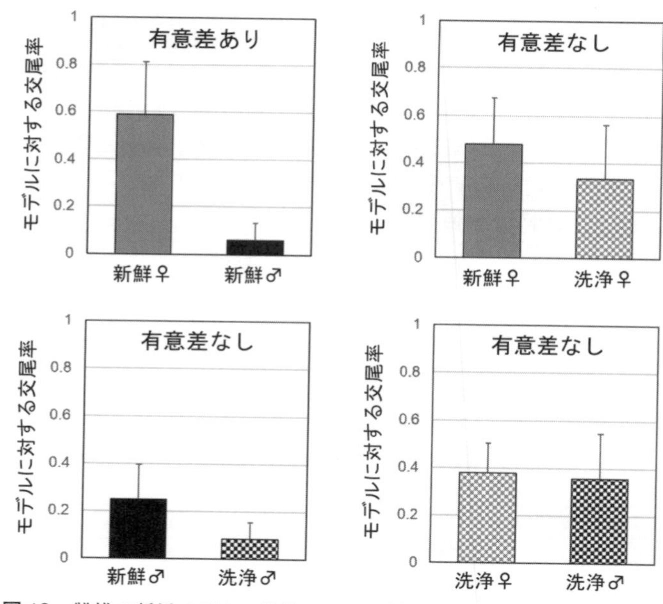

図 12　雌雄の新鮮モデル・洗浄モデルに対するシロオビアゲハ雄の交尾率（Ômura *et al.*（2020）を改編）

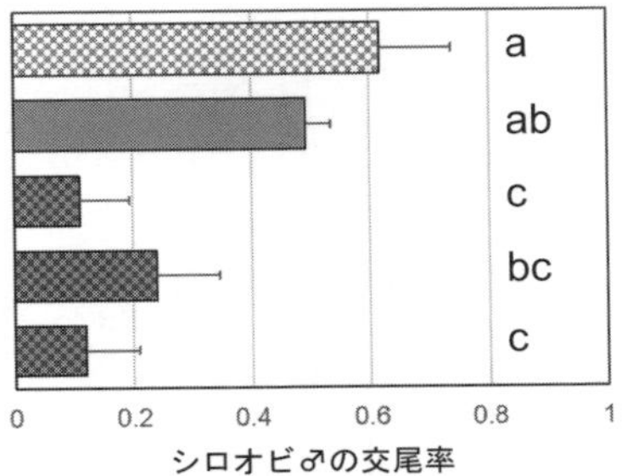

図 13　体表ワックス抽出物で処理した洗浄雌モデルに対するシロオビアゲハ雄の交尾率（Ômura *et al.*(2020) を改編）
交尾率に有意差がない場合，バーの上に同じアルファベットをつけた（Steel-Dwass 検定，$P < 0.05$）。

の選好性とした。新鮮雌モデルと新鮮雄モデルで比較したところ，雄は新鮮雌モデルで有意に高い交尾率を示した(図 12 左上)。一方，雄または雌の新鮮モデルと洗浄モデルの比較(図 12 左下・右上)，雄と雌の洗浄モデルの比較(図 12 右下)において，交尾率に有意な違いは見られなかった。

次に，洗浄雌モデルを用いて，シロオビアゲハ雌雄およびクロアゲハ雌雄 1 個体分の体表ワックス抽出物を塗布したときの雄の交尾率の変化を調べた。溶媒を塗布したコントロールモデルと比較して，シロオビアゲハ雌抽出物塗布モデルに対する交尾率は同等であったが，他の抽出物塗布モデルに対する交尾率は有意に低下した(図 13)。

以上の結果，シロオビアゲハの雄は体表ワックスを利用して交尾相手を見分けており，同種雄や異種の体表ワックスは雄の交尾を抑制することがわかった。

9. 雄はアルケン成分を利用して交尾相手を識別する

雄の交尾相手認識にかかわる体表ワックス成分とはどのようなものであろうか？　シロオビアゲハとクロアゲハの体表ワックス成分のなかで，種および性の特徴がよくあらわれている炭素数 23 と 25 のアルカン・アルケン成分 5 種類に着目した(図 14，表 1)。この 5 成分の標品をモデルに塗布して雄の交尾率の変化を調べた。

体表ワックスが残っている新鮮雌モデルにおいて，溶媒を塗布したコン

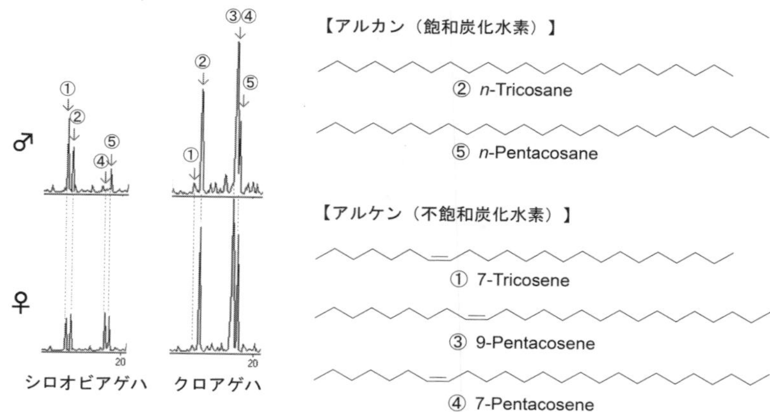

図 14 炭素数 23 および 25 の炭化水素組成の雌雄差・種間差（Ômura *et al.*（2020）を改編）
左：シロオビアゲハおよびクロアゲハ雌雄 1 個体抽出物の当該成分の GC-MS 分析結果（TIC）。ピークパターンは雌雄間，2 種間で大きく異なる。右：主要 5 成分の化学構造（直線表示式）。化合物につけた番号は，左図のピーク番号と対応する。

トロールモデルと比較して，7-Tricosene，9-Pentacosene を塗布するとモデルに対する雄の交尾率は有意に低下した（図 15）。体表ワックスを除去した洗浄雌モデルにおいて，溶媒を塗布したコントロールモデルと比較して，9-Pentacosene を塗布したモデルに対する雄の交尾率は有意に低下した（図 16）。7-Tricosene はシロオビアゲハの雄に多く含まれるアルケンであり，9-Pentacosene はシロオビアゲハに存在せずクロアゲハに特異的なアルケンである（表 1）。アルカンである *n*-Tricosane や *n*-Pentacosane，シロオビアゲハの雌に多く含まれるアルケン 7-Pentacosene では交尾率の有意な低下は生じなかった。

表 1 炭素数 23 および 25 の炭化水素主要成分の定量（Ômura *et al.*（2020）を改編）

番号	化合物名	成虫 1 頭あたりの平均含有量（μg）			
		シロオビ♂	シロオビ♀	クロ♂	クロ♀
①	7-Tricosene	1.4	0.5	0.6	0.5
②	*n*-Tricosane	1.5	1.7	7.9	5.0
③	9-Pentacosene	—	—	0.2	3.2
④	7-Pentacosene	0.1	0.8	8.8	2.8
⑤	*n*-Pentacosane	0.8	1.2	5.8	3.7

化合物につけた番号は，図 14 の番号に対応する。

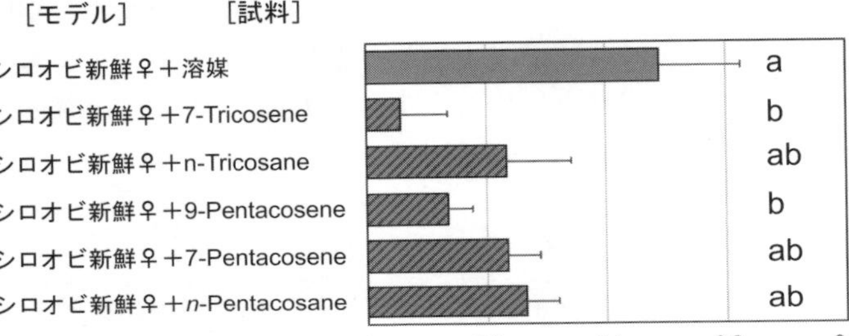

図 15　炭化水素標品で処理した新鮮雌モデルに対するシロオビアゲハ雄の交尾率（Ômura *et al.*(2020) を改編）

各試料 10µg をモデルに塗布した。交尾率に有意差がない場合，バーの上に同じアルファベットをつけた（Steel-Dwass 検定，$P < 0.05$）。

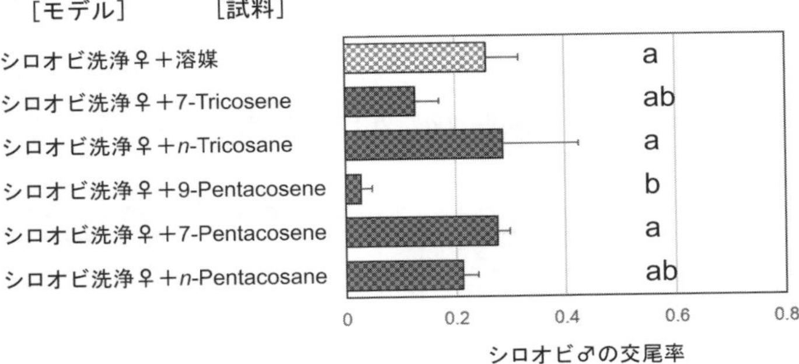

図 16　炭化水素標品で処理した洗浄雌モデルに対するシロオビアゲハ雄の交尾率（Ômura *et al.*(2020) を改編）

各試料 10µg をモデルに塗布した。交尾率に有意差がない場合，バーの上に同じアルファベットをつけた（Steel-Dwass 検定，$P < 0.05$）。

以上の結果，シロオビアゲハ雄は同種雄や異種に多く含まれる特定のアルケン成分を用いて同種雌との識別を行うことがわかった。ここで大切なのは，特定アルケン成分は交尾を刺激するのでなく，抑制している点である。シロオビアゲハとクロアゲハは共に黒色の翅を有し，実験に用いたシロオビアゲハは雌雄が類似の翅模様を持っている。交尾相手の認知を翅模様だけに頼ると，雄が同性や異種を雌と誤認して求愛し続ける恐れがある。体表ワックスは，視覚的な手がかりだけでは判別の難しい個体がいる環境で，交尾相手が同種雌でないことを速やかに認識するための手助けになるのであろう。この時アルケン成分は，同種雄との作用で性フェロモンとして，異種との作用でアレロケミカルとして機能している。

10. 擬態と体表ワックス

日本国内に生息するシロオビアゲハの雌には，2 種類の翅模様がある。雄と同じ翅模様の雌を *cyrus* 型，ベニモンアゲハと類似の翅模様の雌を *polytes* 型とよぶ。筆者のこれまでの研究では，*cyrus* 型雌のみが出現する沖縄本島産の累代飼育個体を用いてきた。一方，石垣島産の個体では *cyrus* 型と *polytes* 型両方の雌が羽化する。*polytes* 型の雌は，有毒種のベニモンアゲハに姿を似せることで捕食者から逃れようとするベーツ擬態を行っている。擬態の効果を発揮するには，モデルとなる有毒種との共存が必要である。沖縄諸島にベニモンアゲハが土着したのは 1990 年代以降であり，それ以前の *polytes* 型雌は別の有毒種であるジャコウアゲハを擬態のモデルとしていた可能性が指摘されている（Katoh *et al*., 2017）。はたしてシロオビアゲハ雌の

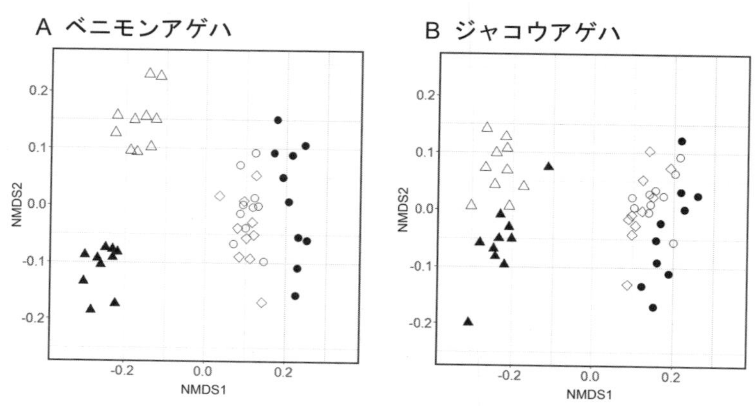

図 17 体表ワックス成分に基づくシロオビアゲハと擬態モデル種の NMDS 分析（Ômura *et al*.（投稿中）を改編）

シロオビアゲハ雄を●，同 *cyrus*（非擬態）型雌を○，同 *polytes*（擬態）型雌を◇，比較する擬態モデル種の雄を▲，同雌を△でそれぞれ表す。各種雌雄はそれぞれ 10 個体を分析に用いた。

体表ワックス組成は翅模様の擬態型にあわせて変わるのだろうか？ 体表ワックス組成を用いて，*polytes* 型雌と擬態のモデル種を区別できるのだろうか？

石垣島産のシロオビアゲハと擬態モデル2種(ベニモンアゲハ・ジャコウアゲハ)の累代飼育個体を用いて，羽化3日後の成虫の体表ワックスを調べた。検出された45本のピークにあたる成分含有量を指標にNMDS分析を行ったところ，*cyrus* 型雌と *polytes* 型雌は類似の組成を持ち，擬態モデル種の組成とは大きく異なることがわかった(図17)。遺伝的に遠縁であるからなのか，階層クラスター分析の系統樹において，3種は別々の群に分類された。シロオビアゲハでは *polytes* 型雌1個体を除いて雌雄でわかれ，雌は *cyrus* 型と *polytes* 型に区別されることなく2群を形成した(図18)。擬態モデル2種はシロオビアゲハの外群を構成し，雌雄別に分類された(図18)。シロオビアゲハの雌は翅模様にかかわらず同一の体表ワックス組成を維持しており，擬態モデル種の体表ワックス組成とは大きく異なる。これにより，雄は翅模様に惑わされずに *polytes* 型雌を正しい交尾相手と認識し，擬態モデル種を識別できると考えられる。

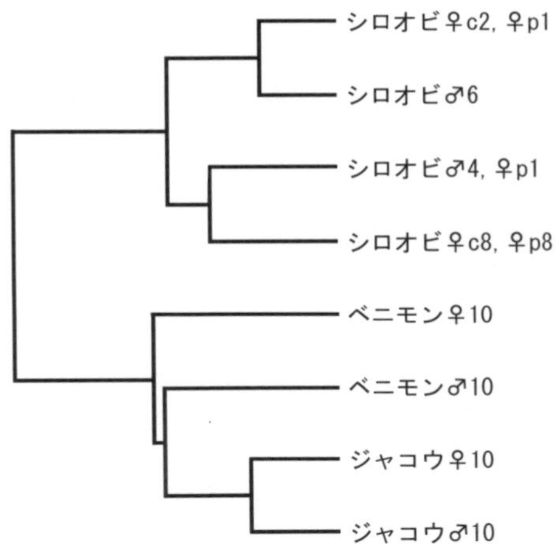

図18　体表ワックス成分に基づくシロオビアゲハと擬態モデル2種の階層クラスター分析(Ômura *et al.*(投稿中)を改編)

シロオビアゲハ *cyrus*（非擬態）型雌は雌記号の後にcを，*polytes*（擬態）型はpをそれぞれつけて区別した。雌雄記号後ろの数字は，個体（分析したサンプル）数を表す。

11. 体表ワックスを利用することの生物学的意義

交尾を行うチョウは様々な方法で相手を確かめ，適切なパートナーを選んでいる。多くのチョウでは翅模様をその主要な手がかりとしており，一部のチョウでは雄チョウの匂いも利用している。筆者は，交尾のシグナルとして機能するアゲハチョウの体表ワックス成分を初めて明らかにした。体表ワックス－特に体表炭化水素は，種や性別など個体のアイデンティティを伝える化学的シグナルとして多くの昆虫が利用している。発達した視覚を駆使して情報を集め行動を決定するチョウにおいても，同様のコミュニケーションシステムが維持されていることは大変興味深い。

視覚情報を頼りに生活するチョウが，交尾において化学情報も活用することには一体どのような意義があるのだろうか？ チョウの翅模様には，雌雄を識別するための性的二型性のみならず，捕食を回避するための擬態型や羽化時期によって変わる季節型など様々な表現型多型が見られる（Suzuki *et al*., 2019; van der Burg & Reed, 2021）。また，翅模様は個体毎に変化し，色彩や斑紋に著しい地理的変異・個体間変異が見られることもある（Mullen, 2006）。交尾のシグナルとして重要であるにもかかわらず，翅模様には多様性や可塑性があり，同種の雌であっても常に同じ翅模様を持つとは限らない。よって，交尾における翅模様（視覚情報）の不確定性を補完するために体表ワックス（化学情報）が利用されるのであろう。今後は，翅模様において顕著な擬態型や季節型を示す他のチョウについても，交尾における体表ワックスの利用や組成の一貫性について調べる必要があろう。

視覚情報と化学情報を併用することで交尾相手の選択は厳密に行われ，チョウの生殖隔離はさぞや万全と思われるが，実際はそうでないらしい。野外において，アゲハチョウの6％近くが異種交配するといわれている（Sperling, 1990）。雄が同種の雄に対して求愛し，交尾を試みる現象もしばしば報告される（Caballero-Mendieta & Cordero, 2012）。翅模様の類似性が交尾相手を誤認する主たる要因と考えられる一方，体表ワックス組成における個体差や成分量の経時変化（羽化したての個体ほどワックス量が少ない），雌雄間や特定種間でみられる組成の類似性などもその要因になりうる。チョウの種によっては，我々が考えている以上に配偶行動に体表ワックスを利用しているのかもしれない。今後も新たな事実が解明されることを期待したい。

〔引用文献〕

Andersson J, Borg-Karlson A-K, Vongvanich N, Wiklund C (2007) Male sex pheromone release and female mate choice in a butterfly. *Journal of Experimental Biology*, 210: 964–970.

Blomquist GJ, Bagnères A-G (2010) *Insect Hydrocarbons: Biology, Biochemistry, and Chemical Ecology*. Cambridge University Press, Cambridge.

Boppré M (1984) Chemically mediated interactions between butterflies. In: Vane-Wright RI & Ackery PR (eds) *The Biology of Butterflies*: 259–275. Academic Press, New York.

Butenandt A, Beckmann R, Stamm D, Hecker E (1959) Über den Sexuallockstoff des Seidenspinners, *Bombyx mori*: Reindarstellung und Konstituition. *Zeitschrift für Naturforschung B*, 14: 283–284.

Caballero-Mendieta N, Cordero C (2012) Enigmatic liaisons in Lepidoptera: A review of same-sex courtships and copulation in butterflies and moths. *Journal of Insect Science*, 12:138

González-Rojas MF, Darragh K, Robles J, Linares M, Schulz S, McMillan WO, Jiggins CD, Pardo-Diaz C, Salazar C (2020) Chemical signals act as the main reproductive barrier between sister and mimetic *Heliconius* butterflies. *Proceedings of Royal Society B*, 287: 20200587.

Katoh M, Tatsuta H, Tsuji K (2017) Rapid evolution of a Batesian mimicry trait in a butterfly responding to arrival of a new model. *Scientific Reports*, 7: 6369

Kemp DL, Rutowski RI (2011) The role of coloration in mate choice and sexual interactions in butterflies. *Advances in the Study of Behavior*, 43: 55–92.

Kristensen NP, Simonsen TJ (2003) "Hairs" and cells. In: Kristensen NP & Simonsen TJ (eds) *Lepidoptera, Moths and Butterflies vol. 2: Morphology, Physiology, and Development. Handbook of Zoology IV/36*: 9–22. Walter de Gruyter, Berlin.

Lockey KH (1988) Lipids of the insect cuticle: origin, composition and function. *Comparative Biochemistry and Physiology B*, 89: 595–645.

Malouines C (2017) Counter-perfume: using pheromones to prevent female remating. *Biological Reviews*, 92: 1570–1581.

Mullen SP (2006) Wing pattern evolution and the origins of mimicry among North American admiral butterflies (Nymphalidae: *Limenitis*). *Molecular Phylogenetics and Evolution*, 39: 747–758.

Nieberding CM, Fischer K, Saastamoinen M, Allen CE, Wallin EA, Hedenström E, Brakefield PM (2012) Cracking the olfactory code of a butterfly: the scent of ageing. *Ecology Letters*, 15: 415–424.

Ômura H, Honda K (2005) Chemical composition of volatile substances from adults of the swallowtail, *Papilio polytes* (Lepidoptera: Papilionidae). *Applied*

Entomology and Zoology, 40: 421–427.

Ômura H, Honda K, Hayashi N (2001) Identification of odoriferous compounds from adults of a swallowtail butterfly, *Papilio machaon* (Lepidoptera: Papilionidae). *Zeitschrift für Naturforschung C*, 56: 1126–1134.

Ômura H, Yanai N, Honda K (2012) Sexual dimorphism in scent substances and cuticular lipids of adult *Papilio protenor* butterflies. *Zeitschrift für Naturforschung C*, 67: 331–341.

Ômura H, Noguchi T, Nehira T (2016) New oxygenated himachalenes in male-specific odor of the Chinese windmill butterfly, *Byasa alcinous alcinous*. *Natural Product Research*, 30: 406–411.

Ômura H, Noguchi T, Ohta S (2020) The male swallowtail butterfly, *Papilio polytes*, uses cuticular hydrocarbons for mate recognition. *Animal Behaviour*, 170: 133–145.

Ômura H, Morozumi Y, Noguchi T, Ohta S (2021) Variation in cuticular lipid profiles of black butterflies of the genus *Papilio* in Japan. *Biochemical Systematics and Ecology*, 96: 104265.

Sperling FAH (1990) Natural hybrids of *Papilio* (Insecta: Lepidoptera): poor taxonomy or interesting evolutionary problem? *Canadian Journal of Zoology*, 68: 1790–1799.

Suzuki TK, Tomita S, Sezutsu H (2019) Multicomponent structures in camouflage and mimicry in butterfly wing patterns. *Journal of Morphology* 280: 149–166.

van der Burg KRL, Reed RD (2021) Seasonal plasticity: how do butterfly wing pattern traits evolve environmental responsiveness? *Current Opinion in Genetics & Development*, 2021: 82–87.

Zakharov EV, Caterino MS, Sperling FAH (2004) Molecular phylogeny, historical biogeography, and divergence time estimates for swallowtail butterflies of the genus *Papilio* (Lepidoptera: Papilionidae). *Systematic Biology*, 53: 193–215.

（大村　尚）

7 アサギマダラの生態とその特異な配偶システム

1. アサギマダラはどんなチョウ？

アサギマダラは，“マダラチョウ”と称される一群のチョウ類のグループの一種である。厳密には，タテハチョウ科，マダラチョウ亜科，アサギマダラ属に分類され，正式な学名は *Parantica sita* という。と言ってもピンとこない読者も大勢おられるであろうが，一方で最近は季節（主に秋）のニュースとしてその姿がマスコミを通じてしばしば報道されることから，どこかで聞いたことがある，とか，アーあのチョウか，とご存じの読者も少なくないかも知れない。さて，国内には現時点で確実に土着しているとされるマダラチョウ類が他に6種類知られていて（オオゴマダラ，ツマムラサキマダラ，カバマダラ，スジグロカバマダラ，リュウキュウアサギマダラ，ヒメアサギマダラ），それらの多くは各地に設置されている昆虫館やチョウの温室などと称される施設で生きたチョウを見ることができる。実はそれらのチョウは本来，熱帯～亜熱帯に生息していて，国内では奄美大島以南（特に沖縄諸島や先島諸島）の島々がその主な生息地となっていることから，温室などでの施設内展示に適しているのである。しかしアサギマダラは他のマダラチョウ類とは対照的に暑さに大変弱いため，盛夏に主に観察されるのは本州中部や東北地方の冷涼な地域（高標高地を含む）に限定される。従って，温室などでの夏季の生体展示は困難なために，施設内で簡単に見ることはできない。それゆえ，本来は本州にも広く生息するチョウであるにも拘わらず，一般の人にとっては“なじみの薄いマダラチョウ”になっているのが実状ではあるまいか。

アサギマダラはアジアの熱帯から温帯域まで広く分布するが，生息地域によって形態・斑紋や生態に差異がみられ，全体で6亜種が知られている。ヒマラヤから中国大陸南部，台湾，日本列島に続くエリアに3亜種，マレー半島，インドシナ半島南部，フィリピンのパラワン島にそれぞれ1亜種が分布している（福田, 2021）。それらの内，日本付近（台湾，朝鮮半島を含む）に生息するものは *P. sita niphonica* と称されていて，通常，われわれが国内で目に触れるアサギマダラは本亜種ということになる（図1）。

図 1　訪花中のアサギマダラ

左：コバノランタナで吸蜜するオス。右：セイヨウマツムシソウで吸蜜するメス。これらの植物は PA を含まない。

アサギマダラは他のマダラチョウ類とは異なった行動生態をみせるが，実はその理由の一つに，上述の高温に対する抵抗力の弱さが強く関係している。一方で成虫は逆に低温に強いかというと，それほどでもない。もっともマダラチョウの仲間は概して低温に弱く，殆どの種は 18℃以上の温度がないとスムーズな活動は困難なようだが，アサギマダラは 15℃以上の温度があれば一応飛翔は可能である。従ってマダラチョウの仲間としては比較的低温にも強いと言えるが，これより温度が低下すると，太陽光からの輻射熱を受けない限り多くの個体は著しく活動が低下し，13℃を切ると満足な飛翔は困難なようだ。低温下での活動能力は成虫越冬性タテハチョウ類に比べるとさすがに劣るが，アゲハチョウ類などと比較すると能力はより高いと言える。

本種の最も特徴的な行動習性は，しばしば長距離移動を伴う季節移動を行うことである。また大部分のマダラチョウ類(特にオス)は「ピロリジジンアルカロイド(PA と略)」という特殊な物質を好んで摂取するが，アサギマダラのオスではその行動がより顕著に観察され，生活の中における PA への依存度が高いのも大きな特徴である。加えて配偶行動に関係する生理的な仕組みも特異であり，マダラチョウ類の進化過程を探る上でもすこぶる興味深いチョウと言える。筆者はこれまで約 30 年間，7 月下旬から 9 月上旬の高温期を除いて，研究室や野外ケージの中で多数のアサギマダラを飼育し，幼・成虫の行動を観察しながら PA との関係を調べてきた。本種はマダラチョウ類の中では累代飼育がやや困難であることに加えて，特定の植物(ヒヨドリバナ類など)に好んで集まる不可思議な習性が見られ，研究開始からの数年間は将に暗中模索の日々であった。と言うのも，諸外国ではこの種の植物への誘引例が殆ど知られていなかったからである。しかし岩盤突破に挑んでくれた多くの学生諸君の努力の結果，さまざまな行動・生理実験や化学分析を通して，当初は想定外であった多くの新事実が明らかになってきた。現在，SNS 上ではアサギマダラに関する情報が溢れているが，残念なことに誤った記述も少なからず散見される。本章ではこれまでに得られた知見を基に，アサギマダラの真の姿を可能な限り正確に紹介したい。まず最初に，基本的かつ重要な知見としての彼らの生活態様について簡単に触れ，それをベースとした繁殖に関わる，特にオス成虫の配偶システムや特異な 2 種類の二次性徴(性標，ヘアペンシル)の進化仮説について解説する。

2. 生活史の概要

「海を渡るチョウ」の異名を持つアサギマダラは，春から夏にかけて世代交代しながら北東へ移動(北上)し，秋から初冬にかけては南西方向へ移動(南下)する。季節移動の実態については，成虫の翅にマークをつけて放し，移動先で再捕獲される個体を確認することによって調べられてきた。多数の移動記録が複数のグループによって毎年報告されているが，全体像は福田(2021)のレビューに詳しい。ここではまず，彼らがなぜ，何のために季節移動するのか，という点について簡単に触れておきたい。成虫が高温下や低温下では満足に生活できないことを先に述べたが，おそらく一つの理由は，適切な温度環境を得るため，夏季には涼しい高標高の場所や北方へ移動し，秋季には低標高かつ温暖な南方の地へ移動する，ということであろう。もう一つの重要な理由としては，PA を摂取するために各種 PA 含有植物の開花前線を追って移動する，ということが考えられる。後述するようにこれら二つの理由は，季節移動が彼らの繁殖活動を維持するための不可避の行動と判断されることから，合理的な理由と考えられる。さらに，天敵を回避するため，という見方もある。これは夏の北方への移動に関してはある程度適応的である可能性はあるが，秋の南下については特に合理性を見出し得ない。いずれにせよ，彼らの遠距離移動を支えているのは，その並外れた食欲(大食漢)に裏打ちされた卓越した飛翔能力であろう。本種はこのように行動範囲が広く，生息場所や越冬地も広範囲にわたっている上に成虫の寿命も長い（通常，2〜4ヵ月と推定されるが，5ヵ月にも及ぶ個体もみられる）ため，同じ地域に別世代の個体が混飛することが普通に観察される。従って自然状態での各地の発生経過を一律に述べることはできないが，中国地方（特に広島県）を例にとると次のようになる。

キジョラン *Marsdenia tomentosa* を食べて育った越冬世代（第1化）の成虫は4月中・下旬に羽化し，オスは5月中旬〜下旬にかけて海岸（主に日本海側）の砂地に生えるスナビキソウ *Heliotropium japonicum* によく集まって吸蜜，吸汁する。気温の上昇に伴って雌雄共に山間部に移動し，メスはおそらく5月下旬〜6月上旬頃に木陰に生えるイケマ *Cynanchum caudatum* などに主に産卵すると推察される。イケマで育った第1世代（2化）の成虫は7月上旬頃から羽化を始め，7月中・下旬に中国山地で処々に群落の見られるヨツバヒヨドリ *Eupatorium glehnii* の花で盛んに吸蜜する（5月下旬頃には，芽吹いて間もない該植物の新葉で吸汁するオス成虫も時々見られる）。オスが中心でメスも少なからず飛来するが，初期の頃に見られるメスは未交尾のものが多い。ヨツバヒヨドリの開花期間は比較的短く，8月上旬には既に多くの花は劣化している。新鮮な花がなくなるとアサギマダラは手のひらを返したようにあっさりと見切りをつけ，一斉に飛び去る。殆どの個体は未開花のヨツバヒヨドリや涼を求めて，中部山岳地帯や東北地方（一部は北海道まで）を目指して列島を北上し，多くのメスは冷涼地に豊富に自生するイケマに産卵して子孫（第2世代；3化）を残すものと推察される。しかし，第2化のメスには11月頃まで生存するものも少なくないようだ。このように北へ移動する個体が多い反面，ごく少数の個体（特にメス）は余り移動せず，盛夏に山を下って山麓のキジョランに産卵するものが認められる。この第2化メスによる低山地での産卵は8月中旬頃によく観察されるとともに，8月下旬にごく少数ではあるが低標高地（200〜300 m）でもオス成虫が観察されることがある。8月中旬の低山地での産下卵から生じた第3化成虫は10月に入ってから羽化し（ただし，殆どの幼虫はマダラヤドリバエの寄生を受けるため，羽化できるものは極めて少ない），ほどなく南下するものと思われる。夏季に北へ移動したと推察される成虫のその後については不明であるが，広島県北部の立烏帽子山中の標高1150 m付近では，9月上旬～中旬にある程度まとまった数の雌雄の訪花集団(主にヨシノアザミで吸蜜)が見られ，割合は年によって異なるが既交尾のメスも認められる。これらの個体がどこから来たのか不明だが，翅の鮮度やメスの交尾率から判断すると，近辺で発生したものである可能性が高い。即ち，広島県内においても第2化メスが羽化後ほどなく山間部のイケマなどで産卵して，第3化を生じている可能性が示唆される。上記のような状況を考慮すると，恐らく大多数の個体が遠方まで北上移動する反面，発生地の近辺に留まって次世代を生じる個体も少なからず存在することが想定され，本種の繁殖生態(特に夏季)はこの両面から改めて調査する必要があろう。さらに季節が進み10月上旬頃になると，平地でも人為的に植栽されたフジバカマなどへの飛来が見られるようになり，多くの第2化の生き残りと判断される個体に混じって少数の新鮮な第3化個体が観察される。同中旬以降になると飛来個体数は増加し，少数ながらメスの訪花も見られるようになる。同下旬になると飛来数はかなり減少するが，時折メスが飛来する。メスに関しても比較的初期に訪れるものは第2化の交尾個体で，やや遅れて訪れる第3化メスは殆どが未交尾である。広島県内の低地から低山地には処々にキジョランが自生しており，岡山県境付近の谷筋にはかなりの数が見られる。これらのキジョランには少ないながらも冬季には越冬幼虫が観察されることから，おそらく10月中旬～11月上旬に南下途中のメスが産卵したものと推察される。冬季のキジョランは水揚げの低下により葉が内側に巻いていることが多く，幼虫は通常この中に隠れるようにして葉裏で越冬する。広島県内の内陸部では1～2月，年により夜間まれに－10～－15℃になることがあり，一時的な強い低温暴露を受けるが，この程度の条件では死亡する幼虫は少ない。しかしながら6月頃に越冬地のキジョランを調査すると，寄生によるものと判断される死蛹が散見され，羽化率はかなり低いことがうかがえる。同様の越冬幼虫における高い寄生率は高知県の室戸岬などでも観察される。

個体数の多少はあるが，成虫は南の八重山諸島から北は北海道まで全国で見ることができる。が，高温と低温を避けるため，南西諸島では晩秋から早春に，北海道では概ね夏季に限られる。越冬は概ね北関東以南の温暖な地域では可能だが，近年は温暖化の影響によるものか，福島県内でも越冬が確認されている（佐々木, 2017）。おそらく，冬期でもキジョランが枯れない地域では越冬可能と思われる。基本的には幼虫態で越冬するが，南西諸島では一部は成虫で冬を過ごすようだ。幼虫の食草としてはキョウチクトウ科，ガガイモ亜科のキジョラン（常緑）やイケマ（冬季は地上部が枯れる）が主要なものだが，南西諸島では越冬時に同亜科のツルモウリンカ *Tylophora tanakae*（常緑）やリュウキュウガシワ *Cynanchum liukiuense*（常緑）を主な食餌としている。これらの植物以外にもオオカモメヅル，ツクシガシワ，クサタチバナ，ガガイモ，サクラランなど 20 種類を超える植物の利用が知られているが（福田, 2021），よく食べて満足に育つ植物は限られている。たとえば，ガガイモやサクラランでの飼育・観察例は少なくないが，これらの植物でもうまく成長できなかったり，羽化しても小型になる場合が多い。一方，同じ亜科のイヨカズラ *C. japonicum* は海岸付近に生えるやや稀な植物であるためか，自然状態での食草にはなっていないようだが，与えればよく摂食し，特に問題なく良好に育つ。ちなみにアサギマダラを含めてマダラチョウ類全般に通じることであるが，給餌する葉の質（新葉，成葉，劣化度合いなど）の影響が他のチョウ類に比して特に大きい思われる。

さて，変温動物である昆虫類にとって，夏の高温や冬の低温は生死にも影響するきわめて重要な環境因子である。チョウなどの基本的に植食性である昆虫類に関しては，チョウ自身のみならずその食餌植物（食草，食樹，寄主植物）の耐暑性や耐寒性は彼らの生息域にも大きな影響を与えることになる。アサギマダラの場合，その成育や繁殖に及ぼす気温の影響が大きいと考えられるので，この点について改めて触れておきたい。本種が暑さに弱く，寒さにも強いわけではないと先に述べたが，これは成虫に限った話ではない。幼生期（卵～蛹）についても高温（概ね 29℃以上）には弱く，卵，幼虫，蛹のいずれもが殆ど死亡する（河邉, 2002）。幼虫は 27℃程度ではなんとか成育できるが，蛹になっても羽化不全や脚力の低下による羽化時の落下などの生理的な異常を伴う場合が多い。一方，低温に対する抵抗性も幼虫や蛹では強くなく，9℃を下回る気温が続くと死亡するという（河邉, 2002）。ただ，アサギマダラは通常，2～4 齢幼虫の状態で冬を越すことから，越冬に備えて低温に慣れる（低温順化）ための仕組みが介在すると考えられる。孵化後，日数の浅い 1 齢幼虫ではまだ耐久力に乏しいためか，10℃以下での生存は難しいが，

2齢以降ではある程度の耐寒性を備えていて，一時的であれば氷点下の気温にも十分耐えることができる。オオムラサキなど幼虫越冬するチョウは少なくないが，それらの多くは越冬中は全く摂食せず，春になるまで休眠状態で過ごす。しかしアサギマダラの幼虫は越冬中も摂食を続け，少しずつ成長しながら(不休眠)冬を越す。実はオオムラサキの幼虫とは異なり，少しずつでも餌を食べ続けないと生きてゆけないのである。それゆえ低温下では，新生幼虫はいきなり凍死するわけではないが，低温により満足に動けず摂食ができないために餓死するリスクが高い。しかし，2，3齢以上に成長した幼虫はある程度の低温耐性が備わっていて，やや低温下でも動いて摂食することができ(成長に伴い摂食可能な最低温度は低下するが，4，5齢でも4〜5℃程度は必要)，体力も備わっているために餓死を免れると推察される。このように不休眠状態で越冬すると言っても，低温順化のためのある程度の準備期間は必要である。おそらく晩秋季には初齢幼虫の段階でこの低温順化が進行するため，孵化後間もない幼虫が過度の低温に曝されると，すぐには順応できないのであろう。

このような事情から，寒くなってからの産卵・子育ては避けねばならないのは容易に理解できる。ならばまだ十分に暖かい時季に産卵して子供を育てればよいと思われるが，実はこれもそう簡単な話ではない。本種の幼虫が越冬可能な西南部の温暖地域での最後の世代の産卵時期は概ね10月以降であるが，海に近い暖かい場所や気温のやや高い年には幼虫の発育が早くなり，越年することなく年内(12月)に蛹になってしまうことが少なくない。そうなると蛹はどんどん低温に向かう時期を過ごすことになり，発育途中で死亡することになる。蛹にまで至らない4〜5齢幼虫であっても，かなり成長が進んでから厳冬期を過ごすと死亡率がやや高まるようで(生理的に適応が困難になっている可能性が高いと推察されるが，摂食量が増大する時期でもあるので，餓死も起こりうる)，このような理由から，早い時期の産卵も適応的な戦略ではない。また，暖かい時季にはマダラヤドリバエなどの寄生(Hirai & Ishii, 2002)を受ける機会も増えるため，早期産卵は避ける方が無難である。より暖かい亜熱帯の八重山列島などの場合は冬季の気温は十分に高く，発育上全く問題にならないので産卵時期によるリスクは極めて少ない。従って温帯域では，幼虫の越冬に適した産卵時期はかなり限られていて，この時期に産下された卵だけが翌春まで生き残る可能性を持つことになる。適切な産卵時期を地域ごとに示すことはできないが，1 齢幼虫が適切な速度でうまく成育できる温度は約 15℃であることがわかった。つまり，1 齢の期間中は，夜間も含めて長時間 15℃以下にならないような場所が好適ということになる。クモやアリなどの天敵による捕食以外に，本種にとって秋季の産卵のタイミングは死活問題に繋がる重要な要件と言えよう。

3. PA の摂取とその目的

秋も深まる 10 月頃，主に近畿以南の各地では，おびただしい数のアサギマダラがヒヨドリバナ類やフジバカマなどの花に群がって吸蜜する光景が観察される（図 2）。近年はフジバカマを人為的に植栽して，アサギマダラを呼び集める試みが同好者の興味や町おこしの一環として各地で行われている（但し，植栽されるフジバカマの多くは日本古来の品種ではなく，中国から移入されたものといわれ，コバノフジバカマの呼称が提案されている）。これにより全国に“フジバカマ園”なるものが多数誕生した結果，近頃ではアサギマダラを身近に見られる機会が格段に増加した。観察していると，集まっている個体はほとんどがオスであって，メスはまれである。一般的に季節が進むとメスの割合がやや増える傾向があるが，圧倒的に多いのは常にオスである。疑問は，なぜフジバカマの花に好んで集まるのか，また，なぜオスば

図 2 ヒヨドリバナの一種に群がるアサギマダラの集団（秋季）

本植物はリコプサミン型の PA であるインテルメディン（主）とリコプサミンを含む。写真に写っている個体は全てオス。この時季は新鮮な個体（第 3 化成虫）と，やや汚損した個体（主に第 2 化成虫）の両方が混飛する。

かりなのか？という点である。結論から言うと，①フジバカマを含む国内のヒヨドリバナ属の植物（キク科）には含有量の多少はあるものの，全草に前述したPAと称される特別なアルカロイドが含まれていて，特に花蜜，根，初夏の新葉には多く含まれている。②オスは特にこのPAを異常なまでに好み，これを摂取するために集まってくる，というのがその理由である。ではメスはPAに関心がないのか，と言うとそうではなく，実はメスもPAが好きで与えれば好んで摂取する。この雌雄差は単に好みの程度の違いであって，言わば毎日お酒を飲みたい人に対して，たまに飲めば十分だという人との差に例えることができる。しかしメスの中にも，明らかにPAを求めて特定の植物（花に限らない）を訪れて吸汁するものもおり（若いメスに多い），他の種類のマダラチョウ（ツマムラサキマダラやスジグロカバマダラなど）におけるメスによるPAの摂取を含めて，彼らの遠い祖先からのPAとの関わり合いを示唆しているが，これについては後に触れたい。

さて，PAに対する好みの度合いに雌雄差が生じる理由は何であろうか。人間の世界では一般論として，食べ物の好き嫌いの原因を探っても余り科学的に意義のある答えは得られないものだが，アサギマダラのオス（他の多くのマダラチョウ類にも共通）には特別な理由がある。オスはPAを摂取しない限り性フェロモンを造ることができず（PAが直接の原料となる），従って正常な繁殖活動ができなくなるのである。そうなるとオスは子孫を残すことがほとんど不可能になるため，本人にとってPAの獲得は死活問題にも等しい。オスが執拗にPA含有植物を訪れる理由はここにある。因みに，チョウの場合はガと異なり，明確な性フェロモンを造ってこれを配偶行動時に積極的に活用するのはオスである。ではメスにとってPAの摂取はどのような意味があるのだろうか？

話を少し戻すが，PAと称される一群の物質には400を超える数の化合物が知られていて，PA含有植物にはそれぞれに特徴づけられた，通常，複数種類のPAが含まれている。PAは主にキク科，ムラサキ科，マメ科などの中の限られた属の植物に含まれていて，苦味を有するうえに基本的に肝臓毒性を示し，最終的には哺乳類に肝臓ガンを引き起こす有毒物質である。ヒヨドリバナ類以外にも，PA含有植物はわれわれの住む生活環境中にも比較的普通に見られ（例えば，ノボロギク，ワスレナグサ，フキノトウ，ハナイバナ等々)，酪農の盛んな米国では，放牧家畜の死亡原因の約半数はこの PA 植物の摂取による中毒だと言われている。一般に PA は特に花蜜(および根)に高濃度で含まれていて，その苦味のせいか訪花昆虫の中にはこれを嫌うものが少なくない。しかし一方で，PA を嫌がらないものやアサギマダラのように好むものもいて千差万別である。とは言え，その味や毒性から，PA は植物が自ら生産する防御物質と考えられている。アサギマダラに限らずマダラチョウ類は，程度の差はあろうが雌雄共に植物から PA を摂取して体内に蓄え，これを天敵などから身を護るための防御物質として利用していると考えられている(Honda, 2008)。実際，ヒヨドリバナ類の花蜜を十分に摂取したアサギマダラは雌雄を問わず，ジョロウグモなどの巣に引っかかっても全く攻撃を受けず，クモは自ら糸を切って獲物を無傷で解放する(本田, 2015)。しかしカマキリ類に対しては防衛効果は認められず，しばしばカラスなどにも捕食されることが知られている。このように PA の防御効果は限定的ではあるが，極めて有効な場合があるのも事実で，特定の化学物質を特別な目的(栄養や産卵の際の寄主認識を除く)のために利用する習性は薬物食性(pharmacophagy)と呼ばれている(Boppré, 1984a)。従って，アサギマダラが雌雄共に PA を積極的に体内に取り込むことは種の生存に有利に作用し，合目的的な行為であることがわかる。因みに，「アサギマダラの幼虫は毒を含む植物を食べて育つため，本種は生まれつき毒チョウである」との趣旨の記述が SNS 上で散見されるが，これは科学的根拠のない誤りである。なぜなら，主要な食草であ

図3　モンパノキの枯葉(左)やスナビキソウ(右)で吸蜜(汁)するオス

いずれもムラサキ科の植物でリコプサミン型の PA を含むが，前者ではインディシンとその誘導体が主成分で，後者はリコプサミン（主）とインテルメディンを含む。普通，モンパノキは花を含めて葉，枝中の PA 含量は高くないが，何らかの原因（罹病など？）で枯れた枝葉はしばしば高濃度のインディシン-*N*-オキシドを含み，南西諸島では春季にマダラチョウ類の集団吸汁が観察されることがある。

るキジョランの化学成分はかなり詳しく調べられているが，有毒物質が含まれているという報告はない。また，これで成育したアサギマダラもPAを摂取しない限り，ジョロウグモには容易に捕食されてしまう。イケマで育ったものも同様である(山本, 2021)。従って特別な場合を除けば，生まれたばかりのアサギマダラは“無毒”なのである。

前述のように，アサギマダラはヒヨドリバナ類の花(主に夏から晩秋に開花)を総じて好むが，他にも春季にはモンパノキ(ムラサキ科)の枯れ枝や，初夏にはスナビキソウ(ムラサキ科)の花や枯れた葉にも好んで訪れ，PAを摂取する(図3)。もちろん他のPA植物にも来るが，特に選好する植物は比較的限られていて，全く関心を示さないPA植物も多い。ではなぜ花種によって極端な選好性の違いを示すのだろうか？ 理由の一つとしてPA含有量の差が挙げられるが(例として，高含量のヨツバヒヨドリと低含量のヒヨドリバナが挙げられ，低濃度のPA資源には関心を示さない)，調べてみると本質はそのような量的な問題ではなく，PAそのものの質的な(化学構造上の)相違に起因することが明らかになった。PA類の化学構造は基本的に，ネシン塩基部とネシン酸部の2つの部分から構成されているが(図4)，前者の部分構造はどのPAでも比較的類似している。一方，ネシン酸部の構造はそれぞれのPAごとに大きく異なっていて，アサギマダラはリコプサミン(LY)型と称される特定の類似構造のネシン酸を持つPA類のみを好むことが判明した(Honda *et al.*, 2005)。すなわち，本種が特によく訪れるPA植物(スイゼンジナを除く)には全て，このLY型のPAであるリコプサミン，インテルメディン，インディ

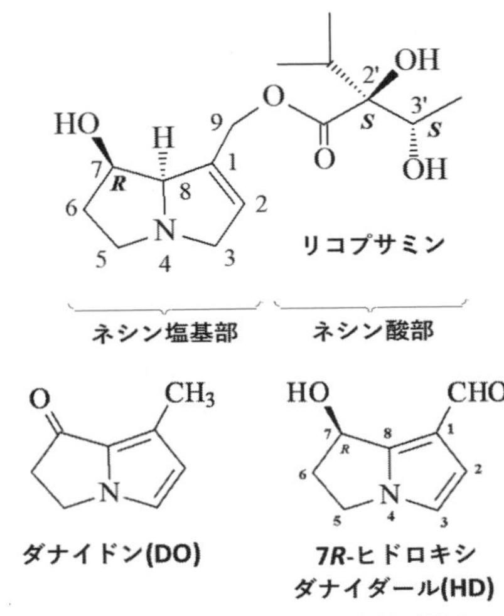

図4 リコプサミンの化学構造(上段)とアサギマダラ(オス)の性フェロモン(下段)

リコプサミンのネシン塩基部のみのPAはレトロネシンと呼ばれる。性フェロモンの主成分はDOであり，配偶行動時に中心的な役割を担っていると考えられるが，触角を用いた電気生理学実験(EAG)では，メスは嗅覚的にはHDの方により強く応答する傾向がみられる。

シンのいずれかが少なくとも一つ含まれている（Honda *et al*., 2016）。PA の中には油溶性のものや水に溶けにくいものが少なくないが，LY 型 PA 類はいずれも水溶性で，アサギマダラにとっては摂取するのに大変好都合でもある。たとえば，半ば枯れた枝葉や根から PA を摂取する際には，口吻から唾液を出して PA を“抽出”し，再吸収する行動が観察される。

4. 性フェロモンの生産と発香器官の役割

次に本稿の主題である，オスの配偶行動に深く関係する性フェロモンについて説明したい。よくご存じの読者も多いと思うが，アサギマダラのオスは後翅の肛角部に“性標（sex brand, SB）”と呼ばれる楕円形（約 7 mm × 10 mm）の一対の黒色斑（図 5）を持っている。これは翅の表面からでも裏面からでも容易に認識でき，メスにはこのような特徴は見られないので雌雄の区別は容易である。オスはもう一つ特異な“ヘアペンシル（hair pencil, HP）”と呼ばれる毛筆状の器官（図 5）を腹部末端部の背面側に一対備えている。この HP は体内に内蔵されているため通常は見ることはできないが，配偶行動時にメスの前方で突き出し，毛束部を球形に展開して提示する。同時に性フェロモンがここから放出され，メスはこれを触角で感知することになる。オスは腹部末端に外部生殖器を持ち，他のチョウ類と同様にこれを使って交接するが，

図 5 (a)：オスの後翅肛角部。黒褐色の性標（SB）を持つ。(b)：メスの後翅肛角部。(c)：オスのヘアペンシル（HP）。人為的に露出させたもので，通常は腹部内に格納されている。(d)：匂い付け行動中のオス。普通は頭部を上に向けている場合が多いが，この場合は珍しく下方を向いている。

このように明瞭なSBやHPは他のグループのチョウには余り見られない特異な二次性徴であり，発香器官(androconium)と呼ばれる(Honda, 2008)。オスは羽化後に適切なPA植物からPAを取り込めば，それを原料にして性フェロモンを生産できるわけだが，実は交尾の成功にはそれだけでは不十分なのである。つまり，PAを摂取すればいずれHPに性フェロモンができあがってくるという訳ではなく，HPから性フェロモンのシグナルをメスに確実に送るためには一連の生産システムが稼働せねばならない。換言すると，体内に取り込まれた物質は酵素による化学的な変化を受けつつ，体液を通じて必要な組織に運ばれるのが一般的だが，そのような単純な話ではない，ということを意味している。ではどのような過程が介在しているのか？原料となるPAから性フェロモンへの生合成(化学的な変換)過程の仕組みはまだよくわかっていないが，体内に取り込まれたPAの一部はSBに運ばれ，さまざまな化学修飾を経て性フェロモンが造られ，SBに蓄積される(Honda *et al.*, 2016)。従って，SBを欠損してしまうともはや性フェロモンの生産は不可能となり，子孫を残せない可能性が高くなる。単なる黒い斑紋のように見えるSBだが，これは繁殖に欠かせない極めて重要な器官と言える。SB部の鱗粉を取り除いて翅膜表面の微細構造を電子顕微鏡で観察すると，饅頭型の構造物が見え，特別な組織であることがわかる(Honda *et al.*, 2016)。

さて，SBで生産されたフェロモンはある程度の量はそこで蓄えられるが，蓄積量には限界があるようで逐次HPに移されるが，その仕組みは今まで解明されていなかった。以前から，カバマダラ属*Danaus*やシロモンマダラ属*Amauris*のマダラチョウでは腹部末端から突き出して半開きになったHPをSBにこすりつける行動がよく知られていた。この行動の真の意味はわかっていなかったが，HPとSBの物理的な接触がHPに性フェロモンが発現される必須の要件であることは確認されていた。そのメカニズムとしては，両器官の接触によってSBからHPに何らかの酵素が引き渡され，それによってHPでも性フェロモンが生産されるようになる，との仮説が提案されていた(Boppré, 1984b)。国内でもアサギマダラの配偶行動が報告され(本藤, 1976)，同様の接触行動は何となく「匂い付け」と呼ばれていた。われわれもアサギマダラの行動を幾度も観察したが，配偶行動を開始する前には必ず同様の接触行動を行うことがわかった(図5)。さまざまな実験の結果，性フェロモ

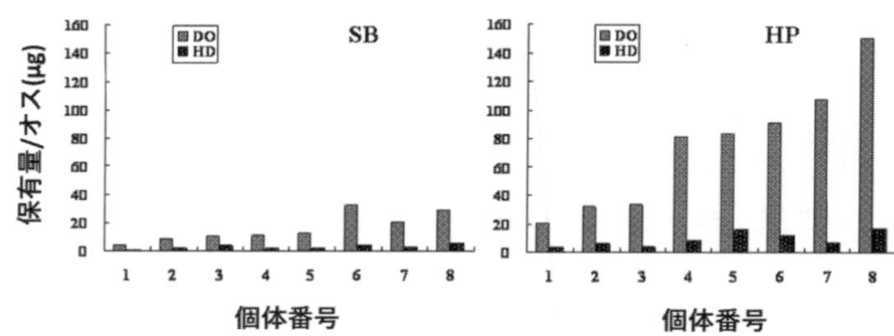

図 6　高知県室戸岬で 11 月に採集されたオス成虫各個体の SB，HP に含まれていた DO と HD の量（任意の 8 個体を例示。同じ番号は同一個体）
No.1 ～ 3 の個体は若いが，No.7, 8 の個体は鱗粉の脱落が顕著で，高日齢の第 2 化成虫と推察される。

ンはこの匂い付け行動により，両器官の接触によって単に物理的に SB から HP に移されていることが証明され，酵素の関与は支持されなかった(Honda *et al*., 2016)。それでわれわれは，それまで適切な英名のなかったこの特異な行動を“perfuming behavior”と命名した。既に国内で使われていた“匂い付け行動”と偶然にもぴったり一致する用語となり，安心したものであった。結局，SB は性フェロモンの生産工場とその一時的な貯蔵庫として機能し，HP は表面積の広い筆状の構造をしていることから，性フェロモンを大量に蓄えて必要時に効率的に放出する役割を担っている，と考えられる。実際，HP に保持されているフェロモン量を測定してみると，両 HP の総量で約 160μg にも達する場合のあることがわかった。SB(最大で約 40μg)の 4 倍量に相当する(図 6，Honda *et al*., 2016)。

このような匂い付け行動は国内の他のマダラチョウでは事実上，殆ど見られない。しかしアサギマダラに関しては成熟したオスは頻繁にこの行動を行い，上述のように特に求愛行動の開始に先立って入念に行われる。求愛行動の詳細は次項で紹介するが，これは気温の低い春季(午前中の場合が少なくない)を除いて気温の高い初夏から秋には夕刻に行われることから，匂い付けは多くの時季には，まだ気温の高い 15 時～16 時半頃に観察されることが多い。暑さを特に嫌う本種は，吸蜜でさえ好天の日中には日陰の花を選ぶのに対して，匂い付けだけは常にわざわざ陽当たりの良い適当な草木に止まって行う。しかも太陽の方向に頭を向けて，翅の裏が陽の光に当たるように姿

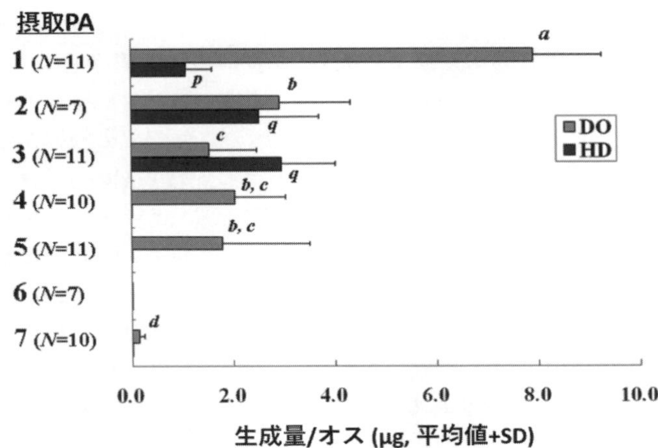

図7　各種 PA を投与(1.4 mg)したオスが生産した SB 中の DO と HD の量
1: インテルメディン / リコプサミン（4：1）混合物，2: 9-*O*-ピバロイルレトロネシン，3: レトロネシン，4: ヘリオトリン，5: 7-*O*-アセチルヘリオトリン，6: ヘリオトリジン，7: イサチジン。異なった文字でマークされた棒グラフの値（DO についての *a*-*d* と HD についての *p*,*q*）は互いに有意差有り（$P<0.05$, Mann-Whitney *U* test）。

勢を維持したまま翅を大きく開き，尾端をやや強く曲げて半開状態に突き出した HP を両 SB の間に挿入する。その状態で HP を上下に何度も動かして SB にこすりつけるが，特に暑い日(時間)には同時に翅の開閉も頻繁に行う(図 5)。一旦，適当な場所に止まるとじっと動くことなく，このような行動を数分間かそれ以上継続する。その後，短時間飛翔して，また別の陽当たりの良い場所に移動して暫く同様な行動を行う。そうして，このような一連の匂い付けを数回繰り返した後にパトロールを開始し，他個体を発見すると追飛を始めるようになる。

性フェロモンはこのような過程を経て最終的に HP に蓄えられるが，本種の性フェロモンはダナイドン(DO; 主成分)と(7*R*)-ヒドロキシダナイダール(HD)と称される 2 つの成分から構成されている(図 4)。いずれもネシン塩基部から誘導される物質なのだが，どのような種類の PA を摂取しても同じような効率で生成される訳ではない。図 7 に示したように，リコプサミンやインテルメディンなど LY 型の PA からはスムーズに DO が造られるが，ネシン酸部の構造が変わったり欠落するとDOの生産量は減少する。また，環状ジエステル型PAからの変換率は低く，7位の立体配置(*R*型が好ましい)も無関係ではない。一方，HDの生産に関しては，7*S*-型のPAからは全く生成しないことから，アサギマダラは*S*→*R*への立体配置の転換ができないことを示している(Honda *et al*., 2005, 2016)。ネシン塩基部の立体構造の違いが性フェロモンの生産に直接影響するのは理解し易いが，ネシン酸部の化学構造の影響もかなり大きい事実は大変興味深い。このことは，PAを巡るアサギマダラの進化の歴史を物語っているものと推察される(後述)。このような結果をみると，本種がLY型のPAを含有するヒヨドリバナ類やスナビキソウを特に好む理由がよく理解できる(ちなみに，ミズヒマワリの花にも同じLY型のPAが豊富に含まれている)。結局，本種は性フェロモンの原料物質を全て植物が生産した二次代謝成分(特定のPA)に依存しており，これらは成虫になってから初めて体内に取り込んでいる。余談になるが，実はこのようなことはマダラチョウの世界では必ずしも一般的ではない。例えばツマムラサキマダラ *Euploea mulciber* では，HP分泌物中の成分の一部は幼虫時代に摂取した栄養分から自力で造っている(Honda *et al*., 2006)。

さて図6に示したように，同じエリアに同時に生息している全ての個体が同じような量の性フェロモンを持っているわけではない。保有量の個体差は著しく，季節によってもかなり異なっている。個体差を生じる主要な原因は羽化後の日齢であり，通常，若い個体は少なく，高日齢の個体ほど多い。これは単純に，PAを摂取するごとに性フェロモンが造られ，発香器官に蓄積されていくからである。また，季節変動の原因としては，おそらくPA植物，特に開花中のPA植物の多少に起因するところが大きいと推測される。実際，各種のヒヨドリバナ類が咲く秋季の個体の保有量は総じて高く，春季の個体は少ない傾向が顕著である(Honda *et al*., 2016)。

雌雄共に大食漢のアサギマダラは，活動の大半の時間を花蜜の探索と摂取に費やす。それゆえ，PAは花蜜の摂取に付随して体内に取り込まれる場合が多いと考えられ，ヒヨドリバナ類訪花などの場合には，ほぼ毎日PAを摂取することになる(メスも)。しかしオスに関しての話になるが，糖類などの栄養分の摂取と無関係にPAを探して摂取する場合は，生涯を通して毎日PAを摂取するようなことはなく，配偶行動の開始前に集中してPAを摂取する傾向が認められる。つまり，初回交尾までに5〜8回摂取し，多回交尾する場合，次回の交尾に備えて再度あらかじめPAを摂取する，というのが通常のパターンのようである。なお，羽化したばかりのオスは性的に未成熟なためか，数日間は活動性に乏しく，PAを探索することなく日中も休憩していることが多いが，6〜18日齢(早いものでは3日齢)ほど経過するとPAを探索し始める。実際，非常に若いオスは人為的にPAを与えても余り好んで摂取することはなく，羽化後5日齢頃までに無理矢理PAを飲ませてもその後の性フェロモン生成量は少ない(Honda *et al.*, 2016)。

5. 華麗な配偶行動

これまで述べてきたように，オスは交尾に先立って事前に特定の(LY型)PA類を摂取し，性フェロモンをHPに蓄えておかねばならない。一般的にチョウ類の配偶行動は，まずオスが飛翔または静止中のメス(あるいはメスと思われる個体)を発見して接近し，追飛したり，すり寄って触れたりすることから始まる。メスが交尾を拒否する場合には，オスが諦めるまで逃げ回ったり，静止したままそれぞれの種に特有の交尾拒否姿勢をとり続ける。しかしメスが交尾を受け入れる(予定の)場合には，その後の雌雄の様子は異なってくる。即ち，多くのチョウで，その種に特有のオスによる求愛行動が展開され，それに対してメスも呼応した行動を見せる。この間に同種であることの認知がなされると考えられるが，化学物質(性フェロモン)が重要な役割を担っているチョウもいる。これまで知られている範囲では，マダラチョウ類の求愛行動は総じて特異であり，種間での共通点はみられるものの相違点も多く多様である(Honda, 2008)。アサギマダラの配偶行動の報告は少ないが(本藤, 1976)，本種の典型的な求愛行動は目を見張るほど優雅である。

本種は暑さに弱いため，その配偶行動も気温の影響を強く受ける。春季には午前中にも交尾が観察されるが，夏季の交尾はほぼ夕刻(概ね17時以降)に限られる。しかし気温が25℃を超えるような状況ではほとんど配偶行動は見られず，20〜23℃の場合には活発な配偶行動がみられる。行動を開始したオスは概ね一定のルートを巡回しながらメスを探索するが，時折，植物の葉などに止まって通りかかる個体を追う行動も行う。つまり巡回(パトロール)型の探雌方式が基本と考えられるが，待ち伏せ型的な戦略も取ることがわかる。本種のこのような行動を占有性(テリトリー行動)と捉える向きもあるが，概して休止場所(位置)が一定しないし，オス他個体を排除するほど追飛することはないので，狭義の占有性を本種の配偶行動に当てはめることは妥当でないと考えられる。このような複合探雌方式はアゲハチョウ類などにおいても広く観察され，休止中のオスが偶然通りかかった他個体を追飛したに過ぎないものと推察される。ただ，アゲハ類では，探雌飛翔中のオスが静止中の他個体を発見して近づき，求愛や交接行動が展開される光景はごく普通に観察されるが，アサギマダラにおいては，探雌飛翔中のオスが訪花や静止中の他個体に関心を示すことは全くなく，オスの求愛行動の対象は飛翔中の個体に限定される。

さて，探雌中のオスが他個体を発見すると飛翔速度を上げて近づくが，上述のように相手がオスである場合には通常，短時間の追飛にとどまる。これは追飛を受けたオスは素早く逃避するため，行動初期段階でそのような動きをみせる個体は求愛の対象にはならないものと推察される。一方，追飛中の対象が比較的ゆっくり逃げる場合(通常メス)には，オスはしばらく追い続けた後，高速でメスの下を通ってメスの前方にまわり，同時に腹部末端部に内蔵したHPを押し出して展開する(この際にメスはHPから揮散する性フェロモンを感知していると考えられる)。オスはHPを出したまま，さらに直ちにメスの上部を通って後方に戻る。つまりオスはメスの周りを垂直方向に回転する行動をみせる。そうして引き続きメスを追飛しつつ，数秒の間に同様の回転行動をさらに1～2回繰り返す。これはメスを刺激するための行動と思われるが，もしメスが受け入れ準備ができていない場合には，オスの一連の行為にメスは特に反応することなく，それまでと同じようにゆっくりとした逃避を続ける。このような場合，オスは執拗に同じメス個体を追い続けることはせず，あっさり継続追飛を止めて別のメスの探索に移る。しかし受け入れ可能なメスはオスの回転行動に呼応して，やや特異な不規則飛翔を開始する。するとオスもメスの行動変化に反応して，その後，雌雄は優雅な儀式的行動を展開することとなる。このようにアサギマダラのオスは，受け入れ可能なメスをその行動パターンから，遭遇初期の比較的早い段階で明確に識別しているように観察される。さて，メスの行動変化を察知したオスはメスの前に進み，翅を小刻みに震わせてHPを全開した状態でゆっくりと滑空を始める。するとメスは少し離れてやはり滑空しつつ，オスの後を3秒間ほど追従する。その後オスは素早くUターンしてメスの後方に舞い戻り，再びメスを追飛し始める。と今度はメスは突然，高速度で飛び始め，マダラチョウ類の配偶時にしばしば観察されるランダムな変速無定位飛翔を行う。するとオスもメスに追いつこうと必死で，高速で方向の定まらない目まぐるしい追飛行動がしばし展開される。メスの逃避飛翔は数十秒間続くことも稀ではなく，茂みの間をくぐり抜けることもあるので，この間にオスが相手を見失うケースも少なからずみられる。一旦見失うと再発見はほぼ不可能なようで，再度ゼロからのスタートを余儀なくされる。しかしうまく追飛し続けると，メスはそのうち適当な場所に止まって翅を閉じて静止し，後翅からややはみ出るように腹端を内側に少し曲げる。するとオスはメスに中脚で触れつつすぐ横に止まり，特に何か不具合がない限りほどなく交尾が成立する(図8)。

図8　交尾中のペア(a, b)と競合交尾実験＊において交尾したオスの数(c)

交尾ペアは(a)のようなV字形の姿勢を取るのが普通だが，稀に(b)のように上下の姿勢を取る。＊実験方法の詳細は註1を参照。2回の試行において，処理オスと対照オスの交尾率にはいずれも有意差が認められた（$P<0.0001$）。

ほとんどの場合，ほぼそのままの状態で通常12時間以上交尾が続く。交尾中のペアが飛翔することは極めてまれだが，何らかの理由で移動する場合，牽引するのは雌雄いずれの場合もみられる。マダラチョウ類では通常，オスがメスを牽引するので，アサギマダラは例外と言える。

以上は，あくまで本種の典型的(恐らく基本的)な求愛様式を述べたものだが，いつでもこのような特異な行動を行うわけではなく，オスの滑空飛翔とそれに続くメスによるオスへの追従飛翔はしばしば省略される。個体差に起因するものと推測されるが，オスが回転飛翔をした際にメスが強く反応してランダムな逃避行動を即座に始めた場合には，このような過程が省かれるのではないかと思われる。なおケージ内での観察では，初回の交尾は，オスでは15〜25日齢で行われる場合が多く，メスでは10〜35日齢である。また，生涯交尾回数はオスで1〜3回程度(最多回数は8回)で，交尾経験個体の約30%が複数回交尾した。一方メスでは生涯に1〜2回(最多は3回)交尾し，再交尾率は約15%であった。

6. 交尾成功の鍵を握る特定のPA

アサギマダラのオスは極めて稀にPAを摂取せずとも交尾することはあるが，普通はPAから産生される性フェロモンは交尾成功に不可欠である(Honda *et al.*, 2016)。しかしさらに調べてみると，HPに充分な量の性フェロモンが蓄えられているにも拘わらず，摂取するPAの種類によっては交尾がスムーズに行われない場合のあることがわかってきた。ヒトリガの仲間にもアサギマダラと同様に，PAから誘導される性フェロモン(HD)を利用しているものがいるが(後述)，このような奇妙な話は聞いたことがない。

PAの種類によって性フェロモンの生産効率が異なることは先に述べたが，どうもこのPAの適・不適が生産効率のみならず交尾成功率にも直接関係していることがわかってきた。生産効率が高く交尾成功率も高いPAは，やはり前述のLY型PA類に限定されていて，他のタイプのPA類を摂取しても事実上交尾できない。そこで，LY型PAを経口投与したオスと非投与オスとで，それぞれの行動パターンを約2週間比較したところ，日常的な採餌行動やパトロールおよび追飛行動などを含めた諸活動に関して，少なくともいずれかを行った個体の割合は両群間で有意差はなかったが，メスの追飛に続いて求愛行動を起こしたオスの割合はLY型PA投与群で有意に高いことが判明した(本田, 2021)。また実際の交尾率にも明瞭な差が生じた(図8)。これらの結果は，性フェロモンの保有量ではなく，PAそのものの生理作用が直接，交尾率に影響し，LY型PAを摂取したオスは配偶行動がより活性化されているためと考えられた。そこで玉川大学の佐々木謙博士と共同研究を実施し，オスの脳や胸部神経節に存在する4種の代表的な生体アミン(神経ホルモンなどの作用を示し，さまざまな活動に影響を与える)の量を測定した。結果は予想にたがわず，LY型PAを投与したオスは，オクトパミンやセロトニンを有意に高濃度で保持していた(Honda *et al*., 2018)。前者はコオロギやミツバチの交尾行動を活性化してオス間の闘争を刺激したり，精包の形成にも関与していると考えられている。また後者は，脳の嗅覚中枢を刺激してその活動性を高めることが知られている。結局，LY型のPAは直接あるいは間接的に神経系に作用し，脳や神経節における特定アミン類の量を高めることにより，アサギマダラのオスの配偶行動を活性化させているものと判断した。

7. なぜ2つの発香器官？— その進化起源を探る

前述のように，性フェロモンの生産と蓄積にはSBとHPの両方が必要だが，求愛行動時に事実上役立っているのはHPである。と言うのも，一旦HPにある程度の量の性フェロモンが蓄積されると，その後はSBがあってもなくても，少なくとも次回の交尾成功率には影響がないからだ(Honda *et al*., 2016)。ではなぜHP以外の他の器官まで必要なのだろうか？多くのマダラチョウ類は確かに双出性(2種類)の発香器官を保有している。しかし現存する最も原始的な部類のオオゴマダラ *Idea leuconoe* などはHPしか持っていないが，それでもしっかりと性フェロモンを造って交尾に役立てている(Nishida *et al*., 1996)。結局，この発香器官双出性の問題は“進化の過程で，どのような理由でSBが形成されたのか”という疑問に換言でき，昔から研究者の大きな謎となっていた。この問題についてはこれまで仮説すらも提唱されていなかったが，以下に2つの発香器官を形成するに至った進化起源についての筆者らの仮説（Honda *et al*., 2016）を紹介したい。

DNA 塩基配列から推定されるマダラチョウ類の系統（Brower *et al*., 2010）に基づいて，マダラチョウ亜科の発香器官システムの概要をかいつまんで説明すると以下のようになる（註 2）。全てのマダラチョウのオスは HP を持っている。しかし一方で，比較的原始的な特徴を持つ Itunina 亜族の 2 属（*Lycorea* と *Anetia*）と Euploeina 亜族の 2 属（*Idea* と *Protoploea*）は SB を欠いているが，*Euploea*（Euploeina）と Amaurina 亜族の 4 属（*Parantica*, *Miriamica*, *Ideopsis*, および *Amauris*）および Danaina 亜族の 2 属（*Danaus* と *Tirumala*）などの他の進化した仲間は，発達の度合いは異なるものの属固有の形態的特徴を備えた SB を持っている（Ackery & Vane-Wright, 1984; Brower *et al*., 2010）。従って，双出性の発香器官システムの発達は，進化時間的には後から起こった特徴であることを示唆している。これは Boppré & Vane-Wright（1989）らの見解と概ね一致している。さらに，SB と HP の接触行動は，原始的な（または発達が不十分な）SB を持つ *Euploea* や *Ideopsis* 属（Boppré & Vane-Wright, 1989; Honda *et al*., 1995）ではまだ知られていない。一方，明瞭かつ精巧な SB を持つ他の属は，盛んに接触行動を行うことが知られている。ところで，*Anetia*, *Protoploea* および *Tiradelphe* の 3 属に関しては，それらの発香器官分泌物についての化学的知見が欠落しているので，以下の議論から除外することをお断りしておく。

マダラチョウ類やトンボマダラ類と PA との間にみられる密接な関係の進化起源に関連して，Edgar（1984）は，それらの祖先の寄主植物がキョウチクトウ科 Echiteae 族の植物であると推測した。この仮説は，原始的なマダラチョウの 1 種であり，Echiteae 族のホウライカガミ *Parsonsia laevigata* を食草としているオオゴマダラのメスが，寄主認識の手がかりにする物質（産卵刺激物質）として，寄主植物固有の大環状 PA 類を利用しているという新事実によって支持された（Honda *et al*.,1997）。しかし現在，マダラチョウ類の寄主植物は多様であり，それらの大多数は幼虫の食餌としてキョウチクトウ科・ガガイモ亜科およびクワ科（主にイチジク属）の植物を利用している（Ackery & Vane-Wright, 1984）が，これまでにそれらの植物に PA が含まれているという報告はない。現在の彼らの食草利用状況から，Edgar（1984）はさらに，ほとんどの種が幼虫の餌を PA 含有植物から PA 非含有含植物に変えた（寄主転換した)と推測した。このシナリオによると，現在も続く成虫による非寄主植物からのPAの摂取は，かつて特定構造のPAを含む植物のスペシャリストであった祖先から引き継がれた遺存的形質ということになる。

われわれは，上記の寄主転換によって，PA獲得段階が幼虫期から成虫期に切り替わったことが，オスの第二次性徴の進化，特にSBの発現と多様化を引き起こしたのではないかと推測している。マダラチョウと同様に，フェロモン(7*R*-HD)生合成の前駆体として，また化学的防御のためにPAを利用するヒトリガ科Arctiidaeのクロスジヒトリ *Creatonotos gangis* やハイイロヒトリ *C. transiens* のオスでは，幼虫時に取り込んだPAが用量依存的にかれらのコレマータ(HP類似の腹部発香器官)の発育を制御し，摂取したPA量とコレマータのサイズとには正の相関関係のあることが報告されている(例えば，Boppré & Schneider, 1985)。このことは，ヒトリガで起こっているようなことがマダラチョウにおいても平行して起こりうる状況を示唆している。従ってマダラチョウにおいても同様に，幼虫時に摂取・蓄積されたPAは部分的にであっても，HPやその関連組織(PAの処理を担う組織，HABT)の発育を刺激するのに関与している可能性がある(Pliske & Salpeter, 1971)。しかも多くのマダラチョウの幼虫は，現在でもPAを体内に吸収・貯蔵する能力を依然として維持していることがわかっている(Rothschild & Edgar, 1978; Trigo & Motta, 1990; Honda *et al*., 2006)。

以上のような背景と仮定に基づいて，さらに議論を進める。幼虫時代に寄主植物から特定のPAを獲得できる原始的なオオゴマダラ属(SBなし)については，そのHPはPAを化学的に変換する完全な能力を保持していて，ビリディフロリンβ-ラクトン(オオゴマダラのHP分泌物の主成分であり，特定のPAのネシン酸部分に由来する；Nishida *et al*., 1996)という成分を産生できるため，本属はHP以外の追加の生合成器官を必要としないのであろう。寄主転換と進化的放散に伴い，マダラチョウの先祖は，PAに対する化学的変換能力の点から大まかに2つのグループに分岐した。1つはHP関連のHABTが多かれ少なかれ活性を維持している群および，成虫時のPA獲得後にのみ，ある程度活性化できる潜在的機能を持つHABTを有する群(グループA)で，もう1つは，HABTの本来の機能の大部分を失っている群(グループB)である。その結果，グループAでは追加の翅の器官(SBなど)が発達しないか，HABT の役割の減退を補うことができる何らかの翅器官が進化するであろう。グループ B では，HABT の機能不全によって損なわれた生合成能力を取り戻すべく，翅器官が同様に発現するであろう。と言うのも，チョウに関してはよく知られているように，分類群に応じて形態は異なるものの，翅の発香器官は多くの科に亘ってごく普通にみられるからである（Boppré, 1984b など）。

発達が不十分な SB を有する *Euploea* 属（*Idea* 属の姉妹群）は SB と HP の接触行動を行わない。ツマムラサキマダラはオオゴマダラと同様に，HP に主成分としてのネシン酸由来のビリディフロリン β- ラクトンと少量のネシン塩基由来の DO を持っている（Honda *et al*., 2006）。興味深いことに，ツマムラサキマダラの後翅の SB からは PA 起源の唯一の物質として，ごく少量の DO が出された。したがって，*Euploea* 属はグループ A に帰属されよう。これとは対照的に，2 つの亜族 Danaina と Amaurina（*Parantica* 属を含む）は精巧なよく発達した SB を持ち，しばしば交尾前の匂い付けを行う。また通常は SB と HP の両方に PA 起源の主要な成分として DO と（または）HD を持っていることから，これら 2 つの亜族はグループ B に該当すると考えられる。さらに，注目に値する点がリュウキュウアサギマダラ *Ideopsis similis* にみられる。本種は未発達の SB を後翅内縁部に持ち，*Euploea* 属と同じく匂い付け行動を行わないのに加えて，SB と HP には共通の成分が含まれていないと言う点で非常にユニークである。DO は SB にのみ存在し，HD は HP にのみ存在することから（Honda *et al*., 1995），*Ideopsis* 属はグループ A に分類されよう。

Euploea と *Ideopsis* 属では Amaurina や Danaina 亜族に匹敵するような十分に発達した翅の発香器官は備えていないが，それらの未発達な翅器官は，ここでアサギマダラにおいて示されているように（本種の HABT は DO を産生する能力を完全に失っていて，SB は特に DO の生成に関しては HABT の役割を担った），明確で独立した独自の機能を持っているようだ。この *Euploea* と *Ideopsis* 属にみられるような状態は，おそらく，マダラチョウ類における発香器官システムの単一構造（HP のみ）から多様な双出構造への移行の進化過程を反映しているものと推察される。パパイア科またはガガイモ亜科（共に PA を含有しない）の植物を食べていて，SB を持たない *Lycorea* 属はグルー

プAに分類されると推定される。ただ，*L. cleobaea*（=*L. ceres*）はHPにDOを持っていると報告されているが（Meinwald & Meinwald, 1966），*Lycorea*属のHP分泌物についてはまだ詳細に調べられていない。

以上をまとめると，幼虫の食餌としてPA含有植物を利用していたマダラチョウの祖先とその子孫の現存種（*Idea*属のみ）は，幼虫時に体内に取り込んだ特定のPAのおかげで完全に活性なHABTを持ち，したがって，追加器官の支援を受けることなく，PAから導かれる成分の産生をHPにおいて達成することができた。これに対して，PA植物から非PA植物への寄主転換を行った種はおそらく，成虫時にさまざまな化学構造の不特定PA類を，偶発（付随）的にあるいは不適切な時期（遅延）に不十分な量を摂取したことにより，分岐進化の途中でHABTのPA処理機能を徐々に失っていった。その結果として，HABTの機能不全を補う代替手段として，他の多くのチョウにも広く定着している翅の発香器官がマダラチョウ類にも進化した。現在も全てのマダラチョウが例外なくHPを持っている事実を考慮すると，この器官は，性フェロモンのより効率的な放散を達成する上で，依然として重要な役割を維持しているのであろう。またこのことはさらに，SB，HPという2つの独立した，しかし機能的には密接に関係した発香器官の進化学的および適応的重要性を物語っているものと考えられる。

8. おわりに

マダラチョウ類のオスがPA植物に好んで集まり，摂取したPAを防御物質や性フェロモンの原料として利用している，と言う話は昔からよく知られている。しかしその事が実際に証明されたケースは極めて限られていて，多くは状況証拠に基づく想像の域を超えない漠然としたものであった。そうして丁寧に調べてみると，PAの種類によって好き嫌いがあってどれでも役に立つ訳ではない，と言うことが明らかになり，少なくともアサギマダラに関しては，オスの配偶行動を活性化する生理機能を持った必需品であることも判明した。このことはまた，多くの動物にみられる薬物食性という習性の進化起源について，1つの新たな証拠を提供している。細部は別の機会に譲るが，マダラチョウ類は，寄主転換を含めた寄主選択機構，配偶行動様式とPAの神経生理作用，PAと関連物質の嗅・味覚受容に関る感覚生理などの観点から，興味深い未知の知見に満ち溢れた研究対象である。さらに多くの研究者の参画を期待したい。

〔註〕

（註 1）室内飼育によって得たオスを用いて，羽化後 7 日齢から 3 日間かけて各オスに 0.5 mg ずつのレトロネシンを 3 回投与（計 1.5 mg/ オス）し，翌日から全オスを野外ケージ（7 m × 10 m, 高さ 3.5 m。吸蜜源として PA を含まない各種の花を植栽）に放して自由に活動させた。羽化後 17 日目に全オスを回収し（これまでに匂い付け行動を行い，HP に性フェロモンを保持していることを別の実験で確認済），両 SB を完全に切除した（これ以降は HP に性フェロモンが新たに蓄積されることはない）。オスを無作為に処理区と対照区の 2 群（各 14 頭ずつ）に分け，処理群のオス [I/L(+)] には上述と同様にして，インテルメディン / リコプサミン（4：1）混合物を 3 日間かけて計 1.5 mg 投与した。一方，対照群 [I/L(-)] には PA を与えず，15％砂糖水溶液のみを飲ませた。その後，両群のオス（計 28 頭）を未交尾メス 20 頭と共にケージに再度放ち，連続して 18 日間競合交尾実験を行って交尾の有無を毎日確認した。その間，交尾した雌雄，死亡した個体，飛翔不能な個体などは研究室に持ち帰って新たな個体（所定の処理済）と差し替え，実験期間中，常に各群のオス比を 1:1 に，オス / メス比を約 4:3 に保った（試行 1）。同様の方法で，処理オス 12 頭，対照オス 12 頭，未交尾メス 18 頭を維持しつつ再度，実験を行った（試行 2）。

（註 2）現在，マダラチョウ亜科（Danainae）は 3 族に分類され，本議論に直接関係する種はその中のマダラチョウ族（Danaini）に帰属されている。また該族は 2 つの亜族（Danaina と Euploeina）に大きく区分されていて，論文執筆時に基準とした Brower *et al.*（2010）の亜族分類とは異なっている。しかしながら，本文で引用した各亜族は全て現在の上記 2 亜族に包含されており，本仮説に何らの修正を要するものではない。よって原著論文との整合性を保ち，混乱を避けるために旧亜族名をそのまま使用した。

〔引用文献〕

Ackery PR, Vane-Wright RI (1984) *Milkweed Butterflies: Their Cladistics and Biology.* Cornell University Press, New York.

Boppré M (1984a) Redefining "pharmacophagy". *Journal of Chemical Ecology*, 10: 1151–1154.

Boppré M (1984b) Chemically mediated interactions between butterflies. In: Vane-Wright RI, Ackery PR (eds) *The Biology of Butterflies,* 259–275. Academic Press, London.

Boppré M, Schneider D (1985) Pyrrolizidine alkaloids quantitatively regulate both scent organ morphogenesis and pheromone biosynthesis in male *Creatonotus* moths (Lepidoptera: Arctiidae). *Journal of Comparative Physiology A,* 157: 569–577.

Boppré M, Vane-Wright RI (1989) Androconial systems in Danainae (Lepidoptera): functional morphology of *Amauris, Danaus, Tirumala* and *Euploea*. *Zoological Journal of the Linnean Society,* 97: 101–133.

Brower AVZ, Wahlberg N, Ogawa JR, Boppré M, Vane-Right RI (2010) Phylogenetic relationships among genera of danaine butterflies (Lepidoptera: Nymphalidae) as implied by morphology and DNA sequences. *Systematics and Biodiversity,* 8: 75–89.

Edgar JA (1984) Parsonsieae: Ancestral larval foodplants of the Danainae and Ithomiinae. In: Vane-Wright RI, Ackery PR (eds) *The Biology of Butterflies,* 91-93. Academic Press, London.

福田晴夫(2021) 日本，台湾，アジア大陸東縁におけるアサギの季節的移動. 蝶と蛾, 72: 59–83.

Hirai N, Ishii M (2002) Egg placement of the tachinid fly *Sturmia bella* on leaves of the evergreen milkvine *Marsdenia tomentosa* and the feeding habit of its host butterfly *Parantica sita*. *Entomological science*, 5: 153–159.

Honda K (2008) Addiction to pyrrolizidine alkaloids in male danaine butterflies: A quest for the evolutionary origin of pharmacophagy. In: Maes RP (ed) *Insect Physiology: New Research,* 73–118. Nova Science Publishers, Inc., New York, NY.

本田計一(2015)植物毒を利用するマダラチョウ．昆虫科学読本（日本昆虫科学連合 編): 92–107, 東海大学出版部，東京.

本田計一(2021)アサギマダラの配偶システム．昆虫と自然, 56(3): 10–15.

Honda K, Tada A, Hayashi N (1995) Dihydropyrrolizines from the male scent-producing organs of a danaid butterfly, *Ideopsis similis* (Lepidoptera: Danaidae) and the morphology of alar scent organs. *Applied Entomology and Zoology,* 30: 471–477.

Honda K, Hayashi N, Abe F, Yamauchi T (1997) Pyrrolizidine alkaloids mediate host-plant recognition by ovipositing females of an Old World danaid butterfly, *Idea leuconoe*. *Journal of Chemical Ecology,* 23: 1703–1713.

Honda K, Honda Y, Yamamoto S, Ômura H (2005). Differential utilization of pyrrolizidine alkaloids by males of a danaid butterfly, *Parantica sita*, for the production of danaidone in the alar scent organ. *Journal of Chemical Ecology,* 31: 959–964.

Honda Y, Honda K, Ômura H (2006) Major components in the hairpencil secretion of a butterfly, *Euploea mulciber* (Lepidoptera, Danaidae): Their origins and male behavioral responses to pyrrolizidine alkaloids. *Journal of Insect Physiology,* 52: 1043–1053.

Honda K, Honda Y, Matsumoto J, Tsuruta Y, Yagi Y, Ômura H, Honda H (2016) Production and sex-pheromonal activity of alkaloid-derived androconial compounds in the danaine butterfly, *Parantica sita* (Lepidoptera: Nymphalidae: Danainae). *Biological Journal of the Linnean Society.* 119: 1036–1059.

Honda K, Matsumoto J, Sasaki K, Tsuruta Y, Honda Y (2018). Uptake of plant-derived specific alkaloids allows males of a butterfly to copulate. *Scientific Reports*. 8: 5516. DOI:10.1038/s41598-018-23917-y.

河邉誠一郎(2002)生育温度からみた *Parantica sita niphonica* Moore(アサギマダラ)の生態と行動予測. 倉敷芸術科学大学紀要, 第 7 号: 71–83.

Meinwald J, Meinwald YC (1966) Structure and synthesis of the major components in the hairpencil secretion of a male butterfly, *Lycorea ceres ceres* (Cramer). *Journal of the American Chemical Society,* 88: 1305–1310.

本藤昇(1976)アサギマダラの交尾行動. インセクタリゥム, 13: 128–129.

Nishida R, Schulz S, Kim CS, Fukami H, Kuwahara Y, Honda K, Hayashi N (1996) Male sex pheromone of a giant danaine butterfly, *Idea leuconoe*. *Journal of Chemical Ecology,* 22: 949–972.

Pliske TE, Salpeter MM (1971) The structure and development of the hairpencil glands in males of the queen butterfly, *Danaus gilippus berenice*. *Journal of Morphology,* 134: 215–242.

Rothschild M, Edgar JA (1978) Pyrrolizidine alkaloids from *Senecio vulgaris* sequestered and stored by *Danaus plexippus*. *Journal of Zoology, London,* 186: 347–349.

佐々木泰弘(2017)福島県いわき市におけるアサギマダラの越冬について. やどりが, 252 号: 28–30.

Trigo JR, Motta PC (1990) Evolutionary implications of pyrrolizidine alkaloid assimilation by danaine and ithomiine larvae (Lepidoptera: Nymphalidae). *Experientia,* 46: 332–334.

山本弘三(2021)毒蝶アサギマダラについての考察. 日本鱗翅学会中国支部会報, 第 22 号: 15–19.

(本田計一)

8 ベニシジミの配偶行動：雌雄双方の立場から

1. はじめに

蝶の成虫にとって一番の関心事は，いかにたくさんの子孫を残すかである。いや，本当にそう考えているかどうかは知らないのだが，たくさんの子孫を残してきた個体の子孫が現在生き残っているのだから，子孫の数が最多になるような行動が進化しているのは間違いないだろう。

多くの子孫を残すことができる行動は雄と雌とで異なると考えられる。雄は交尾した雌の数が多いほど多くの子孫を残せるので，素早く雌を見つけて次々と交尾することができるとよい。一方，雌は交尾回数が増えても体内で生産できる卵の数はたいして増えないだろうから，一つ一つの卵の質を高めるために遺伝的に優れた雄と交尾することが大切である。また，生産した卵を全て産んでしまうために，交尾後は産卵に専念するという行動の切り替えも必要だ。では，具体的にどうしたら素早く雌を見つけることができるのだろうか。また，産卵に専念すると言っても邪魔が入ったらどうするのだろうか。こうした問題に対して蝶が進化の果てにどのような解答を見つけたのか，ベニシジミ *Lycaena phlaeas* を対象にして雌雄それぞれの立場から行った研究を紹介する。

2. 体温で決まる雄の配偶戦術

(1) 雄が雌に出会う方法

蝶の雄が雌と出会うためにとる方法には色々なものがある。飛び回って雌を探したり食草や花の側で資源を求めてやって来る雌を待ち伏せたり実に多様であるが，大まかに分類すると二通りの戦術に分けることができる(Scott, 1974)。一つは探索戦術で，雄が活発に広範囲を飛び回って雌を探し当てるものである。この戦術を取る典型がモンシロチョウ *Pieris rapae* で，食草のキャベツやアブラナの周りを雄が飛び回り，雌を見つけたら求愛する(小原, 2003)。もう一つは待伏せ戦術で，雄が一ヶ所に静止して，通過する雌を待ち構える。雌が近くに来たときには，素早く飛び立ち追いかけて交尾に持ち込む。空き地や芝生などの開けた場所にとまっていたツマグロヒョウモン *Argyreus hyperbius* が，急に飛び立っては元の場所に戻ることを繰り返しているのを見たことのある人は多いのではないだろうか。これはツマグロヒョウモンの雄が何かが飛来したのに気づいて，雌かどうか確認しに行く姿である。この二種類の戦術のうちのどちらを行うかは種によって決まっている場合も多いが，一部の種では一個体が両方の行動を行うことができ，条件によって片方からもう片方へと行動を切り替えることが知られている（Shreeve, 1992）。

では，二通りの戦術を切り替える蝶ではどのような場合に探索戦術を選択し，またどのような場合に待伏せ戦術を行うのだろうか。複数の戦術の中から一つを選ぶ場合，行動生態学では各戦術から生じる利益（交尾成功など）とコスト（行動に要するエネルギーや捕食される危険など）を差し引きして，最も得が大きい戦術をとると考える。一般に，雄が雌を探索する行動はコストが大きい。移動する労力がかかる上に慣れない場所に行くので捕食される危険が高まるからである。しかし，雌のいる場所が予測できるなら，自ら探しに行く方が雌とは出会いやすいだろう（期待できる利益が大きい）。この場合には探索戦術を選ぶのが良いかもしれない。反対に雌のいる場所の予測が難しいのなら，探索をしても待伏せをしても雌とは出会いにくい（期待できる利益が少ない）ので，一般にコストが小さいと思われる待伏せをした方がよいだろう（Dennis & Shreeve, 1988; Rutowski, 1991）。

（2）ベニシジミの体温と配偶戦術

ベニシジミは翅を広げた大きさが 30 mm 程度，橙色の可憐な蝶である。幼虫の食草は野原によく生えているスイバやギシギシで，成虫も雑草が生い茂る路傍や空き地などで花の蜜を吸っているところをよく見かける。普通種である。本種も雄が二つの戦術を使い分けている蝶の一つで，探索戦術と待伏せ戦術の両方を行っている（Ide, 2010）。では，ベニシジミの雄はこの二つの戦術をどのように使い分けているのだろうか。この問題を考えているときに，体温が関係しているのではないかと思いついた。

昆虫は変温動物である。哺乳類や鳥類は外部の温度によらず一定の体温を保っているが，昆虫は周囲の影響を受けて体温が簡単に変わってしまう。なにしろ昆虫は小さい。体が小さければ外部に接する部分の割合が増える。そのため，熱が失われて体がすぐに冷える。体重 100 mg のマルハナバチは体温 40℃，気温 30℃の状態では 1 秒当り約 1℃の速さで体温を奪われるという（ハインリッチ, 2000）。逆に温まるのも速い。だから，あっという間に昆虫の体温は変化してしまう。

図 1　日光浴をするベニシジミ

しかし，昆虫も体温を一定に保とうと努力している。気温が低いときに体温を高く保つために昆虫は日光浴をする。ベニシジミも早朝に翅を開いて背中を太陽に向けているところをよく見かける（図 1）。逆に体温が高ければ日陰に入る。日陰がなければ姿勢を変える。真夏にしばしば見られるトンボのオベリスクと呼ばれる姿勢は太陽に向けて腹部をまっすぐ伸ばして逆立ちするような姿勢であるが，この姿勢は日光を浴びる面積が最小になっている（鮫島・椿, 2006）。このように昆虫では色々な体温調節行動が進化している。

蝶の雄が配偶するために活発に活動するには，体温がある程度高い必要がある。特に飛ぶためには翅を動かす筋肉である胸部の飛翔筋の温度が重要だ。探索戦術にしろ待伏せ戦術にしろ，雄が雌を追いかけるときには飛んで追うのだから，雄の胸部体温が戦術を決める鍵を握るのではないかと考えられる。

そこで，雄の配偶戦術の使い分けに体温が関係しているのかどうか知るために，それぞれの行動を行った直後の雄の胸部体温を測定した。体温の測定には直径 0.2 mm の注射針型センサーをつけた温度計を用いた。ベニシジミの雄を見つけてその時の行動を記録した後，捕虫網で捕獲し素早く閉じた翅をつまみセンサーを腹側から胸部の中央に挿入し測定値を読み取る。こうしてベニシジミの体温を測るのだが，センサーを差し込むまでに時間がかかると日光や人の手の熱が伝わって蝶の体温は見る間に変化してしまう。そこで，できる限り素早くセンサーを刺せるようにその辺を飛んでいる蝶を捕まえて

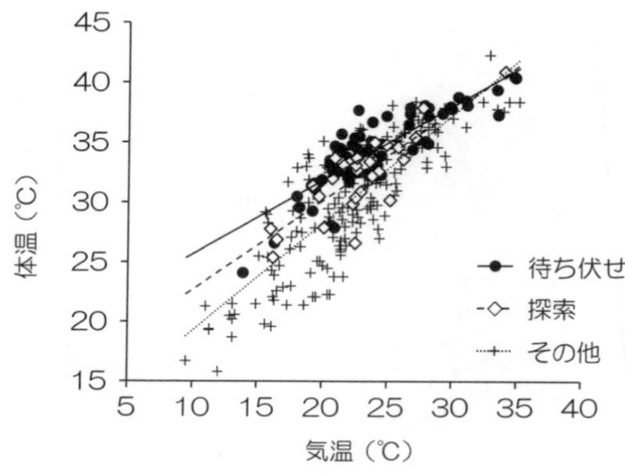

図２ 待伏せ，探索，およびその他の行動をしていた時のベニシジミの雄の体温

練習を重ねた上で調査を行った。練習台になった蝶には申し訳ないが，おかげで数秒以内に蝶の体温を測ることができるようになった。体温を測ったベニシジミは胸を突き刺されただけあって放した後は元気なく静止していることが多い。しかし，翌日になれば活発に飛び回っている。蝶はか弱く見えるが案外丈夫である。

測定した結果を見ると，ベニシジミの雄の体温は気温と照度が高いほど高くなっていた(図2)。しかし,行動による体温の違いも見られた。特に低照度・低温の条件下では待伏せしていた雄が最も高い体温を示し，次が探索飛行をしていた雄，一番低かったのが吸蜜や休息など他の行動をしていた雄だった。飛ぶ必要のある探索戦術や待伏せ戦術を行っている個体の体温が他の行動をしている個体の体温より高かったことは当然のことだろう。この二戦術の間で体温を比べると，探索飛行をしていた個体の方が体温が低い。蝶は飛んでいる間に対流によって体が冷やされるので(Tsuji *et al.*, 1986)，長い間飛び続ける探索戦術の方が待伏せ戦術よりも体温が下がりやすいためと考えられる。

この結果から探索戦術の方が体温を維持するのが難しく，それ故に探索戦術を行うには気温も照度も高い好天の条件が望ましいと推測される。待伏せ戦術は飛ぶ時間が短いうえに，静止して待っている間に日光浴をして体温を調節できるので，多少気温が低くても問題なく行うことができそうである。従って，気温と照度が高い時は探索戦術，低い時は待伏せ戦術という使い分けをするのが体温維持が最も容易で雄にとって得なやり方ということになる。

しかし，雌の活動も雄同様周囲の温度に左右されることを忘れてはいけない。待伏せ戦術をとった場合，雌と出会う効率が最も高いのは雌が活発に動き回っているときである(Reynolds, 2006)。雄が待伏せをしているところへ，雌が飛んできてくれるから交尾が成立するのである。しかし，雄が飛ばないような低温条件下では雌も飛び回りはしないはずである。これではいくら待っていても交尾には至らない。互いに動かないのだから出会いようがないのだ。従って，雄は低温条件下では待伏せ戦術よりも探索戦術を選ぶ方が多くの雌と出会えると予測される。すなわち，雌の活動パターンに合わせた戦術の切り替えが探索効率を考慮すると有利になるのではないだろうか。

結局，(1)気温と照度が高い時に探索戦術をとる，(2)気温と照度が高い時に待伏せ戦術をとる，という正反対の予想が出て来てしまった。雄の体温だけを考えれば(1)の予想が，雌の体温と出会いやすさも考慮すれば(2)の予想が正しそうである。

(3) 雌の活動パターン

ベニシジミの雌は一日のうちのいつ頃に活発に活動するのだろうか。雌の行動を4月から7月にかけて一日中観察して調べてみた。調査方法は一個体追跡法である。蝶の一個体を見失うまでひたすら追跡し，行動を全て記録する。例えば，飛んだ，花にとまった，口吻を伸ばした，翅を開いた，閉じた，というような蝶の行動の一つ一つをいちいち記録するのである。野帳に文字で記していては間に合わないので，蝶がしたことを口で喋って音声をICレコーダーで記録した。そして後から文字に起こし，どんな行動がどれくらいの頻度で見られたのか解析した。この調査は京都市の宝が池公園内の草地で行った(図3)。公園なので犬の散歩をする人が通ったり，子供達が遊んでいたりする。その横でぶつぶつ独り言を言って

図3 調査地の風景

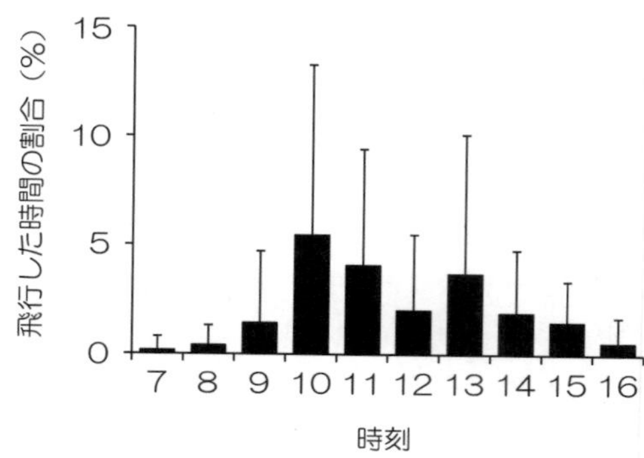

図 4　観察した時間のうち，ベニシジミの雌が飛んでいた時間の割合（平均±標準誤差）

いる私の姿はどのように見られていたのだろうか。

調査の結果だが，ベニシジミの雌の飛翔は 10 時頃から 14 時頃までの間によく観察された（図 4）。また，統計的に有意ではないが，照度が高い時ほどよく飛ぶ傾向が見られた。気温の高い時間帯によく飛翔しているということは，雌もまた活動を体温に支配されていることが示唆されている。この結果から，雄が効率よく雌と出会うためには雌が飛翔する正午前後各二時間待伏せをし，雌が動かない朝と夕方には探索行動を行えばよいことになる。

（4）待伏せ戦術の日周パターン

実際に雄が昼頃に雌を待ち伏せているか明らかにするために，やはり 4 月から 7 月にかけて雄を一日中追跡して行動を記録した。待伏せ中の雄はとまっているだけなので，待伏せをしているのか休息しているのか区別がつかない。しかし，他のベニシジミが接近した時に飛び立って追いかければ待伏せしていたのだとわかる。追いかけなければ休んでいたと判定した。なお，観察していた個体を中心とする半径 50 cm の仮想の半球に虫が侵入した場合，接近されたと判定した。

こうして，接近した他個体への反応を利用して一日のいつ頃待伏せ戦術を行っているのか調べてみると，何と一日中待伏せをしていることがわかった（図 5）。つまり雄の待伏せのパターンは雌の飛翔パターンと一致していなかった。雌の行動に合わせて戦術を選ぶことで効率よく雌に出会えるようにしているわけではなかったのだ。むしろ朝や夕方にはベニシジミはほとんど飛んで来ないにも拘らず，来ればちゃんと追いかけている。雌が飛んで来そうにない時でも雄は律儀に空を見張っていたのである。待伏せ戦術を行う場合，待っている間は日光浴をしていられるので体温調節は多分容易である。そし

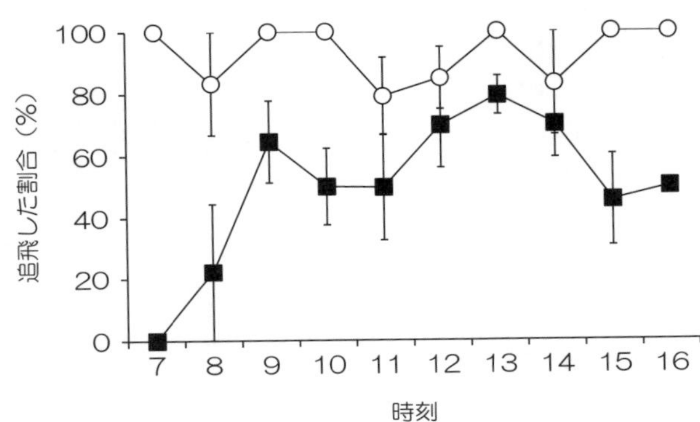

図 5　接近して来た個体に対して，ベニシジミの雄が飛び立って追いかけた割合の時刻による変化（平均±標準誤差）

て，飛び立つことがなければほとんどコストはない。それゆえ気温が低く雌がほとんど飛んでこない状況でも，待伏せを行うことができたのだろう。ただし，一日中待伏せを行うことができるといっても，追飛のコストは気温が下がれば大きくなるはずである。朝と夕方には他種への追飛はあまり活発ではなかったが，これは追飛のコストの大きさを反映していた可能性がある。気温が低い時は飛び立つコストが大きいので，接近して来た個体がベニシジミかどうかをよく見極めるまで安易に飛び立たなかったのかもしれないのだ。

(5) 探索戦術の日周パターン

では，雄はどのような時に探索戦術を選択しているのだろうか。これを調べるために，ベニシジミの模型を草の上に設置して朝の 7 時から夕方の 17 時まで飛来したベニシジミの個体数を数えた(図 6)。模型と言ってもピンポン球を蛍光橙色に塗ったものである。対照として白色に塗ったピンポン球も設置した。橙玉を花と間違って吸蜜しにくる個体がいるかもしれないが，そんな個体は白玉にも飛来するのではないかと考えたのである。しかし，ベニシジミが飛来するのは橙玉ばかりで白玉にはほとんど飛来しなかったし，橙玉に飛来した個体は性別を確認した 174 匹のうち 1 匹を除いて全てが雄だった(表 1)。従って，橙玉への飛来は探索飛行中の個体が橙玉を雌と間違えたものと判断してよいだろう。

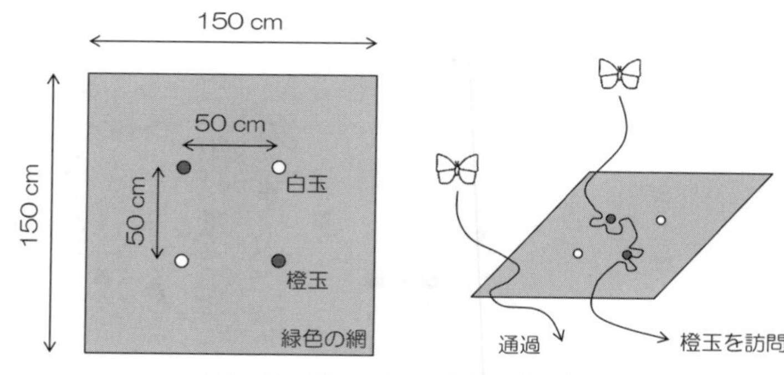

図6　ピンポン球を用いた探索雄調査法

ピンポン球に絡むように飛んだ個体を訪問したとみなし，単に緑の網の上を飛んだだけの個体は通過したとみなした。

表1　ピンポン球を訪れたベニシジミ個体数とそのうちの雄の割合

	ベニシジミ個体数	雄の割合
橙玉	381	99.4% (174)
白玉	7	60.0% (5)
通過	38	36.4% (11)

( ) 内の数字は性を確認できた個体数。

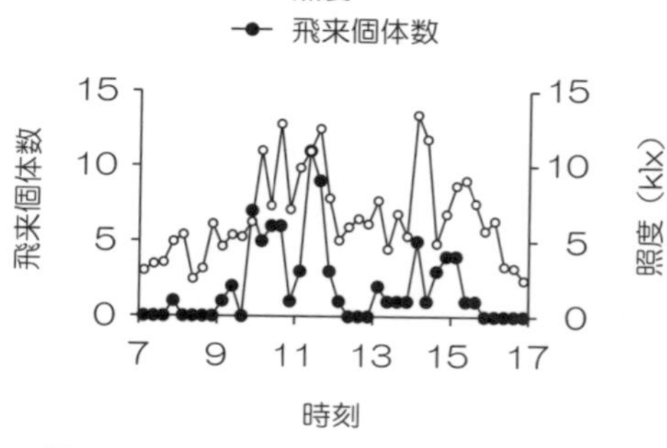

図7　橙玉に飛来したベニシジミの個体数（15 分当り）と照度の日周変化

例として典型的な一日(5 月 12 日)を示す。

橙玉に飛来した個体数は概ね昼頃に多かったが，日による変動が甚だ激しかった。また，一日のうちでも変動が激しかったが，照度が高い時に多数のベニシジミが飛来する傾向が見られた(図 7, 解析の詳細は Ide(2010) を参照)。つまり, 日射が強いという高い体温を維持しやすい気象条件の時に, ベニシジミの雄は探索戦術を選択していた。飛び回ることによって体から熱を失っても, すぐに取り戻せる条件を選んでいるのだろう。

実は，ベニシジミの雄が飛んでいる時間は多い時でも 5% 程度である。雄は探索飛行だけを長時間続けることはない。このことは探索戦術が非常に労力のかかる戦術であることを示唆している。そして，残り 95% の時間をどうしているかというと，飛び回って体温が下がったら日光浴をして体温を上げるということを繰り返しているのではないかと推測される。もし日光浴の最中に雌が近くを通りかかったら，飛び立って追いかければよい。探索戦術の合間に待伏せ戦術をしているようだが，実際にはベニシジミ自身は二つの戦術を複合させて使っているのではないだろうか。

(6) なぜ体温で戦術が決まるのか

なぜ雄の戦術は雌の活動パターンに影響を受けず，自分の体温調節の都合によって決まっているのだろうか。交尾することができる雌がどこにいるのかわからないことがその理由かもしれない。一般に蝶の雌は羽化後すぐに交尾できるので，羽化場所周辺(大抵は食草周辺)に交尾可能な雌がいる可能性が高い(Rutowski, 1991)。もし雄が食草の周辺でだけ雌を探すのなら，飛び回って雌を探してもさしてエネルギーを消費せずにすむだろうし，実際に雌を見つけることができる確率も高い。そのため，雌の分布の予測可能性が高ければ，雌の行動の時間的パターンに戦術を合わせることで探索効率を高めることが得になりやすいと考えられる。

ところが，ベニシジミの雌は羽化後2～4日たってから交尾する(鈴木, 1978; Watanabe & Nishimura, 2001)。この数日間に未交尾雌が羽化した場所から飛び立って分散し，どこにいるのか予測することが困難になってしまう。その結果，雌と出会うためには広い範囲を雄は飛び回らなければならず，探索戦術のコストが大きくなる。こうなるといくら待伏せをするより雌と出会う機会が多くても，気温と照度が低い条件下で探索戦術を選択するのは割に合わないのかもしれない。

ベニシジミの雄が雌と出会うためにとる戦術の選択は体温の観点から理解できた。一方，雌雄間の相互作用は戦術の決定にほとんど関与していないように思える。だからといって，昆虫の行動は体温で厳しく規定されているから雌雄間の相互作用などが及ぼす影響は少ないのだと考えてしまうのは早計だろう。ベニシジミのような単純な昆虫が全てではない。多くの昆虫では両者の問題が絡み合ってもっと複雑な様相を見せていると思われる。その複雑な現象に取り組む際，一つの切り口として昆虫の体温の観点はかなり有効だと言うことはできるだろう。

3．雌のセクシャルハラスメント回避行動

今度は雌の側からベニシジミの配偶行動を眺めてみたい。ベニシジミの雌にとって，雄はどんな存在だろうか。もちろん雄がいなければ交尾ができず繁殖もできないので，いなければ困る。だからといって，雄がたくさんいて始終求愛してくるというような状況も決してありがたくはないだろう。なにしろベニシジミの雄は，色が似ているというだけでピンポン球にさえ寄ってくるほど見境がない。恐らく本物の雌に対してもしつこく求愛するだろうから，雌としては煩わしくてたまらないのではないだろうか。もしベニシジミの雌が話すことができたら，雄によるセクシャルハラスメントの被害を口々に訴えるかもしれない。

(1) 動物のセクシャルハラスメント

実はセクシャルハラスメントは人間だけのものではない。初めに述べたように，雄は交尾した雌の数が多いほど多くの子孫を残すことができる。従って，多くの雌にしつこく求愛するのが雄にとって有利なふるまい方であり，実際に非常に多くの動物が雌に対して執拗な求愛を実行している（Clutton-Brock & Parker, 1995）。

雄から執拗に交尾を迫られると，雌は怪我をしたり求愛を逃れようとして天敵に見つかりやすくなったりすることがある。例えば，北海道にも生息するコモチカナヘビ *Lacerta vivipara* は雄が雌にしつこく求愛したり強引に交尾しようとして雌を噛んだりする。そのため，交尾期の終わりには雌はあちこちに傷を負っている。さらに，雄の比率が高い個体群では雌の死亡率が高まり，個体群が崩壊することさえあるという（Le Galliard *et al.*, 2005）。これほどひどくなくても，餌をとったり産卵したりするところを雄の求愛によって邪魔されるのは甚だ迷惑な話である。ヨーロッパに生息するヒョウモンチョウの仲間の *Proclossiana eunomia* は雄が産卵場所の周辺で雌に対してしつこく求愛するため，雌が産卵に費やす時間が減少してしまう。雌は雄を避けるため，危険を冒して生息場所から遠くへ移動していく場合もあるようだ（Baguette *et al.*, 1996）。このように求愛によって相手にコストが生じる場合，動物でもセクシャルハラスメントという言葉が使われている。

しかし，雌の方も被害を受けているばかりではない。実はハラスメントへ

の対策を進化させているのだ。雄によるハラスメントを回避する行動として，単純に雄から離れたり隠れたりする行動と他の雌と集団をつくる行動が色々な種類で知られている。例えば，アメンボの一種 *Gerris remigis* の雌は雄がいないと水面で多くの時間を過ごすが，雄がいると水面にいる時間が減り不活発になる。その結果，雌は雄と出会うことなく，ハラスメントを避けることができる（Krupa *et al.*, 1990）。また，北米の浅い池などに住む魚のカダヤシの一種 *Gambusia holbrooki* の雄は求愛行動などなしにいきなり強引に交尾しようとする。そのため，雄がいるときには雌は集合して集団を作り，一匹の雌が受けるハラスメントを少なくしている（Pilastro *et al.*, 2003）。

(2) ベニシジミの雌のハラスメント回避行動

ベニシジミの雌は生涯に一度しか交尾をしない（Watanabe & Nishimura, 2001）。だから既に交尾を終えた雌は雄が寄ってきても交尾を拒否する。具体的には翅を小刻みに震わせながら歩く羽ばたき歩行という交尾拒否行動をして雄が離れて行くのを待つ（鈴木, 1978）。時には雌が急に飛び立って雄を引き離そうとすることもある。しかし，雄は雌の後ろをついて歩いたり，飛んで追跡したりして簡単には離れてくれない（図 8）。雌が拒否してもついて歩くのだから，セクシャルハラスメントと呼んでもおかしくないだろう。

図 8　羽ばたき歩行をするベニシジミの雌（右）
歩いて雌を追いかけてきた雄（左）は雌とは違う葉に乗ってしまい雌を見失っている。

しつこい求愛が雌にとってどの程度のコストなのかはよくわからない。ベニシジミと同属の蝶の *L. hippothoe* では雌の産卵数が雄によるハラスメントが起きる状況の下で減少することが知られているので（Turlure & Van Dyck,

2009)，ベニシジミでも同じようなコストが生じていると思われる。一回の求愛でベニシジミの雄が雌につきまとう時間の長さを測定したところ，平均40秒程度だった。なんだそんな短時間か，と思われるかもしれない。しかし蝶の成虫の寿命は短い。ベニシジミの場合，生理的な寿命は一月ほどあると思われるが，野外での実際の平均寿命は3～10日と推定された。その間に花の蜜を吸ったり，幼虫の食草を探したり，産卵したり，といった様々なことをしなければいけない。その短い寿命のうちの数分間でも，雄のハラスメントによって浪費してしまうのは無視できない被害ではないだろうか。しかも天気が良ければ探索戦術を行う雄が次から次へと飛んで来てハラスメントをしてくるのである。先に述べた雄の探索戦術の日周パターンの調査は4日間行ったのだが，その間に381匹のベニシジミが橙色のピンポン球に飛来し，その99%が雄だった(表1)。こんな頻度で求愛されていちいち付き合っていられるわけがない。

求愛されるのが迷惑ならば，ベニシジミでも雌の側で求愛を回避する方法

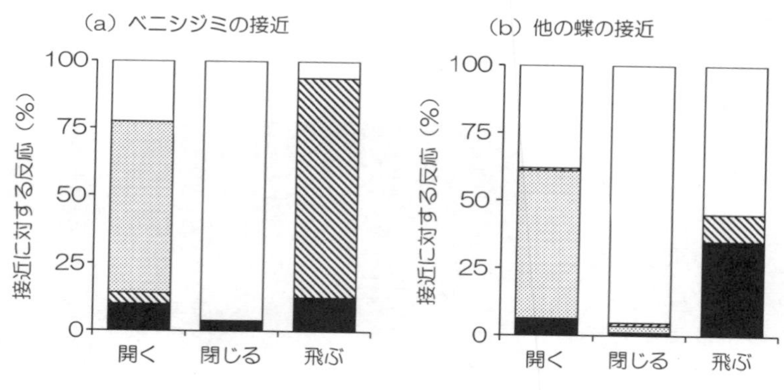

図9 他個体が50 cm以内に接近した時の，翅を開いてとまっていた雌の反応

他の蝶が接近した時とベニシジミが接近した時とで反応は有意に異なった。また，接近される前の姿勢によっても反応は有意に異なった（多項ロジットモデル）。雄は接近に対して追飛するか無視するかのどちらかで，このような反応は全く見せない。

が進化しているだろうと考えられる。一般に蝶の雄は視覚によって雌を探すので，隠れるとか遠ざかるとかの行動が見つかりにくくなって有効そうである。そこで，ベニシジミの雌の行動を観察し，雄の求愛を先回りして回避するようなことをしていないかどうか調べてみた。今回も一個体の雌を追跡して全ての行動を記録したのだが，それに加えて近くに来た他個体の行動も同時に記録した。近くに来た他個体に対する雌の反応は，他個体をベニシジミと他種の蝶とに分けて解析した。近くに来たのが雄だったのか雌だったのかは重要なのだが，捕らえずに判定できることは少ないので仕方なく雌雄をまとめて扱った。

近くに来た他個体に対する雌の反応は，接近される前の姿勢によって異なった。雌が翅を開いてとまっている所へ自分と同じベニシジミが飛んで来ると，雌は多くの場合翅を閉じた(図 9)。他種の蝶が飛んできた場合も翅を閉じることはあったが，ベニシジミが飛んできた時と比べるとその割合はやや少なく，無反応の場合が比較的多く見られた。従って，翅を閉じる行動は他種の蝶に対してではなくベニシジミに対する反応であると考えられる。つまり，この行動は種内で何か機能を持っているのではないかということであ

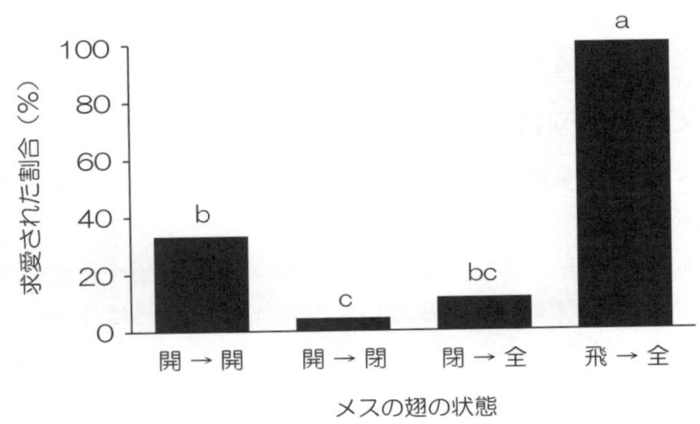

図 10　雌に他のベニシジミが接近した時に，その雌が接近個体から求愛された割合

雌の翅の状態によって求愛された割合は有意に異なった（正確確率検定，同じアルファベット間で有意差なし）。開→閉はもともと開いていた翅を接近されて閉じた個体，開→開は開いたままの個体，閉→全はもともと翅を閉じていた個体全て，飛→全はもともと飛んでいた個体全ての結果を表す。

る。接近される前に翅を閉じていた場合には，雌はほとんど常に何も反応を示さず，接近したのがベニシジミの場合と他種の蝶の場合で違いがなかった。

雌が翅を閉じたとき，近くに来たベニシジミの他個体はどうしただろうか。ほとんどの個体は何もなかったかのように飛び去ってしまった(図 10，開→閉)。それに対して，雌が翅を開いたままの場合は通りかかったベニシジミの三分の一が求愛した(図 10，開→開)。つまり，翅を閉じると雄による求愛を避けることができるのである。閉じた翅は空に向かって垂直に立つので，上空から見ると一本の筋にしか見えない。飛んでいる雄からは雌の閉じた翅はほとんど見えないだろう。その結果，配偶相手を認識するための決め手の橙色が上空から見えにくくなるため，雄は止まっている雌に気付かずに通り過ぎてしまうのだ。翅を閉じたままだった場合も同じことで，上空から見えにくいので求愛された回数はかなり少なかった(図 10，閉→全)。以上の結果から，雌は翅を閉じて求愛を受ける回数を減らしていることがわかった。

ずっと翅を閉じたままにしておけば，いちいち他個体の接近に応じて翅を閉じる必要はないはずである。それなのにそうしないのは体温調節の都合らしい。ベニシジミは背中に日光を浴びて胸部体温を上昇させるのだが，翅を閉じると背中が翅の陰になってしまうのである。実際，気温が上がるとそもそも翅を開いて止まっている個体が見つからなくなり，他個体の接近に対して翅を閉じる行動も見られなくなる。

(3) ハラスメント回避を行う時期

ベニシジミの雌が同種他個体の接近に対して翅を閉じる行動はハラスメント回避の機能を持っていることが明らかになった。しかし，この行動の機能については他の解釈も可能である。それは雌が交尾の相手を選択するために行っているというものである。初めに述べたように，雌は優れた雄と交尾することが多くの子孫を残すことにつながる。優れた雄には生命力が強い雄だけでなく，多くの雌と交尾することができる雄も当てはまる。翅を閉じて隠れている雌を見つけることができる目ざとい雄は，たくさんの雌を見つけて交尾できるはずなので，優れた雄と言える。つまり，翅を閉じて待っていれば，優秀な雄を自動的に選ぶことができるのである。このような行動は積極的に相手を選んではいないので，間接的配偶者選択と呼ばれる。

では，ハラスメント回避と間接的配偶者選択とのどちらの解釈が正しいのだろうか。この二つの解釈からは，他個体の接近に対して翅を閉じる行動を行う時期に関して異なる予想が導かれる。ハラスメント回避説が正しければ，一度交尾をした雌が翅を閉じると予想される。もうこれ以上求愛を受ける必要はないからである。一方，間接的配偶者選択説が正しいとすると，未交尾雌が翅を閉じることになる。雄を選ぶために翅を閉じて身を隠すことが必要だからである。そこで，どちらの予想が当たっているか，実験で確かめてみた。

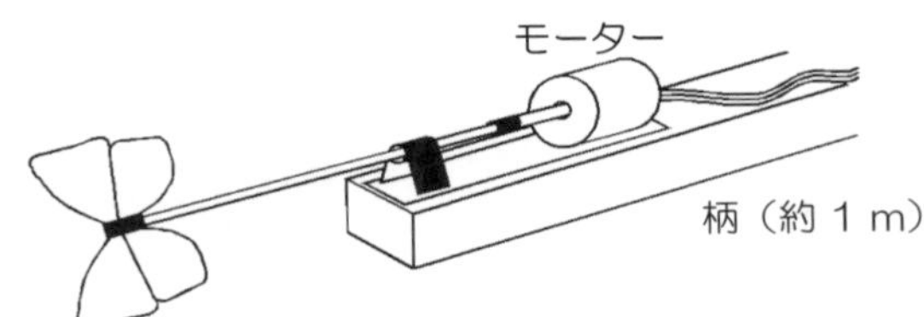

図 11 回転する蝶の模型

モーターの軸の先には蝶の標本の表裏の写真を貼り合わせた模型が付いている。

ベニシジミを幼虫から飼育し，羽化してから二日経過した雌の一部を交尾させて交尾経験のある雌とない雌を用意した。この雌を網室内に放し，翅を開くまで待つ。翅を開いたところで雄の模型を雌に近付ける。この模型はベニシジミの写真を印刷し蝶の形に切り抜いたもので，モーターで回転する仕掛けになっている(図 11)。回転すると翅の表と裏が交互に見えるので，蝶にとっては羽ばたいているのと同じように認識されるはずだ。一応，予備実験として模型をベニシジミの雄に近づけてみたところ，接近してきた同種に対する反応と同様の反応を引き起こした。ほとんどの雄は接近された時に追飛するが，模型に対しても追飛したのである(図 12)。このことから少なくとも雄は模型をベニシジミとみなしていたと言える。雌も同じよう

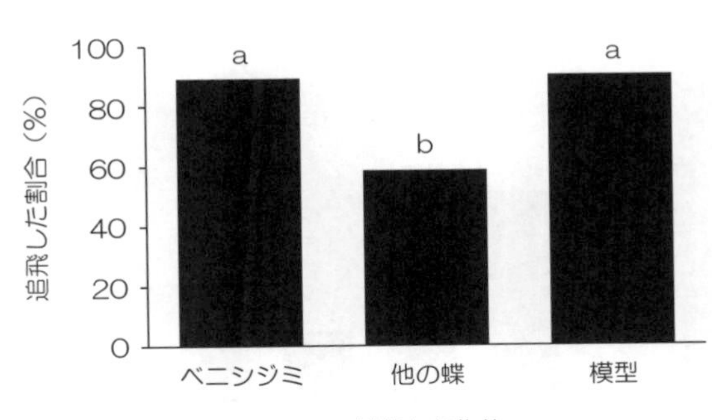

図 12 接近したものに対してベニシジミの雄が追飛した割合

接近したものによって追飛した割合は有意に異なった（正確確率検定，同じアルファベット間で有意差なし）。

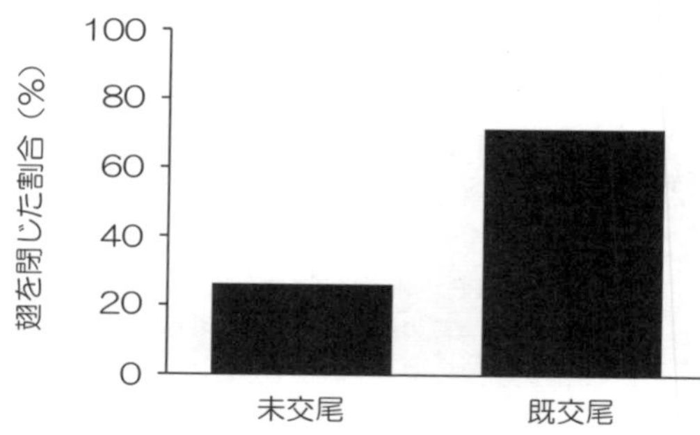

図 13 雄の模型を近づけた時に雌が翅を閉じた割合

に認識していると考えて良いだろう。

この雄の模型を交尾経験のある雌とない雌に近付けたところ，雌の反応は交尾経験の有無によって有意に異なった。交尾した雌は七割が翅を閉じたのに対し交尾していない雌は二割強しか閉じなかった（図 13）。やはり，翅を閉じる行動はハラスメントを回避するためにとる行動だったのである（Ide, 2011）。

ところで，ベニシジミの雌は羽化した後，卵が成熟するまでの二日間ほどは交尾をしない（Watanabe & Nishimura, 2001）。この期間はハラスメント回避行動をするだろうか。バングラディシュに生息するイトトンボの *Agriocnemis femina* は羽化後未熟な段階では派手な赤い体色を示すが，成熟し卵を持つと雄と同じ緑の体色に変化する。未成熟雌のこの赤い色は雄に対してまだ未成熟だから求愛しても無駄だと宣伝する機能があるらしく，雄は赤い雌とあまり交尾をしない。つまり体色の変化で未成熟な時期のハラスメントを回避しているのである（Khan, 2020）。ベニシジミもこのイトトンボと同じように未成熟な時期にハラスメント回避行動を行っているかもしれない。

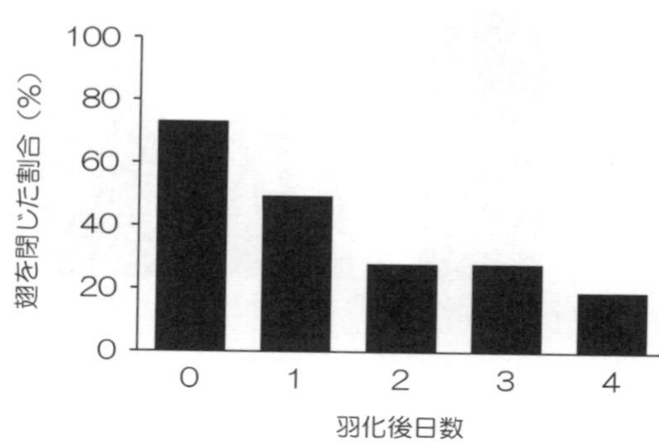

図 14 雄の模型を近づけた時に雌が翅を閉じた割合の羽化後の日数に伴う変化

そこで，羽化当日から未交尾雌がハラスメント回避行動を示すのか調べてみた。その結果，羽化当日は七割以上が雄の模型を近づけた時に翅を閉じた（図 14）。翅を閉じる割合は羽化の翌日，翌々日と低下し

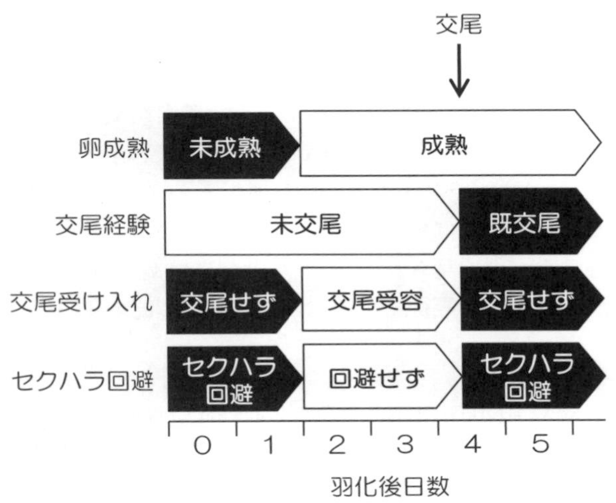

図 15 ベニシジミの雌のセクシャルハラスメント回避行動の羽化後の変化

て二割強になった。雌は交尾をする時期かどうかによって，翅を閉じたり閉じなかったりして見つかりやすさを調節しているのである。これをまとめると図 15 のようになる（Ide, 2014）。

(4) 性的対立

ベニシジミの雌が同種の接近に対して翅を閉じる行動は，雄のしつこい求愛に対して進化した対抗策であることがわかった。蝶は大きいけれども扁平で薄い翅を持っているが故に「同種の雄らしいものが飛んで来たら翅を閉じる」というかなり単純な行動でハラスメントを回避することができるのである。この研究をまとめる段階になって，他の蝶でも同じハラスメント回避行動が報告されていたことを知った（Wiklund, 1982）。当時は新発見ではなかったことにがっかりしたのだが，今になって思えばこんな単純な行動が一種類でしか見つかっていなかったことが不思議な気がする。翅を開いたり閉じたりなんて当たり前すぎて，注目する人がいなかったのかもしれない。

雄と雌は繁殖では協力し合うものと思う人が多いのではないだろうか。しかし，多くの子孫を残す方法が雄と雌とで異なっているために，繁殖に際して互いの利害がぶつかり合うことは多い。これを性的対立という（Arnqvist &

Rowe, 2005）。性的対立が生じると，雄と雌との間で拮抗的共進化が起こる。雄はたくさんの雌と交尾ができるように進化する。クジャクのように雌を惹きつける色彩や装飾が進化することもあるが，強引に交尾する行動が進化することもある。それに対抗して，雌では簡単には交尾しないような性質が進化する（林, 2009）。ハラスメント回避行動はそのような進化の一例である。性的対立は雄と雌がいれば生じる現象である。そのため，雄によるハラスメントは様々な動物で広く見られる。姿形が異なる様々な動物では, 蝶とは違った様々なハラスメント回避行動が進化していることだろう。

〔引用文献〕

Arnqvist G, Rowe L (2005) Sexual conflict. Princeton University Press, Princeton.

Baguette M, Convié I, Nève G (1996) Male density affects female spatial behaviour in the butterfly *Proclossiana eunomia*. *Acta Oecologica*, 17: 225–232.

Clutton-Brock TH, Parker GA (1995) Sexual coercion in animal societies. *Animal Behaviour*, 49: 1345–1365.

Dennis RLH, Shreeve TG (1988) Hostplant-habitat structure and the evolution of butterfly mate-locating behaviour. *Zoological Journal of the Linnean Society*, 94: 301–318.

林岳彦（2009）性的対立による進化：その帰結の一つとしての種分化．日本生態学会誌, 59: 289–299.

バーンド・ハインリッチ（2000）熱血昆虫記：虫たちの生き残り作戦．どうぶつ社，東京.

Ide JY (2010) Weather factors affecting the male mate-locating tactics of the small copper butterfly (Lepidoptera: Lycaenidae). *European Journal of Entomology*, 107: 369–376.

Ide JY (2011) Avoiding male harassment: wing-closing reactions to flying individuals by female small copper butterflies. *Ethology*, 117: 630–637.

Ide JY (2014) Age-related changes in the frequency of harassment-avoidance behaviour of virgin females of the small copper butterfly, *Lycaena phlaeas* (Lepidoptera: Lycaenidae). *European Journal of Entomology*, 111: 417–420.

Khan MK (2020) Female pre-reproductive colouration reduces mating harassment in damselflies. *Evolution*, 74: 2293–2303.

Krupa JJ, Leopold WR, Sih A (1990) Avoidance of male giant water striders by females. *Behaviour*, 115: 247–253.

Le Galliard JF, Fitze PS, Ferrière R, Clobert J (2005) Sex ratio bias, male aggression, and population collapse in lizards. *Proceedings of the National*

Academy of Sciences of the United States of America, 102: 18231–18236.
小原嘉明(2003)モンシロチョウ．中央公論新社，東京．
Pilastro A, Benetton S, Bisazza A (2003) Female aggregation and male competition reduce costs of sexual harassment in the mosquitofish *Gambusia holbrooki*. *Animal Behaviour*, 65: 1161–1167.
Reynolds AM (2006) Optimal scale-free searching strategies for the location of moving targets: New insights on visually cued mate location behaviour in insects. *Physics Letters A*, 360: 224–227.
Rutowski RL (1991) The evolution of male mate-locating behavior in butterflies. *The American Naturalist*, 138: 1121–1139.
Scott JA (1974) Mate-locating behavior of butterflies. *The American Midland Naturalist*, 91: 103–117.
Shreeve TG (1992) Adult behaviour. In: Dennis RLH (ed.) The ecology of butterflies in Britain: 22–45, Oxford University Press, Oxford.
鮫島由佳・椿宜高(2006)トンボの体温調節．遺伝, 60(5): 6–10.
鈴木芳人(1978)ベニシジミの雌の交尾回避行動．蝶と蛾, 29: 129–138.
Tsuji JS, Kingsolver JG, Watt WB (1986) Thermal physiological ecology of *Colias* butterflies in flight. *Oecologia*, 69: 161–170.
Turlure C, Van Dyck H (2009) On the consequences of aggressive male mate-locating behaviour and micro-climate for female host plant use in the butterfly *Lycaena hippothoe*. *Behavioral Ecology and Sociobiology*, 63: 1581–1591.
Watanabe M, Nishimura M (2001) Reproductive output and egg maturation in relation to mate-avoidance in monandrous females of the small copper, *Lycaena phlaeas* (Lycaenidae). *Journal of the Lepidopterists' Society*, 54: 83–87.
Wiklund C (1982) Behavioural shift from courtship solicitation to mate avoidance in female ringlet butterflies (*Aphantopus hyperanthus*) after copulation. *Animal Behaviour*, 30: 790–793.

（井出純哉）

9 ヤマトシジミの追跡観察：環境指標生物としてのチョウ

1．環境指標生物としてのヤマトシジミ

チョウを環境指標生物として扱う上で，対象種の生態的特徴を把握することは必須であるが，多岐にわたる特徴の中でも，成虫の日常行動における特徴を把握することは容易ではない。それはチョウの成虫が小型で軽く，かつ俊敏であるために，現存するどのような機器を用いても野外において連続的に個体を追跡し観察するということが難しいためである。一般的な生態学的研究では，多くの個体の断片的な情報を繋ぎ合わせ，種の特徴の総合的な理解に努めているが，もし可能であるならば1個体における情報を連続的かつ網羅的に収集し，加えて複数個体の情報を集約することによって対象種の特徴をつかみ取ることが理想的であることに議論の余地はない。

対象種における種々の生態学的情報は，直接的に種の個体群構造にも関係する情報であるため，近年では，進化学的・保全学的な分野においても非常に重要なものと理解されている(Holt, 2003 など)。チョウにおいても，特に成虫における行動圏や蜜源，他個体との干渉の程度といった日常行動に関する情報は非常に重要であるが，上述のように個体の追跡が困難であるために，これらを直接的に把握することは難しい。ただ，アゲハチョウ科やタテハチョウ科などの比較的大型の種では，小型の発信機を付けて追跡することで行動圏などを把握することが可能で，主に保全学的目的からそのような研究例がいくつか知られている(Ovaskainen *et al.*, 2009 など)。小型の発信機を用いる追跡では，広範囲を移動するような種における個体の分散などを実際に把握できることや，追跡が半自動化できるなど大きな利点があるものの，一方で，機器の搭載が可能な個体重量や発信機による通信の有効範囲がそれほど広くないなどの制限がある。さらに，発信機による追跡では，個体の飛翔経路や範囲などは明らかにできるものの，その過程でどのような行動をとっているかといった詳しい生態情報は把握することができない。

では，どのようにすれば対象種において詳細な行動も含めた日常行動における情報を網羅的に得ることができるだろうか。これまでの議論と矛盾して

いるようではあるが，詳細な日常行動を把握するには，アナログな方法を用いることが最も有効である。すなわち，個体をひたすら人の目で追い，位置を記録し，その行動をつぶさに観察することが，当然ながら最も真実に近い情報を得ることができる手段である。上述のように，ほとんどのチョウでは，その高い飛翔能力のためそのような追跡は非常に困難であるが，チョウの中でも一部の比較的個体サイズが小さく，飛翔能力がそれほど高くない種では，人の目による直接的な追跡が可能である。中でもシジミチョウ科のヤマトシジミ *Zizeeria maha* は，日本に産するチョウの中では非常に小型で，食草であるカタバミ *Oxalis cornicurata* の良く繁茂する開放的な草地を好み，低い位置を比較的ゆっくりと飛ぶことが多く，高く舞い上がることもほとんどないため，そのようなアナログな手法による追跡を実施するには最適な種である。本章では，ヤマトシジミの 1 個体を長時間に渡り連続的に追跡することによって明らかとなった本種の行動的特徴について，日本に生息する 2 亜種間の差異も交えながら紹介していくこととする。

2. ヤマトシジミの分布と生態学的特徴

日本のチョウの中では最もポピュラーであり，あまりチョウに馴染みのない方々にも広く知られているであろうヤマトシジミは，世界的には日本がその分布の東端かつ北端である(白水, 2006 など)。本種は，西はインドから南はフィリピン，東は日本列島まで，南アジアから東南アジア一帯に広く分布がみられ，いくつかの亜種に分類されている。日本国内には 2 亜種が知られ，すなわち，トカラ列島の中之島から宝島を境にし，北方に生息する日本本土亜種 *Z. m. argia* と南方に生息する南西諸島亜種 *Z. m. okinawana* である(白水, 2006 など)。本種は，翅の長さが約 1.2～1.4 cm 弱と非常に小型で(Taira *et al.*, 2015b)，亜種間では翅表の色模様や翅裏の斑紋，体サイズなどに差異が認められるが(図 1)(白水, 2006 など)，分子解析ではミトコンドリアの *CO I* 配列はほとんど同一で亜種間に差異は認められない(金井・坂巻, 2018)。両亜種を含めると，その分布は青森県南部から沖縄県八重山諸島にまで至り，各地の離島なども含めて北海道を除き日本全土に広く分布する(白水, 2006 など)。2000 年以降には分布域の北方拡大が確認されており

図 1　ヤマトシジミの本土亜種と南西諸島亜種の雄
南西諸島亜種(右)は本土亜種(左)に比べ，やや小ぶりで外縁部の斑紋の発達が弱い。

(Otaki *et al.*, 2010)，近年では青森県北部まで個体群の侵入が報告されているものの(註 1)，やや南方系の種で，本種が生理的に安定して生息できるのは北緯 39 度付近以南であると考えられ(Hiyama *et al.*, 2017a･b)，それ以北では，特に近年北方に分布域を拡大した個体群において，低温影響により遺伝的に誘導されたと考えられる斑紋変異個体が発生することが知られている(Otaki *et al.*, 2010 など)。そのため，高山帯や亜高山帯などの標高の高い地域や森林地域では大きな個体群が見られることは稀である。一方で，人が住むような比較的開けた環境下では，里山から都市部まで至る所で個体が見られ，庭先のちょっとしたプランターなどにも食草であるカタバミさえあれば，どこからともなく飛んできて，その小さくかわいらしい姿を見かけることも少なくない。また，個体数も多く，日本に生息するチョウの中でも非常に身近で，東京などの大都市においても最も観察数の多いチョウとして知られている(鷲谷ほか, 2013; Washitani *et al.*, 2020)。25℃付近では，1 世代はおおよそ 1 か月強で，卵期間が約 5 日，幼虫期間が約 14 日，蛹期間が約 6 日である。成虫は，関東近郊では 4 月から 11 月下旬ごろまで，沖縄島ではほぼ年間を通して観察され，さらに，採集においては天候の影響を受けることも少ない(Hiyama *et al.*, 2018)。一方で，このチョウは，カタバミ類のみを食草とするスペシャリストで，在来のカタバミ類や 1900 年代中頃に北米より日本に侵入して帰化しているオッタチカタバミ *Oxalis dillenii* では育つものの，南米産のフシネハナカタバミ(イモカタバミ)*Oxalis articulata* やムラサキカタバミ

Oxalis corymbosa，近年ホームセンターなどで園芸用によく売られているオキザリス類（オオキバナカタバミ *Oxalis pes-caprae* など）では幼虫がうまく成長しない（檜山私信）。このような，ある性質においては応用性が高く，また，ある性質においては特殊性が高いという生態学的特徴から，本種は環境指標種としての生物学的な要求（中村, 2010）にも応えうるチョウの一種として，複数の環境学的研究（Shirai & Takahashi, 2005 など）に用いられてきている。

ここでは，環境指標生物としての一面をもつヤマトシジミについて，1個体の追跡観察により明らかとなったその日常的行動を，Hiyama & Otaki (2020) を基に解説する。

3. 1個体追跡による日常行動の把握

ヤマトシジミの成虫の日常行動における生態的特徴を把握するため，1個体の追跡観察を実施した。追跡場所には，個体が多く見られ，カタバミがよく繁茂している河川敷や公園などを選び（図2），外気温が25℃以上，風速2 m / s 以下，照度35,000 lux 以上の天候のよい風のない日に限定して，1個体

図2 個体追跡を実施した河川敷（埼玉県戸田市）

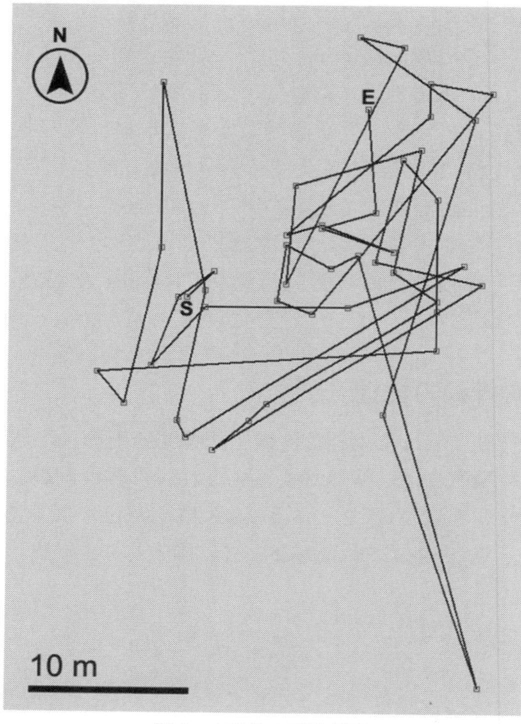

図 3　1 個体の追跡軌跡

S および E はそれぞれ追跡開始地点，追跡終了地点を，各プロットは 3 分毎の位置を示す。追跡開始地点から大きく離れていく様子がないことがわかる。この個体では，E の地点で日没となり個体が休息状態となったため追跡を終了した。

を追跡して行動観察を実施した。

追跡では，まず初めに調査地で発見した任意の個体を対象個体として選び，その個体から目を離さないようにしながら，3 分毎に GPS 機器を用いてその位置を記録するとともに，追跡の最中に観察された対象個体の行動を記録した。追跡中はなるべく追跡個体への干渉を低減するため，個体から 1 m 以上離れ，視界を防がないように，個体の後方に立ち追跡を実施した。対象個体を見失うか，日没となり個体の動きがみられなくなった場合には，対象個体の追跡を終了した。

1 個体をひたすら追跡し，観察してまず明らかとなったのは，その行動範囲の狭さである。例として，図 3 にある雄(南西諸島亜種)の追跡結果を示す。これを見ると，3 分毎の記録位置は追跡を開始した地点から方々に移動してはいるものの，結局のところ大体同じ場所を巡回しており，追跡を開始した位置から大きくは離れていないことがわかる。このような特徴は，他の追跡個体においても概ね同じであった(図 4)。平均すると，3 分毎の個体の位置は，雄では開始地点から 23.0 ± 17.5 m(n =19)(註 2)，雌では 11.2 ± 14.6 m(n = 12)となった。また，各亜種における追

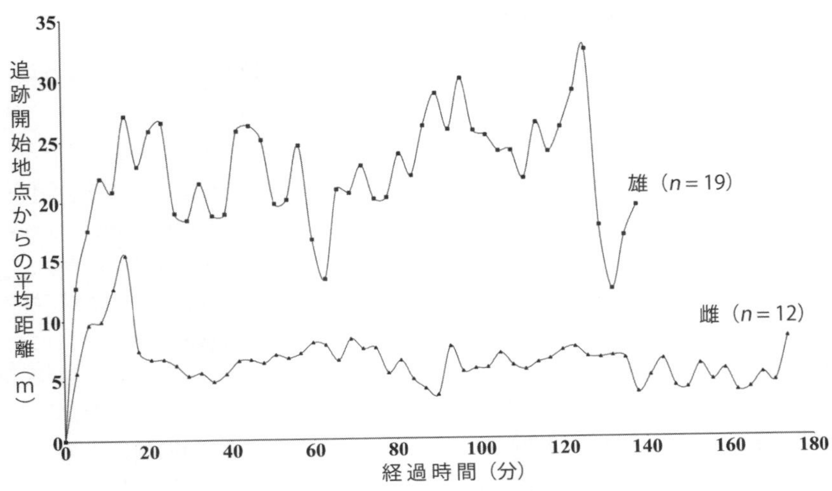

図4　開始地点からの平均距離と経過時間

雌雄とも時間が経過しても開始地点から大きくは離れない。

跡結果を表1に示す。追跡開始地点からの平均距離は，それぞれ本土亜種 *Z. m. argia* では，雄が 24.2 ± 20.6 m，雌が 13.7 ± 18.9 m，南西諸島亜種 *Z. m. okinawana* では，雄が 21.1 ± 11.6 m，雌が 7.4 ± 2.8 m で，いずれも平均値で見れば，開始地点から 30 m 以内に収まる結果となった。これらの結果から，やや意外なことではあるが，ヤマトシジミは今回追跡を実施した環境下では，その場所からほとんど離れず，基本的に同じ場所を行ったり来たりしており，大きな分散傾向は示さない事が明らかとなった。また，両亜種とも，雄よりも雌の方が分散傾向が小さいことも明らかとなった。

表1　各 GPS 記録地点における開始ポイントからの平均距離

亜種	雌雄	追跡個体数(*n*)	各 GPS 記録地点における開始ポイントからの平均距離(m)
本土亜種	雄	13	24.2 ± 20.6
(*Z. m. argia*)	雌	6	13.7 ± 18.9
南西諸島亜種	雄	8	21.1 ± 11.6
(*Z. m. okinawana*)	雌	4	7.4 ± 2.8

4. 生涯の日常的行動範囲の予測

次に，得られた3分間毎の移動距離より平均の移動速度を比べてみた(表2)。両亜種とも，やはり雄の方が雌よりも移動速度が速い傾向があることが明らかとなったが，ここで注目したいのは，両亜種の移動速度の違いである。本土亜種の雄では平均移動速度は2.6 ± 1.4 m / minであったのに対し，南西諸島亜種の雄では5.3 ± 2.3 m / minであった(表2)(p =0.0060, Mann-Whitney *U* test)。また，各個体の最高移動速度についても南西諸島亜種の方が速く，本土亜種の雄では7.3 ± 3.1 m / minであったのに対し，南西諸島亜種では13.5 ± 6.1 m / minであった。南西諸島亜種の雄は，本土亜種よりも2倍近くの速さで同じ場所をぐるぐる飛び回っていることが明らかになったのである。

では，彼らが生涯に飛ぶ距離はどの程度であろうか？ 飼育下におけるヤマトシジミの成虫の生存期間がおおよそ14日程度であるため(檜山未発表)，やや大ざっぱではあるが，野外における1個体の成虫の生存期間を羽化後10日間と仮定し，1日の行動可能時間を12時間(7,200分)と想定して，両亜種の生涯飛翔距離を平均移動速度より算出した(表3)。

これによれば，生涯で雄でおおよそ20〜40 km程度，雌で10〜20 km程度も飛ぶと推定される。ただ，これは平均の移動速度で直線的に飛んだ場合の積算距離であって，実際の羽化してから10日後の位置は，おそらく図3にみられるような，同じ場所の巡回の延長的位置であると考えられる。そこで，

表2 両亜種の平均移動速度および最高移動速度

亜種	雌雄	平均移動速度(m / min)	最高移動速度(m / min)
本土亜種	雄	2.6 ± 1.4	7.3 ± 3.1
(*Z. m. argia*)	雌	2.1 ± 2.8	5.3 ± 4.1
南西諸島亜種	雄	5.3 ± 2.3	13.5 ± 6.1
(*Z. m. okinawana*)	雌	1.1 ± 0.8	3.7 ± 1.5

表3 両亜種における10日間(7,200分)の積算移動距離

亜種	雌雄	10日間の積算移動距離(km)
本土亜種	雄	18.9 ± 10.2
(*Z. m. argia*)	雌	15.0 ± 20.3
南西諸島亜種	雄	38.2 ± 16.3
(*Z. m. okinawana*)	雌	7.8 ± 6.1

時系列解析手法の一つである自己回帰和分移動平均(ARIMA)モデルを用い，両亜種について，記録開始から7,200分後(10日後)における追跡開始地点からの分散距離を予測した。また，開始地点からの平均距離のデータより平均＋3SDの値についても算出した。

ARIMAモデルにより予測された10日後の個体位置は，本土亜種の雄で52.3 m，雌で7.3 m，南西諸島亜種の雄で18.6 m，雌で4.5 mとなった(表4)。また，平均+3SD値では，本土亜種の雄で86.0 m，雌で70.4 m，南西諸島亜種の雄で55.9 m，雌で15.8 mとなった(表4)。これらの結果は，当然であるが積算の生涯飛翔距離とは大きく異なることがわかる。ARIMAモデルと平均+3SD値との間で，本土亜種の雌，南西諸島亜種の雄の値についてやや大きな開きがあるものの，いずれにおいても予測値は観測開始地点から100 mを超えない。また，ARIMAモデルによる99％の信頼区間を考慮しても，その予測位置は，いずれも1.0 kmを超えない。すなわち，ヤマトシジミの日常行動から予測される生涯の行動範囲は，広くとも1.0 km以内に留まると予想されるのである。もちろんこれは安定的な環境下における行動観察からの予測であって，現実の個体の分散はこれらの日常的行動に加え，天気や気温，強風や降雨，また，時期によれば台風といった気象的要因や，その他にもカタバミの繁茂状況や同種他個体，他種による干渉などの多種多様な生態学的要因に大きく影響を受け，イレギュラーに拡大・縮小することは明らかである。ただ，ヤマトシジミが種として持つ日常的な行動範囲に関する特徴としては，基本的には(人の目から見れば)その場所に留まる特徴があることが明確に観察され，おそらくそれが本種にとって生態学的に最適な生存戦略となっているものと推測される。

表4　10日後（7,200分）後の記録開始地点からの予測位置

亜種	雌雄	ARIMA 記録開始地点からの予測位置(m)	99% 上限	信頼区間 下限	平均＋3SD
本土亜種	雄	52.3	706.6	< 0	86.0
(*Z. m. argia*)	雌	7.3	24.7	< 0	70.4
南西諸島亜種	雄	18.6	34.1	3	55.9
(*Z. m. okinawana*)	雌	4.5	194.9	< 0	15.8

5. 休息，吸蜜，交尾行動，産卵

個体追跡では，3 分毎に位置を記録するのと共に，追跡中に観察された休息や吸蜜などの行動も記録した。そこで，次にこれらについても紹介したい。記録した行動は，休息回数とその継続時間，吸蜜回数と吸蜜における植物種，雄の交尾行動回数，雌の交尾拒否行動回数，産卵回数である。得られた生態データを表 5～7 に示す。

観察の結果，休息(図 5)に関しては，雌の方が回数，継続時間ともに長い傾向があることが明らかとなった。休息回数は，雄では 1 時間当たり平均して 17.8 ± 13.7 回，雌では 1 時間当たり 20.2 ± 28.4 回で，平均休息時間は，それぞれ雄が 2.4 ± 3.7 分，雌では 6.7 ± 7.1 分であった。休息時間については雌雄間で有意差が見られた(p =0.015, Mann-Whitney U test)(表 5)。最長休息時間も雌雄で大きく異なり，雄では 7.7 ± 10.5 分であったのに対し，雌では 23.3 ± 16.8 分であった。

このうち，休息回数については亜種間でも差異が見られ，特に雄において，南西諸島亜種の方が本土亜種よりも休息回数が多い傾向がみられ(p =0.027, Mann-Whitney U test)，統計的有意差はないものの，逆に休息時間では南西諸島亜種の方が短い傾向があった(表 6)。すなわち，飛翔行動と合わせて考察すると，南西諸島亜種の方が本土亜種より，より早く飛び，かつ短い休息

図 5　コンクリートブロックの上で休息する雌

表5 雌雄における休息時間および吸蜜頻度等

雌雄	平均休息回数（回/h）	平均休息時間（分）	最長休息時間（分）	吸蜜頻度（回/h）	吸蜜におけるカタバミの割合（%）
雄	17.8 ± 13.7	2.4 ± 3.7	7.7 ± 10.5	11.0 ± 10.1	31.2 ± 37.2
雌	20.2 ± 28.4	6.7 ± 7.1	23.3 ± 16.8	7.5 ± 6.0	66.7 ± 34.3

表6 両亜種における休息時間および吸蜜頻度等

亜種	雌雄	平均休息回数（回/h）	平均休息時間（分）	最長休息時間（分）	吸蜜頻度（回/h）	吸蜜におけるカタバミの割合（%）
本土亜種	雄	12.9 ± 9.3	3.3 ± 4.5	10.0 ± 12.8	12.0 ± 12.8	43.7 ± 45.5
(*Z. m. argia*)	雌	10.6 ± 9.3	9.0 ± 8.5	25.0 ± 19.0	9.6 ± 11.3	72.4 ± 24.0
南西諸島亜種	雄	25.8 ± 16.3	0.9 ± 0.6	4.0 ± 3.3	9.8 ± 6.4	17.2 ± 25.4
(*Z. m. okinawana*)	雌	34.6 ± 42.5	3.3 ± 2.5	20.8 ± 15.3	6.4 ± 3.5	62.5 ± 43.8

を多くとっていることが明らかとなった。

吸蜜頻度については，雄では1時間当たり平均して11.0 ± 10.1回，雌では1時間当たり7.5 ± 6.0回で有意差は見られなかった（表5）。一方で，吸蜜した植物が食草のカタバミであった割合は，雄が31.2 ± 37.2 %，雌では66.7 ± 34.3 %で雌の方がカタバミを蜜源としている割合が高いことが明らかとなった（p =0.033, Mann-Whitney U test）。

雄の時間当たりの雌へのアプローチ回数は平均1.3 ± 2.2回 / hとなったが，亜種間で大きな差があり，本土亜種では追跡した13個体のうち8個体が観察中に雌を発見し，交尾行動（図6）を示したのに対し，南西諸島亜種は観察した8個体全てにおいて，近くに雌がいるにもかかわらず，観察中1度も交尾行動を示すことが無かった（p =0.00041, Mann-Whitney U test）。

図6 吸蜜中の雌（上）と翅を広げ求愛する雄（下）

一方で，雌を追跡中に

表7　雌における求愛拒否の頻度と産卵頻度

亜種	求愛拒否頻度(回 / h)	産卵頻度(卵 / h)
本土亜種(*Z. m. argia*)	2.6 ± 1.5	5.5 ± 4.7
南西諸島亜種(*Z. m. okinawana*)	5.2 ± 3.4	7.9 ± 9.6

観察された雄からのアプローチ回数は，平均 3.9 ± 2.8 回 / h で，本土亜種が 2.6 ± 1.5 回 / h，南西諸島亜種が 5.2 ± 3.4 回 / h で，本土亜種の方が少ない傾向がある(表 7)ものの，統計的な有意差は見られなかった(p =0.34, Mann-Whitney *U* test)。南西諸島亜種の雌では観察した 4 個体すべてにおいて，雄からのアプローチが観察され，このような雌雄の交尾行動頻度における観察の差異(雌の追跡では雄のアプローチが観察されるにもかかわらず，雄の観察では雌へのアプローチが観察されない)がどのような要因に由来するものであるのかは不明であるが，本土亜種と比較して，南西諸島亜種は飛翔速度も速く，休息時間も短い傾向を持つという生態的特徴を考慮すると，南西諸島亜種の雄は本土亜種よりも雌の発見が不得意な傾向があるのかもしれない。

雌の時間当たりの産卵数は 6.7 ± 7.1 卵 / h で，亜種間を比較すると，本土亜種が 5.5 ± 4.7 卵 / h，南西諸島亜種が 7.9 ± 9.6 卵 / h で南西諸島亜種の方がやや多い傾向があるものの統計的な差は見られなかった(p =0.89, Mann-Whitney *U* test)。これらの値から，飛翔距離と同様に，成虫の生存期間を 10 日間(7,200 分)と仮定して，生涯の産卵数を計算すると，本土亜種が 657 ± 565 個，南西諸島亜種が 944 ± 1155 個となるが，飼育下では，1 個体の雌から得られる幼虫数が平均して 104 ± 67 個体(n = 11)である(Hiyama *et al.*, 2010)ことを考慮すると，この予測産卵数はかなり過剰な評価であるものと思われ，実際には，個体が保有しているすべての卵を産む前に捕食者に襲われたり，事故や寿命などで死亡するものと考えられる。

ここで，複数の個体群における雌雄比に注目してみたい。図 7 は，追跡調査とは別の調査で得られた，10 個体以上の個体が採集された合計 66 地点の個体群における，採集個体数と雄の個体率の関係を表したものである。これを見ると，個体群規模に関係なく採集される個体は大きく雄に偏りがあることがわかる。採集される雄の割合は平均して 79.3 ± 11.8 % であり，約 8 割が雄である。飼育下においては，1 個体の雌から得られる子世代の雌雄比は

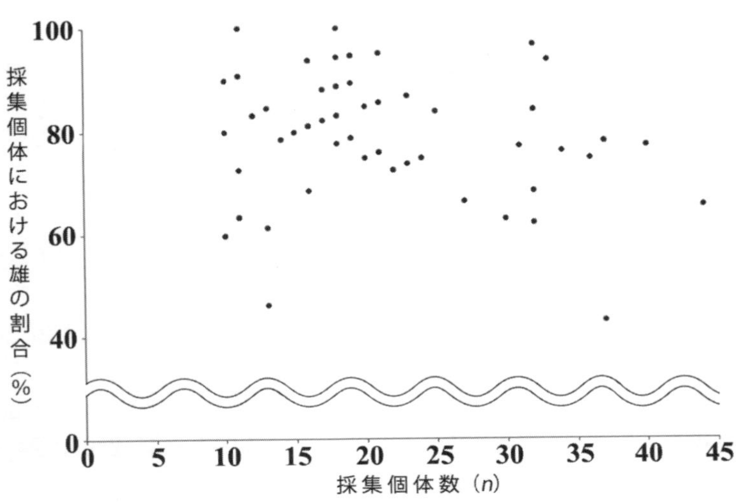

図7　捕獲個体数と雄の捕獲率
個体群規模に関係なく捕獲率は雄に偏りがある。

ほぼ等しいため（檜山未発表），このような調査地における採集個体の性比の偏りは，雌雄における何らかの生態的な差異の存在を示している可能性がある。観察結果に見られるように，飛翔時間は雄の方が長い傾向があるため，発見のしやすさがその一因となっている可能性も考えられるが，別の可能性として雌の積極的分散が考えられる。有効なデータとはならなかったものの，個体追跡においては一部の雌で積極的に生息地を離れるような挙動を示す個体が観察されることがあった。今後の研究課題であるが，ヤマトシジミの雌では，そのような積極的な分散傾向が，例えば交尾直後などの生態的なある特定の一時期において生じる可能性が考えられ，そのような個体の分散の性質が個体群における見かけ上の性比の偏りを生じさせる一因となっているのかもしれない。

6. おわりに

ここまで見てきたように，ヤマトシジミの日常行動は，日本に生息する2亜種間ではやや差異は存在しているものの，大まかには同じであることがわかる。特に，日常的な行動範囲については，非常に明瞭な結果となり，カタバミがよく繁茂する草地的環境下では，彼らはほとんどその生息地から分散しない傾向を持つことが明らかとなった。もちろん彼らにとってみれば，長い距離を飛び遠くへ移動しているつもりかもしれないし，よりミクロな視点に立てば彼らが感知している温度や湿度，照度，各種のケミカルの濃淡などは移動する先々で幾分か異なっているはずである。しかしながら，人の目から見れば実質的には，大まかにいえばその場に留まっているように観察される。

この特徴は，本種を環境の健全性に対する指標生物として捉えた場合には非常に有用なものとなる。ほとんどの個体が，何かしらの人為的・自然的な大きな攪乱が生じない限り，卵で産み落とされ，孵化した後は大きな距離を移動することなく，その近辺のカタバミを食べ(幼虫の移動範囲に関する知見は得られていないが，成虫よりははるかに小さいだろう)，そこで成虫となるのであるから，すなわち，その地域の複数の個体により示される個体群レベルの特異な形態的・生理的・分子的変化や特徴は，観察結果から推測されるように，おおよそその近辺，広くとも直径 1 km 程度以内の環境的事象を反映したものであると解釈することができるのである。

謝辞

本章の執筆にあたり，内容の精査，検討等，様々な助言をいただいた琉球大学大瀧丈二教授には多大な感謝を申し上げる。また，本稿の執筆の機会を与えていただいた，久留米工業大学の井出純哉教授にも感謝申し上げる。

〔註〕

（註 1）2019 年の 10 月には北海道松前町で多数の成虫が発見されている。
（註 2）以下，表中も含め同様の表記の値は全て平均 ± S.D. とする。

〔引用・参考文献〕

Buckley J, Bridle JR, Pomiankowski A (2010) Novel variation associated with species range expansion. *BMC Evolutionary Biology*, 10: 382.

Cant ET, Smith AD, Reynolds DR, Osborne JL (2005) Tracking butterfly flight paths across the landscape with harmonic radar. *Proceedings of the Royal Society B: Biological Sciences*, 272: 785–790.

Caro T, (2010) *Conservation by Proxy: Indicator, Umbrella, Keystone, Flagship, and Other Surrogate Species.* : Island Press, Washington, DC.

Chapman JW, Drake VA, Reynolds DR, (2011) Recent insights from radar studies of insect flight. *Annual Review of Entomology*, 56: 337–357.

Clobert J, Baguette M, Benton TG, Bullock JM (2012) *Dispersal Ecology and Evolution.* : 381–391, Oxford University Press, Oxford.

Conradt L, Bodsworth EJ, Roper TJ, Thomas CD (2000) Non-random dispersal in the butterfly Maniola jurtina: implications for metapopulation models. *Proceedings of the Royal Society B: Biological Sciences*, 267: 1505–1570.

Conradt L, Roper TJ, Thomas CD (2001) Dispersal behaviour of individuals in metapopulations of two British butterflies. *Oikos*, 95: 416–424.

Ducatez S, Baguette M, Trochet A, Chaput-Bardy A, Legrand D, Stevens V, Fréville H (2013) Flight endurance and heating rate vary with both latitude and habitat connectivity in a butterfly species. *Oikos*, 122, 601–611.

Gilbert SF, Epel D (2015) *Ecological Developmental Biology: The Environmental Regulation of Development, Health, and Evolution. Second Edition.* : Sinauer Associates, Sunderland, MA.

Gurung RD, Taira W, Sakauchi K, Iwata M, Hiyama A, Otaki JM (2019) Tolerance of high oral doses of nonradioactive and radioactive caesium chloride in the pale grass blue butterfly *Zizeeria maha. Insects*, 10: 290.

Hancock S, Vo NTK, Omar-Nazir L, Batlle JVI, Otaki JM, Hiyama A, Byun SH, Seymour CB, Mothersill C (2019) Transgenerational effects of historic radiation dose in pale grass blue butterflies around Fukushima following the Fukushima Dai-ichi Nuclear Power Plant meltdown accident. *Environmental Research*, 168: 230–240.

Hanski I, Erälahti C, Kankare M, Ovaskainen O, Siren H (2004) Variation in migration propensity among individuals maintained by the landscape structure. *Ecological Letters*, 7: 958–966.

Hiyama A, Otaki JM (2020) Dispersibility of the pale grass blue butterfly *Zizeeria maha* (Lepidoptera: Lycaenidae) revealed by one-individual tracing in the field: Quantitative comparisons between subspecies and between sexes. *Insects*, 11: 122.

Hiyama A, Iwata M, Otaki JM (2010) Rearing the pale grass blue *Zizeeria maha* (Lepidoptera, Lycaenidae): toward the establishment of a lycaenid model system for butterfly physiology and genetics. *Entomoloical Science*, 13: 293–302.

Hiyama A, Nohara C, Kinjo S, Taira W, Gima S, Tanahara A, Otaki JM (2012) The biological impacts of the Fukushima nuclear accident on the pale grass blue butterfly. *Scientific Reports*, 2: 570.

Hiyama A, Taira W, Otaki JM (2012) Color-pattern evolution in response to environmental stress in butterflies. *Frontiers in Genetics*, 3: 15.

Hiyama A, Nohara C, Taira W, Kinjo S, Iwata M, Otaki JM (2013) The Fukushima nuclear accident and the pale grass blue butterfly: evaluating biological effects of long-term low-dose exposures. *BMC Evolutionary Biology*, 13: 168.

Hiyama A, Taira W, Nohara C, Iwasaki M, Kinjo S, Iwata M, Otaki JM (2015) Spatiotemporal abnormality dynamics of the pale grass blue butterfly: three years of monitoring (2011–2013) after the Fukushima nuclear accident. *BMC Evolutionary Biology*, 15: 15.

Hiyama A, Taira W, Iwasaki M, Sakauchi K, Gurung R, Otaki JM (2017a) Geographical distribution of morphological abnormalities and wing color pattern modifications of the pale grass blue butterfly in northeastern Japan. *Entomolical Science*, 20: 100–110.

Hiyama A, Taira W, Iwasaki M, Sakauchi K, Iwata M, Otaki JM (2017b) Morphological abnormality rate of the pale grass blue butterfly *Zizeeria maha* (Lepidoptera: Lycaenidae) in southwestern Japan: a reference data set for environmental monitoring. *Journal of Asia-Pacific Entomology*, 20: 1333–1339.

Hiyama A, Taira W, Sakauchi K, Otaki JM (2018) Sampling efficiency of the pale grass blue butterfly *Zizeeria maha* (Lepidoptera: Lycaenidae): A versatile indicator species for environmental risk assessment in Japan. *Journal of Asia-Pacific Entomology*, 21: 609–615.

Holt RD (2003) On the evolutionary ecology of species' ranges. *Evolutionary Ecology Research*, 5: 159–178.

本田計一・加藤義臣 (2005) チョウの生物学: 420–441, 東京大学出版会, 東京.

金井賢一・坂巻祥考 (2018) ヤマトシジミ南西諸島亜種 *Zizeeria maha okinawana* は本土産亜種 *Z. m. argia* と区別できるのか？ 南太平洋海域調査研究報告, 59: 35–36.

Kissling WD, Pattemore DE, Hagen M (2014) Challenges and prospects in the telemetry of insects. *Biological Reviews*, 89: 511–530.

Kokko H, López-Sepulcre A (2006) From individual dispersal to species ranges: perspective for a changing world. *Science*, 313: 789–791.

Legrand D, Larranaga N, Bertrand R, Ducatez S, Calvez O, Stevens VM, Baguette M (2016) Evolution of a butterfly dispersal syndrome. *Proceedings of the Royal Society B: Biological Sciences*, 283: 20161533.

Lombaert E, Estoup A, Facon B, Joubard B, Grégoire JC, Jannin A, Blin A, Guillemand T (2014) Rapid increase in dispersal during range expansion in the invasive ladybird Harmonia axyridis. *Journal o Evolutionary Biology*, 27: 508–517.

Mishra A, Tung A, Shreenidhi PM, Sadiq MA, Sruti VRS, Chakraborty PP, Dey S (2018) Sex differences in dispersal syndrome are modulated by environment and evolution. *Philosophical Transactions of the Royal Society B: Biological Science*, 373: 20170428.

中村寛志 (2010) チョウ類を指標種とした環境評価手法と環境アセスメント. 日本環境動物昆虫学会, 21: 85–91.

西村正賢 (2008) ヤマトシジミの地理変異，季節変異，棲息環境などについての知見．蝶研フィールド, 23: 259–260.

Nohara C, Hiyama A, Taira W, Tanahara A, Otaki JM (2014a) The biological impacts of ingested radioactive materials on the pale grass blue butterfly. *Scientific Reports*, 4: 4946.

Nohara C, Taira W, Hiyama A, Tanahara A, Takatsuji T, Otaki JM (2014b) Ingestion of radioactively contaminated diets for two generations in the pale grass blue butterfly. *BMC Evolutionary Biology*, 14: 193.

Nohara C, Hiyama A, Taira W, Otaki JM (2017) Robustness and radiation resistance of the pale grass blue butterfly from radioactively contaminated areas: a possible case of adaptive evolution. *Journal of Heredity*, 109: 188–198.

Otaki JM (2016) Fukushima's lessons from the blue butterfly: a risk assessment of the human living environment in the post-Fukushima era. *Integrated Environmental Assessment and Management*, 12: 667–672.

Otaki JM, Taira W (2017) Current status of the blue butterfly in Fukushima research. *Journal of Heredity*, 109: 178–187.

Otaki JM, Hiyama A, Iwata M, Kudo T (2010) Phenotypic plasticity in the range-margin population of the lycaenid butterfly *Zizeeria maha*. *BMC Evolutionary Biology*, 10: 252.

Ovaskainen O, Smith AD, Osborne JL, Reynolds DR, Carreck NL, Martin AP, Niitepõld K, Hanski I (2009) Tracking butterfly movements with harmonic radar reveals an effect of population age on movement distance. *Proceedings of the National Academy of Sciences of the United States of America*, 105: 19090–19095.

Ronce O (2007) How does it feel to be like a rolling stone? Ten questions about dispersal evolution. *Annual Review of Ecology, Evolution, and Systematics*, 38: 231–253.

Saastamoinen M (2008) Heritability of dispersal rate and other life history traits in the Glanville fritillary butterfly. *Heredity*, 100: 39–46.

Sakauchi K, Taira W, Toki M, Iraha Y, Otaki JM,(2019) Overwintering states of the pale grass blue butterfly *Zizeeria maha* (Lepidoptera: Lycaenidae) at the time of the Fukushima Nuclear Accident in March 2011. *Insects*, 10: 389.

Sakauchi K, Taira W, Hiyama A, Imanaka T, Otaki JM (2020) The pale grass blue butterfly in ex-evacuation zones 5.5 years after the Fukushima nuclear accident: Contributions of initial high-dose exposure to transgenerational effects. *Journal of Asia-Pacific Entomology*, 23: 1.

Shirai Y, Takahashi M (2005) Effects of transgenic Bt corn pollen on a non-target lycaenid butterfly, *Pseudozizeeria maha*. *Applied Entomology and Zoology*, 40: 151–159.

白水隆 (2006) 日本産蝶類標準図鑑：学研教育出版, 東京.

須田真一・永幡嘉之・中村康弘・長谷川大・矢後勝也（2012）フィールドガイド日本のチョウ：誠文堂新光社, 東京.

Taira W, Nohara C, Hiyama A, Otaki JM (2014) Fukushima's biological impacts: The case of the pale grass blue butterfly. *Journal of Heredity*, 105: 710–722.

Taira W, Hiyama A, Nohara C, Sakauchi K, Otaki JM (2015a) Ingestional and transgenerational effects of the Fukushima nuclear accident on the pale grass blue butterfly. *Journal of Radiation Research*, 56(Suppl. 1): i2–i18.

Taira W, Iwasaki M, Otaki JM (2015b) Body size distributions of the pale grass blue butterfly in Japan: Size rules and the status of the Fukushima population. *Scientific Reports*, 5: 12351.

Travis JMJ, Delgado M, Bocedi G, Baguette M, Bartoń K, Bonte D, Boulandeat I, Hodgson JA, Kubisch A, Penteriani V, Saastamoinen M, Stevens VM, Bullock JM (2013) Dispersal and species' response to climate change. *Oikos*, 122: 1532–1540.

Wang Z, Haung Y, Pierce NE (2019) Radio telemetry helps record the dispersal patterns of birdwing butterflies in mountainous habitats: Golden Birdwing (Troides aeacus) as an example. *Journal of Insect Conservation*, 23: 729–738.

鷲谷いづみ・吉岡明良・須田真一・喜連川優 (2013) 市民参加による東京チョウモニタリングでみたヤマトシジミ．科学, 83: 961–966.

Washitani I, Nagai M, Yasukawa M, Kitsuregawa M (2020) Testing a butterfly commonness hypothesis with data assembled by a citizen science program "Tokyo Butterfly Monitoring". *Ecological Research*, 35: 1087–1094.

（檜山充樹）

Ⅲ. 生活史

⑩ キタキチョウの越冬前交尾とオスの生活史の多型

1. はじめに

冬は昆虫類の生存や繁殖には一般的に不適な季節である。気温は低く，開花する植物は少ない。落葉樹が優占する地域であれば，夏と全く異なる光景が山野に広がることであろう。数ヵ月にわたる低温や乾燥，餌不足を克服し，冬を生き抜くことができなければ，昆虫類がその地に定着することはできない。実際，冬の厳しさが分布北限を決める要因になっている例は多い。越冬は昆虫類にとって極めて重大なイベントといえる。

昆虫類の越冬戦略は極めて多様である(Tauber *et al.*, 1986)。土のなかで越冬する種もあれば，枯草の裏で越冬する種もある。南に渡るものもいれば，耐凍性を高めて厳冬に耐えるものもいる。生物学は，こうした多様な越冬戦略を実験的に突き詰め，その結果を比較し，越冬戦略への理解を深めてきた。ところが，そのすべてが明らかになったわけではない。この章では，成虫越冬するチョウを題材に今なお続く越冬前交尾を巡る研究を紹介する。この章の一部は「昆虫と自然」(ニューサイエンス社)2015年8月号と2021年3月号に掲載された記事を元にしている。

2. チョウの成虫越冬

日本には約250種のチョウが定着している。鱗翅目昆虫が世界で約16万種も記載されていることを考えると，その数は決して多くない。ところが，日本産チョウ類という小さなグループの中ですら，越冬戦略は実に多様である。

種によって越冬戦略が異なることは，越冬態(越冬する際の発育段階)を想像するとわかりやすい。たとえば，ミドリシジミ *Neozephyrus japonicus* は木の幹に産み付けられた卵の状態で越冬する(図1)。オオムラサキ *Sasakia charonda* は幼虫で越冬し，翌年の夏に成虫になる(図2)。冬の間，民家の壁に付くアゲハチョウ類の蛹を見つけた経験をもつ人も多いであろう(図3)。春を待つキタテハ *Polygonia c-aureum* の成虫も印象的である(図4)。我が国のチョウ類のうち越冬態の明らかなものを調べると，もっとも多いのは幼虫越冬する種で，

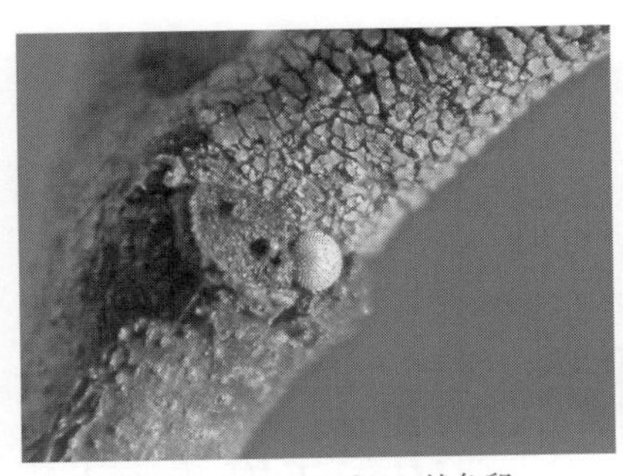

図1 ミドリシジミの越冬卵

図2 エノキの落葉の裏で越冬するオオムラサキの幼虫

図3 壁についていたジャコウアゲハの越冬蛹

図4 日光浴をするキタテハの秋型成虫

※図1～4は「昆虫と自然」56(3)口絵から転載

成虫越冬する種も約30種あった(白水, 2006)。しばしば動かない卵や蛹こそ越冬に適した姿であるといわれるが，幼虫越冬はむしろ普通で成虫越冬も少なくないのである。

実は，成虫越冬する種をさらに細かく分けることができる。雌雄の両方が越冬する種と，イシガケチョウ *Cyrestis thyodamas* のように基本的にメスだけが越冬するとされる種があるためである(福田ほか, 1983)。前者では，雌雄の両方が越冬し，春には交尾も産卵もみられる。これは昆虫の成虫越冬のごく一般的なパターンとされる(Tauber *et al.*, 1986)。それに対し，後者は奇異に感じられる。オスが秋のうちに死んでしまうのに，どのように次世代を残すのであろうか？

3. 越冬前交尾という選択肢

オスが越冬しない種の生活史を理解するには，チョウの生殖に関する知識が欠かせない。図 5 にチョウ類のメスの内部生殖器の模式図を示した。交尾が起こると，チョウ類のオスは精子を精包というカプセルに入れた状態でメスの交尾嚢に送り込む。精子を受け取る器官である交尾嚢とは別に，メスは受精嚢(貯精嚢)と呼ばれる精子貯蔵器官をもっている。精子には受精に使われる有核精子と授精能力のない無核精子の 2 種類があり，どちらの精子も受精嚢に移動していく。無核精子の機能は十分にわかっておらず，有核精子の移動を助けるという説とメスの再交尾を抑制するという説が有力である(Cook & Wedell, 1999; Sakai *et al.*, 2019)。受精嚢に到達した両型の精子のうち，無核精子は交尾後しばらくするとその数を減らしていく(Konagaya & Watanabe, 2015)。一方，有核精子は，受精嚢で長期間維持され，産卵の直前に受精に使われることがわかっている。

単為生殖する種を除けば，オスが越冬しない種が存在できるのは，メスが精子貯蔵能力をもつためといっても過言ではない。越冬前に交尾し精子を蓄えておけば，春にオスがいなくとも繁殖できる。残念ながら，イシガケチョ

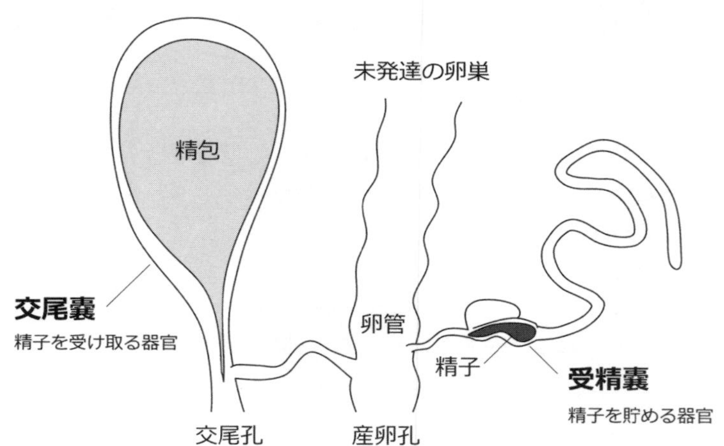

図 5　越冬前交尾したチョウのメスの内部生殖器の模式図（小長谷, 2021）
生殖休眠中のメスの卵巣は未発達で成熟卵がない。越冬前交尾したメスの交尾嚢内には，オスが注入した精包が残っている。精包内に入っていた精子は交尾後しばらくして受精嚢に移動し，春まで貯蔵される。

ウの越冬中の精子を観察した研究はないと思われるため，日本産チョウ類においてこの説が広く成り立つかを断言することはできない。それでも越冬前交尾と精子貯蔵によって次世代を生み出す昆虫は少なくないことがすでにわかっている。たとえば，スズメバチ類の女王は，越冬前交尾で得た精子を貯蔵し，翌春以降に利用している。

成虫越冬するチョウは基本的に春まで生殖休眠の状態にある（Tauber *et al.*, 1986）。生殖休眠はホルモンに制御された生殖活性の抑制であり，休眠中のメスは成熟卵（卵殻と十分な卵黄があり，すぐに受精可能な卵）をもたないのが普通である。成熟卵が形成されて産卵が始まるのは，越冬して休眠から覚醒した後になる。一方，交尾活性と生殖休眠は一対一の対応関係にない。交尾するが産卵しないという生理状態があり得るためである。本章では，越冬前交尾を生殖休眠中のメスが越冬前に交尾することと捉えている。したがって，明確な生殖休眠を示さず，産卵済のメスが越冬する種は今回の議論の対象外である。

4. 越冬前交尾の普遍性

越冬前交尾はオスが越冬しない種の専売特許ではなく，雌雄の両方が越冬する種でもしばしば観察されている。ただし，その頻度は種によって異なり，越冬前交尾のほとんどない種があれば，ほぼすべてのメスが越冬前に 1 度交尾する種もある。ここにも越冬戦略の多様性が垣間見える。

図鑑や論文，各地の同好会誌を収集し，チョウ類の越冬前交尾の有無を調べた結果を表 1 にまとめた。これには，越冬前に交尾するという記述がある文献，越冬前交尾の直接的な観察例の報告，解剖調査の報告が含まれる。これらのうち，もっとも情報量が多いのが解剖調査である。オスがメスに渡す精包はしばらくの間メス体内にとどまる。したがって，越冬中あるいは越冬前のメスを採集し，体内に精子や精包を確認できれば，その個体が越冬前交尾していた確固たる証拠になる。複数個体を解剖すれば，その個体群のメスのうち，越冬前交尾していた個体の割合も推定できる。

文献調査の結果，少なくとも 12 種のチョウについて解剖調査が行われていることがわかった。越冬前交尾が確認されているのはこのうちの 4 種である。ただし，必ずしも近縁種の間で越冬前交尾の有無が共通するのではない

表1 成虫越冬するチョウ類における越冬前交尾の有無と越冬前交尾率（小長谷, 2021）

種	地域	越冬前交尾の有無	越冬前交尾率（%）	文献
キタキチョウ *Eurema mandarina*	日本	あり	97.9（n=47）	Kato（1986）
ツマグロキチョウ *Eurema laeta*	日本	なし*	0（n=11）	矢田（1972）
ヤマキチョウ *Gonepteryx maxima*	日本	あり	14（n=50）	海野（1977）
ヨーロッパ産ヤマキチョウ *Gonepteryx rhamni*	スウェーデン	なし	0（n=15）	Wiklund *et al.*（1996）
スジボソヤマキチョウ *Gonepteryx aspasia*	日本	あり	100（n=50）	海野（1977）
キタテハ *Polygonia c-aureum*	日本	なし**	0（n=27）	Hiroyoshi & Reddy（2018）
シータテハ *Polygonia c-album*	日本	なし	不明	福田ほか（1983）
キベリタテハ *Nymphalis antiopa*	イギリス	なし	不明	Baker（1969）
ヒオドシチョウ *Nymphalis xanthomelas*	イギリス	なし	不明	Baker（1969）
クジャクチョウ *Inachis io*	イギリス	なし	不明	Baker（1969）
イシガケチョウ *Cyrestis thyodamas*	日本	あり	不明	福田ほか（1983）
テングチョウ *Libythea lepita*	日本	あり	不明	福田ほか（1983）
マサキルリマダラ *Euploea tulliolus*	台湾	なし	0（n=23）	Ishii & Matsuka（1990）
ルリマダラ *Euploea sylvester*	台湾	なし	0（n=10）	Ishii & Matsuka（1990）
マルバネルリマダラ *Euploea eunice*	台湾	なし	0（n=10）	Ishii & Matsuka（1990）
オオカバマダラ *Danaus plexippus*	アメリカ	あり	29***-47.8（n=160）	Herman *et al.*（1989）, Leong *et al.*（2008）, Leong *et al.*（2012）
	メキシコ	あり	8***-17***	Herman *et al.*（1989）
ムラサキシジミ *Narathura japonica*	日本	なし	0（n=3）	矢田（1972）
ウラギンシジミ *Curetis acuta*	日本	あり	不明	芦澤（1988）
ルーミスシジミ *Panchala ganesa*	日本	なし	0（n=14）	岩阪（2004）

産卵済のメスが越冬すると思われる種や夏眠前交尾する種，越乾季前交尾する種はこの表に含めなかった。* 解剖調査の結果。越冬前交尾の観察例自体は存在する（e.g. 近藤, 2015）。** 解剖調査の結果。ただし，越冬前交尾するという記述のある文献もある（福田ほか, 1983）。*** サンプルサイズは不明。

らしい。秋に羽化するキタキチョウ *Eurema mandarina* のメスがほぼすべて越冬前交尾するのに対し（Kato, 1986），同属のツマグロキチョウ *Eurema laeta* の越冬前交尾は一般的でない（矢田, 1972）。ヤマキチョウ属 *Gonepteryx* でも，種によって越冬前交尾の頻度が異なっている（海野, 1977; Wiklund *et al.*, 1996）。越冬前交尾の有無や頻度は，系統的制約によって強固に縛られたものではなく，進化的に変化しやすい形質と考えられる。

5．メスの越冬前交尾の意義

越冬前交尾したメスは精子を翌春まで体内で維持する。数ヵ月もの間，精子を良好な状態に保つ必要があるため，精子の維持に生理的なコストがかかるという指摘もある(Roth & Reinhardt, 2003)。たとえこのコストを無視できたとしても，交尾中は採餌に時間を割くことができず，捕食や感染症のリスクも高まる。それでは，なぜメスは産卵の数ヵ月も前に交尾するのであろうか？メスの越冬前交尾には何らかの説明が必要である。

この疑問への答えとして，互いに排他的でない3つの仮説を考えられる。第1の仮説は「強制説」である。実際，いくつかの種では，オスが羽化してまもないメスに交尾を強制する場合がある。ところが，羽化後時間の経ったメスが越冬前交尾することもあるので，この説だけですべてを説明することはできない。第2の仮説は，越冬前交尾が春にオスと出会えないためへの備えであるという「保険説」である。オスが秋に死滅する種の越冬前交尾はこの説により説明できる。ただし，大集団を形成して冬を越す北米のオオカバマダラ *Danaus plexippus* のように，春にオスと出会う機会がないとは思えない種もある。第3の仮説はメスが越冬前交尾によって越冬用の栄養をオスから受け取れるという「栄養説」である。これは決して荒唐無稽な仮説ではない。後述するように，チョウ類にはオスがメスに栄養を渡す種が知られているためである。

6. キタキチョウの生活史

本邦において越冬前交尾の研究がもっとも進んでいるチョウはキタキチョウである。キタキチョウは本州以南に分布し，幼虫はメドハギ *Lespedeza cuneata* やネムノキ *Albizia julibrissin* などのマメ科植物を食べる(白水, 2006)。本種は年多化性で，関東地方では1年に4回の出現ピークがある(Kato, 1986)。本種には成虫越冬に関連した季節多型があり，越冬するものを秋型と呼び越冬しないものを夏型と呼ぶ。両者は翅の模様が異なっていて，夏型には前翅の背側に黒い縁取りがある。対する秋型はほとんど黄色一色である。この秋型成虫が出現するのは秋に羽化する越冬世代に限られている。他にも，夏型と秋型の中間的な模様をもつ個体が出現することがあり，これを中間型と呼ぶこともある。ただし，中間型は夏型と同じくほとんど越冬しないので，本章では夏型として取り扱う。季節型の決定には温度と日長が関与し，幼虫期に短日低温条件を経験すると秋型が誘導されることがわかっている(矢田, 1974; Kato & Sano, 1987)。

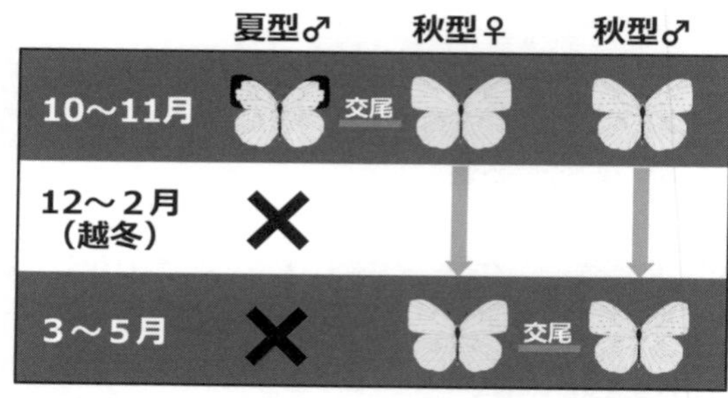

図6 キタキチョウの越冬世代の配偶様式の模式図（小長谷, 2015）

興味深いことに，晩秋に羽化するメスのほとんどが秋型であるのに対し，オスには夏型と秋型の両方が現れる（福田ほか, 1982）。越冬能力がないため，秋に羽化した夏型オスは冬を迎える前に死滅してしまう。このようなオスが出現する理由も探求されてきた。今日ではその生理学的理由がすでに解明されている。日長に対する応答性（反応基準）に雌雄差があるため，メスがほとんど秋型になる短日低温条件でもオスの一部が夏型になるのである（Kato & Sano, 1987）。秋に羽化する夏型オスというと，表現型が季節に合致していない非適応的な存在のように思えてしまう。ところが，そのように結論づけるのは尚早である。同時期に現れる秋型メスが越冬前交尾するためである。越冬しない夏型オスにも交尾機会があるといえよう（Kato, 1986）。

キタキチョウの越冬前交尾が報告されたのはおそらく1951年が最初である（廣瀬, 1951）。その後も越冬前交尾の一例報告が散見される。当初，越冬前交尾は例外的行動で生殖に結びつかないと考えられていたらしい（福田ほか, 1982）。1986年になると，東京での解剖調査の結果が報告され，ほとんどの秋型メスが越冬前に1個の精包を保有しており，その数が越冬後に増加することが明らかになった（Kato, 1986）。その後の研究で秋型メスの越冬前の交尾相手がほとんどの場合で夏型オスであることも判明している（Kato, 1989）[(註1)]。キタキチョウの秋型メスは越冬前に夏型オスと交尾し，越冬後に秋型オスと再交尾していたのである（図6・7）。もちろん，夏型オスの精子はメス体内で越冬可能で，越冬中の秋型メスは春に再交尾しなくても受精卵を産下できる（西山, 1989）。現在では，越冬前交尾を普通の行動とみなし，雌雄の両方にとって何らかの適応的意義があると考えるのが一般的である。

キタキチョウには越冬前交尾を研究するうえで優れたいくつかの特徴がある。本種は関東地方や近畿地方における最普通種のひとつであり，初めて訪

図7　実験室内で越冬前交尾した夏型オス（左）と秋型メス（右）

れる地域でも雑木林の林縁や河川敷を探索すれば，容易に本種を見つけられる。体サイズが適度であることも重要である。キタキチョウは前翅の長さが2 cm程度と扱いやすい。野外調査にも飼育実験にも向く適度な大きさといえよう。幼虫が人工飼料をよく食べることも飼育を容易にしている。そして何よりも先行研究が豊富なのが心強い。季節型の誘導に関わる環境要因がわかっているだけでなく，1年を通じた季節型の比率の推移や各型の行動パターンについても，詳細な報告がなされてきた。

すでに述べたように，メスが越冬前交尾する理由として，「強制説」・「保険説」・「栄養説」が挙げられてきた。キタキチョウでは，オスが羽化前の蛹の周囲に集まり，羽化直後の飛べないメスと交尾する現象が知られている(Kato & Nakane, 1989)。これは「強制説」と一致する。しかし，羽化直後でない雌もしばしば求愛を受け入れるので，越冬前交尾には雌にとっても何らかの意義があると思われる。すなわち，「強制説」以外の仮説にも目を向ける必要がある。そこで，筆者らは先行研究を踏まえたうえで，野外調査によって「保険説」を，室内実験によって「栄養説」を検討した。

7. キタキチョウを用いた検証：保険説

「保険説」は越冬前交尾が春にオスと出会えないためへの備えであるという仮説であった。この説を検討するには，越冬した秋型雌が，産卵開始までに秋型雄と交尾する機会を十分にもつかを調べなければならない。そこで，2013年の春と秋に茨城県つくば市において，越冬前後の秋型雌を採集し，卵巣内の卵の数と精包の形態から産卵開始時期と越冬後の交尾時期を推定した(Konagaya & Watanabe, 2015)。シロチョウ類では，羽化後に新たな卵を作らないとされるため，卵巣内の卵の減少が産卵開始を意味する。オスから渡

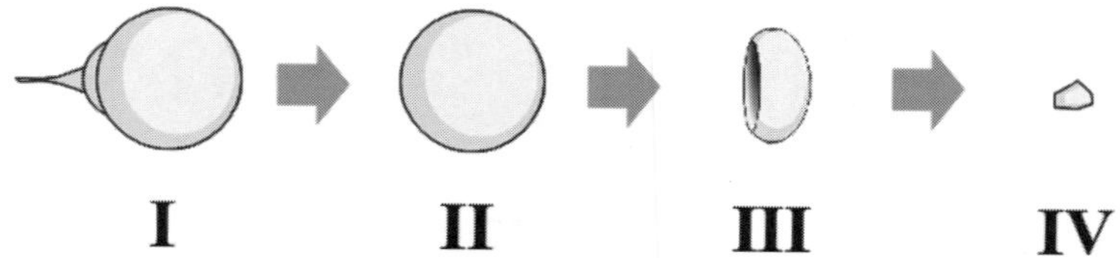

図 8　キタキチョウの精包の崩壊過程の模式図（Konagaya & Watanabe, 2015）
精包を形態によって 4 段階に分類し，交尾後の時間経過の指標とした。

された精包も時間を経るにつれてその形が崩れ，最終的には残骸になってしまう。そのため，雌体内でもっとも大きな精包の形を雌の最後の交尾からの日数の指標として利用できる(図 8)。この研究では，精包を 4 つの段階に分類し，第 1 段階を交尾直後のもの，第 2 段階を交尾後数日経ったもの，第 3 段階を交尾後 1 週間程度のもの，第 4 段階を少なくとも 1 ヶ月以上経過したものとしている。

越冬前に採集した雌は, 約 400 個の卵を保有していた(図 9)。これらは全て未熟な卵で, 産卵の形跡はなかった。秋型雌は越冬前には産卵しないといえる。越冬後の 3 月後半と 4 月前半に採集した雌では, 卵巣が発達していたものの, 保有卵数は越冬前と変わらなかった。4 月後半になると, 卵の数は約 300 個に減少していた。すなわち, 雌は 4 月半ばから産卵を開始していたといえる。これは, この年における食草のメドハギの新芽の展開と対応していた。

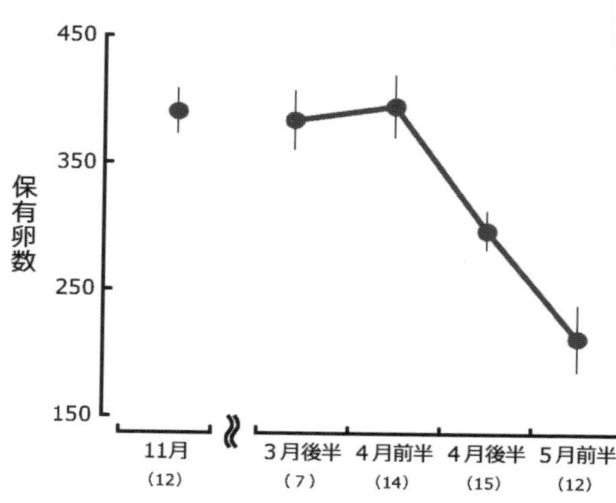

図 9　保有卵数の経時的変化（± SE）
未熟卵を含む卵巣内の全ての卵を概算した。( )内の数字はサンプルサイズを表す。Konagaya & Watanabe (2015) より図示。

越冬前に採集した雌の約 6 割が精包をもっていた(図 10)。この時期の秋型雄の交尾活性は低いので，これらは夏型雄由来と推測できる。Kato (1986) では越冬前のほぼ全ての秋型雌が 1 個の精包をもっていたと報告されているので，精包をもっていなかった個体は羽化直後だったのかもしれない。

3 月後半に里山の林縁部を歩いていると，交尾中の雌雄と遭遇することがあった。それに対応するかのように，3月後半に採集した雌の半数程度が，数日以内に受け取ったと思われる新鮮な精包を保持していた。越冬明けから時間の経った4月前半になると，第2段階の精包も秋型雄由来とみなせるので，春になってから交尾したと推測される雌の数は9割以上に達する。産卵開始は4月半ばからだったので，ほとんどの雌が産卵開始前に秋型雄と交尾していたことになる。雌は越冬後，産卵開始までに秋型雄と再交尾する機会を十分にもっていたのである。

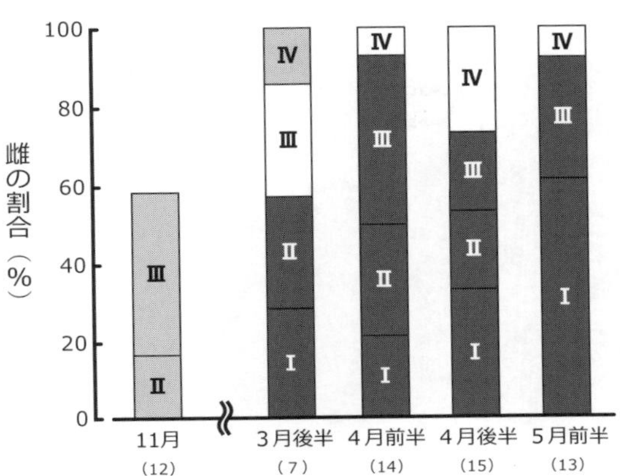

図10　越冬後に秋型雄と交尾と推測される雌の割合
ローマ数字は，保有していたもっとも大きな精包の崩壊段階を示す。濃い灰色は越冬後に秋型雄と交尾したと推測される雌を，薄い灰色は越冬後に交尾していないと推測される雌を，白色は判断を保留した雌を表す。( )内の数字はサンプル数を示す。Konagaya & Watanabe(2015)を改変。

もちろんこの結果は「保険説」を完全に否定するものではない。分布北限の近くでは，越冬に成功する個体が極めて少なく，越冬したメスがオスと出会う可能性はほとんどないかもしれない。寒波によって秋型成虫の密度が下がることがあれば，越冬前交尾が保険として機能する可能性は十分にある。1年のみの調査であることも注意を要する。ところが，越冬後の活動開始から産卵開始までに1ヵ月もの時間を要したことは見逃せない。少なくとも温暖な地域では別の仮説にも注目すべきであろう。

8. キタキチョウを用いた検証：栄養説

筆者らは飼育実験によって「栄養説」も検証した(Konagaya & Numata, 2018)。この実験は大変単純で，越冬前交尾した既交尾メスと未交尾メスとの間で越冬中の生存期間を比較するというものである。まず，室内で羽化させた秋型メスの一部を夏型オスと交尾させた。2〜3週間の採餌期間を経てから10℃明期10時間暗期14時間の低温短日条件で疑似的に越冬させた

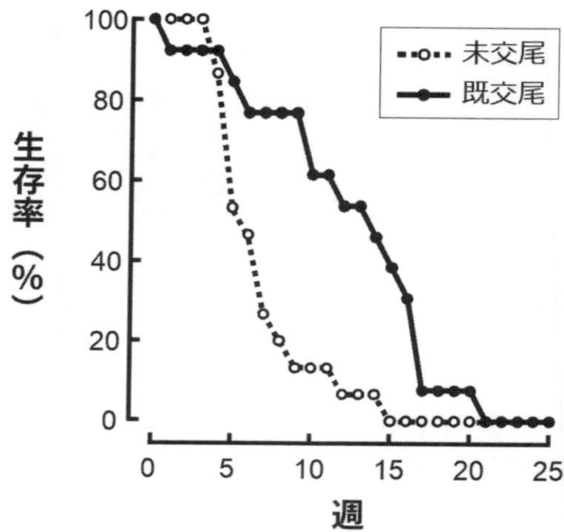

図 11　10℃で疑似的に越冬させた未交尾の秋型メスと既交尾の秋型メスの生存率（Konagaya & Numata (2018)を改変）

ところ，未交尾メスの生存期間が平均 7.9 週間（n=15）であったのに対し，夏型オスと交尾したメスの生存期間は平均 13.4 週間（n=13）であった（図 11）。これは「栄養説」を支持する結果である。

越冬前交尾によってメスの生存率が高まる機構の解明は今後の課題のひとつである。メスの栄養源の有力候補には，オスがメスに渡す精包を挙げられる。チョウ類のオスがつくる精包は，糖やタンパク質をはじめとする様々な栄養素を含んでいる（渡辺, 2005）。精包の大きさは種によって異なっていて，モンキチョウの一種 *Colias nastes* では 1 個の精包の重さがオスの体重の 15.5％にも達する（Svärd & Wiklund, 1989）。チョウ類のメスは精包を消化して自身の体の維持や卵生産のために利用している（Boggs & Gilbert, 1979）。スウェーデン産のエゾスジグロシロチョウの近縁種 *Pieris napi* では，複数回交尾してより多くの精包を受け取ることを可能にすると，メスの寿命が 1.2〜1.4 倍になり，生涯産下卵数も 1.4〜1.8 倍になるという（Wiklund *et al.*, 1993）。キタキチョウでも十分成熟したオスがつくる精包の重さは約 2 mg で，羽化直後のオスの体重の 4.8％に達する（小長谷・渡辺, 2013）。精包以外にも，本種のオスは最大で 1 mg 程度の液体状の付属腺物質をメスに渡すことが知られている（Hiroki & Obara, 1997）。

9. 越冬前交尾とオスの生活史の多型

生物が生まれ，成長し，繁殖し，死ぬまでの過程を生活史という。生物の生活史は多様であり，種の数だけ生活史がある。その一方で生活史に種間の類似性があるのもまた事実である。この類似性はどのように生じるのであろうか。その一部は系統間の類縁性によるものであろう。分岐してから時間の経っていない2種がよく似た形質をもっていても不思議ではない。環境の類似性もよく似た生活史を生みだす要素のひとつである。生活史にも遺伝的基盤があり，環境により合致した生活史をもつ個体の方がより多くの子を残す。そのため，自然選択が作用し，次第に生活史と環境との間に密接な関係が生じてくる。発生学的制約のような何らかの制約がなければ，似た環境を生きる種にはよく似た生活史が進化するはずである。ただし，環境と生活史の対応関係がすべて明らかになっているわけではない。越冬しないオスが進化する条件も未解決問題のひとつである。

メスの越冬前交尾の意義に比べると，越冬しないオスの問題は少しばかり複雑である。メスが越冬前交尾を受け入れない場合，オスは自身で越冬して春に交尾する生活史をとらざるを得ない。ところが，メスが越冬前交尾を受容するのであれば，オスには2つの選択肢が生じる。越冬せずに秋に交尾する生活史と越冬して春に交尾する生活史の2つである。しかも，イシガケチョウのようにほとんどのオスが前者の生活史をとる種があれば，キタキチョウのように両方のタイプのオスが共存する種もある。もしかしたら，メスが越冬前に交尾を受容できるのに，オスが越冬後にならないと交尾しない種もあるかもしれない。明確な越冬のあるチョウ類では観察例がないと思われるものの，理論上は越冬前交尾したオスが越冬することも考えられる。

明確な答えが見つかっていなくても既存の知見から何らかの推察を得ることはできる。たとえば，オス間競争のあり方は越冬しないオスの進化に関わる重要な生物的環境要因のひとつに違いない。冬の厳しさのような無機的環境要因も関係するかもしれない。この章の後半ではキタキチョウのオスの生活史に着目したいくつかの研究を紹介する。越冬する秋型オスと越冬しない夏型オスを直接比較できるキタキチョウは，この問題に取り組むうえでも興味深い存在である。

10. 夏型オスと秋型オスの違い

議論の出発点となるのは，秋に羽化する夏型オスと秋型オスの生き方の違いであろう。ここでは生物の個体が生涯に獲得・利用できる資源には限りがあるという考え方が重要になってくる。もし脂肪などのすべての資源を繁殖

図 12　せわしなく飛翔していた夏型オス（左）と吸蜜中の秋型オス（右）
いずれも 2017 年 10 月 5 日京都市で撮影。

に投資したならば，その個体は短命に終わるに違いない。生存と繁殖はトレードオフの関係にあり，その両方を最高の状態にすることはできないためである。キタキチョウも例外ではない。越冬せずに繁殖する夏型オスと越冬を控えた秋型オスでは，資源の獲得や配分のあり方が異なるはずである。

この予想は概ね正しい。2013 年 11 月に茨城県つくば市で成虫を採集したところ，夏型オスの前翅長は平均 21.3 ± 0.2 mm（± SE, n=53）で，秋型オスの平均 22.1 ± 0.1 mm（± SE, n=109）より有意に小さかった（Konagaya *et al.*, 2018）。たいていの場合，腹部も秋型の方が大きく膨れている。この違いを生み出している要因のひとつに幼虫の発育期間の長さを挙げられる。Kato & Sano（1987）によると，同じ日長温度条件でも，夏型オスは秋型オスよりも数日から 1 週間ほど早く羽化するという。越冬を控えた秋型の方が時間をかけて大きく成長するのかもしれない。両型のオスは成虫になる前からすでに異なる生き方をしているといえよう。

成虫になると夏型オスと秋型オスの違いはより顕著になる。それは模様や体サイズの違いだけにとどまらない。秋の河川敷を歩いていると，夏型オスが食草であるメドハギの周囲を縫うように飛ぶのをよく見かける（図 12）。一方の秋型オスはアメリカセンダングサ *Bidens frondosa* などの吸蜜植物の周りに多い。Kato（1989）によると，野外で採集したオスのうち吸蜜中であった個体が占める割合は，夏型オスで 10% 程度であるのに対し，秋型オスでは 50% を超えていたという。秋型オスの採餌活性が高いのは越冬用のエネルギー源を確保するためであろう。成虫越冬するチョウにとって越冬前の吸蜜行動は脂肪の貯蓄量を増やすのに重要で，クジャクチョウ *Inachis io* やコヒ

オドシ *Aglais urticae* では，越冬前の吸蜜により脂肪の貯蓄量が増えることが知られている（Pullin, 1987）。

秋が深まってくると夏型オスの翅はひどく汚れてくる。鱗粉が剥がれ，翅の外縁はささくれだつ。それに対し秋型オスの翅は多くの場合ほとんど汚れていない（Konagaya *et al*., 2018）。この差が行動パターンの違いによるものか翅の材質的な違いによるものかは定かではない。それでも，これらの観察から夏型オスが越冬を前提としていないと推測することはできる。越冬前交尾に特化したオスが出現するのは，メスの探索や精包等の生産にかかるコストが大きく，越冬前交尾と越冬を両立できないからかもしれない。

11．夏型オスと秋型オスの競争

動物のオスには 2 種類の競争様式がある。その 1 つが交尾機会を巡る競争で，もう 1 つが精子競争である（Parker, 1970）。前者は交尾前に起こり，後者は交尾後に起こる。越冬しないオスの進化を考えるうえでは，精子競争に関する理解が欠かせない。

そもそも交尾とは，オスが自身の遺伝情報をもつ精子をメスに直接渡す過程を指す。精子の数は多いので，1 回交尾するだけで，メスは自身のもつ卵をすべて受精させることができる。実際，十分に成熟したキタキチョウのオスがメスに渡す精子のうち，受精に使える有核精子は約 15,000 本あり，メスの生涯産下卵数を大きく上回っている（小長谷・渡辺, 2013; Konagaya & Watanabe, 2015）。一方，すでに述べたように交尾には様々なリスクがある。そのため，初期の研究では，メスが複数のオスと交尾するメリットはほとんどないとされ，チョウのメスは“貞淑”であると考えられてきた。

実際には多くのチョウ類でメスの多回交尾が認められている（渡辺, 2005）。1 回の交尾では交尾相手のオスが受精可能な精子の注入に失敗する可能性もあるし，複数回交尾することで遺伝的に相性の良いあるいは優れたオスを選ぶことも可能になる。チョウ類の場合，栄養豊富な精包を得られることもメスの多回交尾の意義になっている。キタキチョウの秋型メスは，越冬を挟んで多回交尾するという点で特徴的である。

メスの多回交尾はオスにとって新たな競争の始まりを意味する。メス体内に複数のオスの精子が入り，卵との受精を巡る精子競争が生じるためである。越冬世代のキタキチョウの場合，秋のうちに夏型オスの精子が秋型メスの受精嚢に貯められ，そのまま冬を越す。その後，春の訪れとともに秋型オスと秋型メスの交尾が起こり，今度は秋型オスの精子がメス体内に入ってくる。産卵の開始は活動開始よりも1か月も後なので，精子競争に勝たなければどちらのオスの精子も卵を授精することはできない（Konagaya & Watanabe, 2015）。夏型オスと秋型オスのいずれが有利であるかはこの精子競争のあり方に強く依存すると考えられる。

実は昆虫類では後から交尾したオスの精子がほとんどの卵を受精することが多い（Simmons, 2001）。この一般則を適用するとキタキチョウの越冬世代では夏型オスが著しく不利ということになる。しかし，夏型オスがほとんどの卵を受精できないと断定することはできない。夏型オスが何らかの方法で精子競争における不利さを緩和している可能性も残されているためである。実際，秋に採集した野外オスの精子の長さを計測したところ，夏型オスの有核精子が約1,400μmで，秋型オスの有核精子の約1,300μmよりも少し大きかった（Konagaya & Watanabe, 2015）。キイロショウジョウバエ *Drosophila melanogaster* では長い精子の方が精子競争に強い場合も知られている（Miller & Pitnick, 2002）。長い精子をつくることは避けられない精子競争に対する適応という可能性も考えられよう。この仮説を検証するには，DNAや表現型のマーカーを用いて，秋型メスの産む卵の父性を実験的に調べる必要がある。残念ながら現時点では，本種の精子競争に関する実験的な研究はまだ行われていない。

12. 個体群間比較というアプローチ

越冬しないオスの進化を探る手掛かりとなり得るのが個体群間比較である。広域に分布する生物の場合，個体群ごとに直面する環境が違っていても不思議ではない。環境が異なれば，自然選択で有利になる形質も違うので，適応形質に地理的変異が生じ得る。オスの生活史も例外ではない。

都合の良いことにキタキチョウの分布域はかなり広い。近縁種のキチョウ（ミナミキチョウ）*Eurema hecabe* の生息地が奄美大島以南に限られるのに対し，キタキチョウは東北地方にも定着している（白水, 2006）。太平洋側の分布北限は岩手県とされてきたが，最近は青森県でも越冬個体が発見されている(e.g. 三浦, 2017)。熱帯に生息する種が多いキチョウ属では，例外的に温帯域で成功した種と考えて良いであろう。しかし，その生息域は暖温帯や亜熱帯域にも及んでいる。南西諸島にも生息地が知られ，国外では台湾での採集例もある(加藤･矢田, 2005)。九州や南西諸島と東北地方では冬の厳しさがまったく異なるため，各地のキタキチョウがその地の冬に合わせた越冬戦略を進化させている可能性がある。

Kato(1989)は，越冬世代の夏型オスは「越冬を回避する型」と呼んだ。素朴に考えると冬の厳しい地域ほど越冬の回避は重要であるように思われる。この考えが正しければ，越冬世代に占める夏型オスの割合は北方ほど多いはずである。

13. 野外調査による個体群間比較

筆者らは，岩手県盛岡市から鹿児島県沖永良部島に至る8地点を秋に訪れ，野外を飛翔中のオスを採集してその季節型を記録した(Konagaya & Numata, 2020)。調査日は平年の最高気温が初めて21℃を切る日の前後3日以内とした。実際の調査は晴天時に実施し，10時から15時の間に発見した個体を可能な限り採集し，発見時の行動と季節型などを記録した。発見時の行動を記録するのは，夏型オスと秋型オスの行動パターンの違いを考慮するためである。秋型オスの方が訪花により長い時間を割くため，吸蜜植物の多い場所では秋型が多く採集されてしまう。発見時の行動を記録しておけば，その情報を考慮した統計解析が可能になる。発見時の行動は，飛翔・静止・吸蜜・吸水・交尾の5種に類別した。冬の厳しさの指標は平年の最高気温が15℃を下回る日数を選んだ。これは本種がおよそ15℃以上の気温で活動することに由来している。平年最高気温が15℃を下回る日は，盛岡市で年間172日であるのに対し，沖永良部島では0日となり，調査地間でかなりの隔たりがある。

各地で採集した295頭のオスのうち夏型オスは130頭であった。採集したオスに占める夏型の割合は44.1%になる。もちろん両型のオスの飛翔活性が異なるため，この値をそのまま野外に存在するオスに占める夏型の割合とみなすことはできない。それでも多数の夏型オスが存在することを示すには十分であろう。飛翔中のオスに限ると，夏型の割合は33.3～68.4%と調査地に

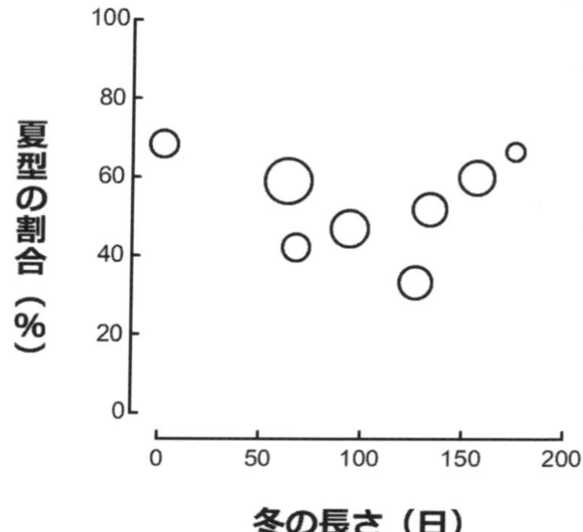

図 13　秋に野外で採集した飛翔中のオスに占める夏型の割合と冬の長さの関係

岩手県盛岡市・宮城県岩沼市 / 亘理町・京都府亀岡市・京都府城陽市・高知県四万十市・宮崎県日南市・鹿児島県志布志市・鹿児島県沖永良部島（和泊町）の 8 カ所で調査した。冬の長さは平年最高気温が 15℃以下になる日数とした。採集したオスは 295 頭で，図中の円の大きさが各調査地でのサンプルサイズを表す。Konagaya & Numata（2020）を図示。

よって異なった（図 13）。ただし，明確な地理的傾向はなく，採集時の行動を考慮した統計解析でも地理的変異が認められなかった。他方，十分な数のメスを採集できなかった沖永良部島を除くと，メスはほぼ秋型で，調査時期が大きく誤っていたとも思われない。少なくとも九州南部から東北地方にかけては，越冬世代のオスの多数が夏型として羽化していると考えられる。

この時の調査では，秋型メスも同時に採集して，保有精包数を調べることでその交尾の有無も推定した。その結果，採集した秋型メスのうち約 91％が精包をもっており，越冬前交尾を済ませていたことがわかった。越冬前交尾率にも地理的な変異はなく，越冬前交尾とオスの季節型の混棲という配偶様式が広い範囲で成立していることが明らかになった。分布北限の青森県への拡大を追った研究では，青森県でも秋に夏型オスと秋型オス，秋型メスが同時に採集されており，越冬前交尾も観察されている（三浦，2017）。越冬に成功した秋型オスも観察されているので，越冬後の交尾も生じているに違いない。分布の北限でも本種の配偶様式は変わらない可能性が高い。

14.　飼育実験による個体群間比較

野外調査には研究者が操作できない条件が多いという弱点がある。そこで筆者らは飼育実験による個体群間比較も行った（Konagaya & Numata, 2020）。飼育実験も実際に生物の生息する野外の条件を完全に反映できないものの，両方の手法を併用することでより確からしい結果を期待できる。

飼育実験では，6～7 月に宮城県から鹿児島県に至る複数の調査地で採集した夏型メスを産卵させ，幼虫を 20℃もしくは 25℃の恒温器内で飼育した。日長は明期 12 時間暗期 12 時間とした。関東地方の個体群を用いた実験では，この条件で秋型が出現することがわかっている。餌も人工飼料を使って統一した。

25℃では 529 頭のオスのうち 192 頭が夏型として羽化し，20℃でも 116 頭のオスのうち 43 頭が夏型であった。統計解析の結果，飼育実験でも夏型オスと秋型オスの比率に明確な地理的変異は認められなかった。九州から東北にかけての広い範囲で，秋に夏型オスが羽化してくるのはまず確かであり，飼育実験の結果は野外調査の結果と対応している。これは九州と東北の冬季の環境が大きく異なることを考えると意外にも思える。

それでも今回の結果から冬の厳しさがキタキチョウの配偶様式に全く影響しないと言い切ることはできない。飼育実験に用いた個体群は鹿児島県志布志市のものが最南端であり，南西諸島より南のキタキチョウを調べていないためである。厄介なことに南西諸島では近縁のキチョウが優占し各所で乱舞している。両種の形態は酷似していて，飛翔中のキチョウとキタキチョウを区別することは困難を極める。キタキチョウのみが生息するとされる島もあるものの（加藤・矢田, 2005），本州に比べると生息数は多くないようである。亜熱帯域の個体群の研究は今後の課題のひとつである。

15. おわりに

近年，越冬前交尾の有無と越冬成功率が相関する可能性が指摘されている（Konagaya *et al.*, 2018）。越冬成功率にはその種の個体にとっての冬の厳しさが反映されている。これまでの数少ない報告をまとめると，越冬前交尾がないとされる種に比べて，越冬前交尾する種の越冬成功率が低い傾向にあるというのである。メスにとっては，オスと出会えないことへの備えとしての越冬前交尾も，栄養補給としての越冬前交尾も，越冬成功率が低い時に重要である。冬の厳しさが越冬前交尾の進化に関与する可能性は十分にある。メスが越冬前交尾を受容しなければ越冬しないオスも存在し得ないので，越冬成功率の低さが越冬しないオスの進化の遠因になった可能性もある。ところが，進化の全体像を描くにはあまりにもデータが不足している。

そもそも越冬前交尾の有無と越冬成功率が両方推定されている種は数えるほどしかない。たとえば，メキシコで越冬するオオカバマダラでは越冬成功率が25%を下回ることがある（Brower *et al.*, 2004）。日本ではウラギンシジミ *Curetis acuta* の越冬成功率が10～30%程度と低い（高柳, 1999；梅津, 2016；長谷川, 2017）。筆者らも，標識再捕獲法を用いた野外調査で，キタキチョウの秋型成虫の越冬成功率を5.2%（95%信頼区間は1.3～13.7%）と推定している（Konagaya *et al.*, 2018）。これらは越冬前交尾のある種である。一方，欧州における飼育実験によると，越冬前交尾しないとされるクジャクチョウ *Inachis io* やシータテハ *Polygonia c-album* では，越冬成功率が90%以上になるという（Wiklund *et al.*, 2003）。これらの研究を列挙すると，越冬前交尾の有無と越冬成功率との間には何らかの関係を見出したくなる。しかし，研究が少なすぎるため，対象種・地域・調査方法・その他の交絡を解けないが現状である。

チョウ類は昆虫のなかでもよく研究の進んだ分類群である。日本産チョウ類では全種のおおよその生活史が判明して久しく，その上に生態学的研究や生理学的研究が発展してきた。ところが，越冬前交尾については，その有無すら明らかになっていない場合が多い。測定に労力のかかる越冬成功率はほとんどの種で謎のままである。チョウの生活史の研究は決して過去のものではない。各種の盛衰や保全を考えるうえでは各種・各地域における個別の研究が重要であるし，それらを比較することで生物学一般に資するような成果が花開くかもしれない。今後，より多くの観察例が蓄積され，より多くの定量的調査や実験的研究に展開していくことを期待したい。

〔註〕

（註1）越冬前に秋型同士が交尾する例も少数ながら報告されている。晩秋になると夏型オス同様に汚損した翅をもち，夏型オスに類似した行動をとる秋型オスを見ることがある。このような秋型オスの越冬の可否はわかっていない。

〔引用文献〕

芦澤一郎（1988）ウラギンシジミは越冬前交尾，越冬後産卵. 蝶研フィールド, 30: 3.

Baker RR (1969) The evolution of the migratory habit in butterflies. *Journal of Animal Ecology*, 38: 703–746.

Boggs CL, Gilbert LE (1979) Male contribution to egg production in butterflies: evidence for transfer of nutrients at mating. *Science*, 206: 83–84.

Brower LP, Kust DR, Rendon-Salinas E, Garcia-Serrano E, Kust KR, Miller J, del Rey CF, Pape K (2004) Catastrophic winter storm mortality of monarch butterflies in Mexico during January 2002. In: Oberhauser K, Solensky MJ (eds) The Monarch Butterfly: Biology and Conservation, pp 151–166. Cornel University Press, New York.

Cook PA, Wedell N (1999) Non-fertile sperm delay female remating. *Nature*, 397: 486.

福田晴夫・浜栄一・葛谷健・高橋昭・高橋真弓・田中蕃・田中洋・若林守男・渡辺康之(1982)原色日本蝶類生態図鑑(I). 保育社, 大阪.

福田晴夫・浜栄一・葛谷健・高橋昭・高橋真弓・田中蕃・田中洋・若林守男・渡辺康之(1983)原色日本蝶類生態図鑑(II). 保育社, 大阪.

長谷川源(2017)岩手県南部におけるウラギンシジミの冬季調査報告. インセクトマップオブ宮城, 47: 45–47.

Herman W, Brower LP, Calvert WH (1989) Reproductive tract development in monarch butterflies overwintering in California and Mexico. *Journal of the Lepidopterists' Society*, 43: 50–58.

Hiroki M, Obara Y (1997) Delayed mating and its cost to female reproduction in the butterfly, *Eurema hecabe*. *Journal of Ethology*, 15: 79–85.

廣瀬誠(1951)*Eurema* 属の交尾. 新昆蟲, 4(2/3): 32.

Hiroyoshi G, Reddy GVP (2018) Field and laboratory studies on the ecology, reproduction, and adult diapause of the Asian comma butterfly, *Polygonia c-aureum* L. (Lepidoptera: Nymphalidae). *Insects*, 9: 169.

Ishii M, Matsuka H (1990) Overwintering aggregation of *Euploea* Butterflies (Lepidoptera, Danaidae) in Taiwan. *Tyo to Ga*, 41: 131–138.

岩阪佳和(2004)房総丘陵産ルーミスシジミの世代数の推定 —卵巣の成熟, 交尾嚢の形状, 翅の鮮度より—. 房総の昆虫, 32: 8–12.

Kato Y (1986) The prediapause copulation and its significance in the butterfly *Eurema hecabe*. *Journal of Ethology*, 4: 81–90.

Kato Y (1989) Differences in reproductive behavior among seasonal wing morphs of the butterfly *Eurema hecabe*. *Journal of Insect Behavior*, 2: 419–429.

Kato Y, Nakane T (1989) Male approach to pupae in the yellow butterfly, *Eurema hecabe*. *Journal of Ethology*, 7: 59–61.

Kato Y, Sano M (1987) Role of photoperiod and temperature in seasonal morph determination of the butterfly *Eurema hecabe*. *Physiological Entomology*, 12: 417–423.

加藤義臣・矢田脩(2005)西南日本および台湾におけるキチョウ2型の地理的分布とその分類学的位置. 蝶と蛾, 56: 171–183.

小長谷達郎(2015)成虫越冬するキタキチョウ秋型雌の交尾戦略. 昆虫と自然, 50(9): 9–12.

小長谷達郎(2021)チョウの越冬前交尾を探る. 昆虫と自然, 56(3): 21–24.

Konagaya T, Numata H (2018) Effect of mating on survival at low temperature in females of the Japanese common grass yellow, *Eurema mandarina. Ecological Entomology,* 43: 695–698.

Konagaya T, Numata H (2020) Late autumn occurrence of non-diapause male adults in various geographic populations of a pierid butterfly, *Eurema mandarina. Journal of Natural History*, 54: 1409–1423.

小長谷達郎・渡辺守(2013)キタキチョウの夏型雄の精子生産と注入精子数. 日本応用動物昆虫学会誌, 57: 243–248.

Konagaya T, Watanabe M (2015) Adaptive significance of the mating of autumn-morph females with non-overwintering summer-morph males in the Japanese common grass yellow, *Eurema mandarina* (Lepidoptera: Pieridae). *Applied Entomology and Zoology*, 50: 41–47.

Konagaya T, Yokoi T, Watanabe M, Numata H (2018) Overwintering success in adults of the Japanese common grass yellow *Eurema mandarina. Entomological Science*, 21: 216–224.

近藤伸一(2015)兵庫県におけるツマグロキチョウの大発生について. きべりはむし, 38: 6–12.

Leong KLH, Yoshimura MA, Piner A (2008) Reliability of abdominal palpation in determining the mated status of overwintering monarch butterfly (Nymphalidae: Danainae) females in California. *Journal of the Lepidopterists' Society*, 62: 161–165.

Leong KHL, Yoshimura, MA, Williams C (2012) Adaptive significance of previously mated monarch butterfly females (*Danaus plexippus* (Linneaus)) overwintering at a California winter site. *Journal of the Lepidopterists' Society*, 66: 205–211.

Miller GT, Pitnick S (2002) Sperm-female coevolution in *Drosophila. Science*, 298: 1230–1233.

三浦博(2017)青森県におけるキタキチョウの越冬・生態調査. *Celastrina*, 52: 1–20.

西山隆(1989)日光国立公園の蝶(11)キチョウの越冬地上限と成虫の分散. インセクト, 40(2): 85–93.

Parker GA (1970) Sperm competition and its evolutionary consequences in the insects. *Biological Reviews*, 45: 525–567.
Pullin AS (1987) Adult feeding time, lipid accumulation, and overwintering in *Aglais urticae* and *Inachis io* (Lepidoptera: Nymphalidae). *Journal of Zoology*, 211: 631–641.
Roth S, Reinhardt K (2003) Facultative sperm storage in response to nutritional status in a female insect. *Proceedings of the Royal Society of London Series B*, 270: S54–S56.
Sakai H, Oshima H, Yuri K, Gotoh H, Daimon T, Yaginuma T, Sahara K, Niimi T (2019) Dimorphic sperm formation by *Sex-lethal*. *Proceedings of the National Academy of Sciences*, 116: 10412–10417.
Simmons LW (2001) *Sperm competition and its evolutionary consequences in the insects*. Princeton University Press, Princeton.
白水隆(2006)日本産蝶類標準図鑑．学習研究社，東京．
Svärd L, Wiklund C (1989) Mass and production rate of ejaculates in relation to monandry/polyandry in butterflies. *Behavioral Ecology and Sociobiology*, 24: 395–402.
高柳芳恵(1999)わたしの研究⑥葉の裏で冬を生きぬくチョウ．偕成社．東京．
Tauber MJ, Tauber CA, Masaki S (1986) *Seasonal Adaptation of Insects*. Oxford University Press, New York.
梅津一史(2016)秋田県におけるウラギンシジミの採集例と越冬観察例．月刊むし，547: 26–29.
海野和男(1977)ヤマキチョウ属の交尾期．*TSU-I-SO*, 148: 573–578.
渡辺守(2005)繁殖の生態・生理．チョウの生物学（本田計一・加藤義臣 編）：350–376，東京大学出版会，東京．
Wiklund C, Kaitala A, Lindfors V, Abenius J (1993) Polyandry and its effect on female reproduction in the green-veined white butterfly (*Pieris napi* L.). *Behavioral Ecology and Sociobiology*, 33: 25–33.
Wiklund C, Lindfors V, Forsberg J (1996) Early male emergence and reproductive phenology of the adult overwintering butterfly *Gonepteryx rhamni* in Sweden. *Oikos*, 75: 227–240.
Wiklund C, Gotthard K, Nylin S (2003) Mating system and the evolution of sex-specific mortality rates in two nymphalid butterflies. *Proceedings of the Royal Society of London Series B*, 270: 1823–1828.
矢田脩(1972)成虫越冬する蝶の交尾時期．*Pulex*, 52: 210.
矢田脩(1974)日本産 *Eurema* 属２種の季節型と成虫休眠性について．蝶と蛾，25: 47–53.

（小長谷達郎）

11 イネ科植物を食草とするウラナミジャノメ属における食性と化性の進化

1．チョウと植物の共進化

ほとんどのチョウはスペシャリストである。つまり，成虫は特定の種類・グループの植物に産卵し，孵化した幼虫はその植物を食べて成長する。食草が多くの科にまたがっているような種類，すなわちジェネラリストは少数派である。

では，なぜ多くの種類はスペシャリストなのだろうか？ 昆虫の種類ごとに食草や生息場所(ニッチ)が異なることで，地域全体としては複数の種類が共存できるようになる。すなわち，種の多様性の維持につながる。そのため，スペシャリストの進化は生物群集の成り立ちを考える上でも重要である。

スペシャリストの進化を説明するフレームワークとして提唱されたのが「昆虫と植物の共進化」という概念である(Ehrlich & Raven, 1964)。昆虫は植物を食べる。一方で植物は昆虫に食べられないよう，昆虫の摂食や成長を阻害するような化学物質をわざわざ生産している。たとえば，ウマノスズクサにはアリストロキア酸という毒物質が含まれている。しかし，昆虫はこれに対抗して，毒をうまく代謝できるような進化が起こる。実際，ジャコウアゲハやホソオチョウの幼虫はウマノスズクサを食べることができる。このような昆虫と植物のせめぎ合い，すなわち敵対的な共進化の関係は，ずっと続いていく。

共進化の結果，ある昆虫はそれまでの歴史で関係を維持してきた系統の植物だけを利用できる状態となる。一方で，他の系統の植物が生産する毒物質には適応できていない。ジャコウアゲハはウマノスズクサを食べられるが，その他のグループの植物を食べることはできない。これが昆虫と植物の共進化によってスペシャリストが進化する理論である。

共進化はチョウの食草を大まかに説明する枠組みとして機能しており，いまなお人気のある考え方である。ところが，このような毒物質をめぐる共進化の枠組みには当てはまりそうにないチョウの仲間がある。

2. イネ科食チョウ類

ジャノメチョウ科と一部のセセリチョウ科は，イネ科やカヤツリグサ科の単子葉植物を食草としている。どちらのグループも，成虫の模様が茶色っぽく地味なことが特徴である。

昆虫に対するイネ科植物の防衛戦略は，双子葉植物とは異なっている。毒物質を生産する「化学防衛」ではなく，葉を硬くすることによって幼虫からの摂食を妨害する「物理防衛」が主力となっている。イネ科植物は土壌中のケイ素を根から多く吸収し，細胞壁に蓄積させる。これが植物体の維持や葉の硬さに貢献している。

チョウの生活史を考える上では，孵化幼虫の生存が重要になる。イネ科食チョウ類の場合，小さい孵化幼虫がいかに硬い葉に食いつけるかが生存の鍵となる。幼虫の頭部が大きく，食いつく力が十分に備わっていることが重要である。

ここで，共進化仮説に立ち戻って考えてみよう。特殊な化学物質をもつ植物に適応することで，他の植物には適応できなくなることがスペシャリスト化の要因である。つまり，「あちらが立てばこちらが立たず」のトレードオフの関係が生じていることになる。

一方でイネ科植物の場合，昆虫が克服すべき最重要課題は葉の硬さである。もしこれを乗り越えることができるなら，他の種類のイネ科植物であっても，葉の硬さが同等かそれ以下であれば，食草として利用できることになる。すなわち，食草の利用しやすさに関してトレードオフが生じないので，スペシャリストの進化は生じなさそうである。

しかし，実際にはジャノメチョウ科・セセリチョウ科ともに，イネ科植物の中でも限られた種類だけを食草としている種類が多い。たとえば，クロヒカゲモドキはオオアブラススキを主な食草としているし，コチャバネセセリはササの仲間を食草としている。つまり，イネ科食チョウ類もたしかにスペシャリストが多いのだが，共進化のフレームワークでは説明しにくいと考えられる。

3. 体サイズと卵サイズの相関

このようなイネ科食チョウ類では，生活史形質において興味深いパターンが現れることが知られている。種間比較をしたときに，成虫の体サイズと卵

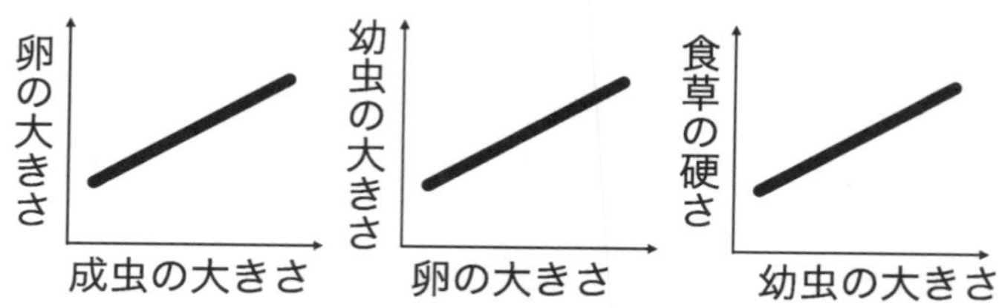

図１　イネ科食チョウ類における，成虫の大きさ・卵の大きさ・孵化幼虫の頭幅・食草の葉の硬さの関係

サイズに正の相関が生じる，という関係である(図 1)。

セセリチョウ科のうち，体サイズの小さい種類は，小さい卵を産む。そこから孵化する幼虫(の頭部)は小さく，葉の柔らかい植物であれば十分に食いつくことができる。一方で，体サイズの大きい種類は大きい卵を産み，葉の硬い植物を利用している(Nakasuji, 1987)。その結果として，体サイズと卵サイズの相関が生じるのである。

「大きい種ほど大きい卵を産む」というパターンは直感的かもしれない。しかし，昆虫のどのグループにおいてもそうなるような必然性はないし，実際にも普遍的なパターンではない。たとえば，アブラナ科植物などを食草とするシロチョウ科を対象にした分析では，体サイズと卵サイズの相関は検出されていない(Wiklund *et al.*, 1987)。こうしたグループでは毒物質に対する解毒作用が重要なのであり，卵サイズは食草の特性とは無関係に決まっているようである。

それではなぜ，イネ科食チョウ類では体サイズと卵サイズの相関が現れるのだろうか？　硬い葉を食べられる種類であれば，柔らかい葉も食べられるはずである。「大は小を兼ねる」の原理に則ると，体サイズの大きい種類が小さい卵を産んで葉の柔かい食草を利用してもよさそうである。なぜ実際にはそうではなく，体サイズの大きい種類はスペシャリストなのだろうか？

特に，子の大きさと数のトレードオフを考慮すると，この疑問が際立つ(上述した共進化におけるトレードオフとは対象が異なる概念なので注意)。葉の柔らかい食草であれば，親は小さい卵を産めば済むので，その分だけ卵の数を増やせる。しかしそうせずに，葉の硬い食草を利用するために大きい卵を産んでいるということは，生涯に産める卵の総数を減らしていることになる。つまり，子あたりの投資コストを大きくして，子の数を犠牲にしているのである。自然淘汰による進化はわずかな無駄さえも見逃さず生活史形質を洗練させていく。それでもなおコストが維持されているのならば，イネ科食チョウ類にはスペシャリストにならざるをえない理由があると予想される。

そこで本章では，ウラナミジャノメ属 *Ypthima* の 2 種を対象にした化性や生活史形質についての一連の研究成果を紹介し，イネ科食チョウ類の食草利用について検討してみたい。

4. ウラナミジャノメ属

ヒメウラナミジャノメ *Ypthima aragus* は本州から九州にかけて分布する小型のチョウで，身近な草地にもよく見られる普通種である(図 2)。春から秋にかけておよそ年 3 回くらい発生をくり返す。さまざまな種類のイネ科植物を食草としていることが知られている。

一方で近縁種のウラナミジャノメ *Ypthima multistriata* は西日本を中心に分布し，各地で絶滅危惧種となっている(図 2)。神奈川県・和歌山県・福井県などのいくつかの県ではすでに絶滅している。多くの地域では 6 月と 9 月の年 2 回発生する。後ほど詳しく説明するが，地域によっては年 1 回の発生にとどまる。別亜種になっている対馬では他の地域と異なり，5 月から 10 月まで断続的に発生し，個体数も多い。

野外では局所的に生息するウラナミジャノメも，飼育するのは簡単である。採集したメスを適当な大きさのケースに入れ，フタとして水切りネット

図 2 ヒメウラナミジャノメ（左）とウラナミジャノメ（右）

図3　ウラナミジャノメ属の採卵に使う装置
中に母蝶を入れ，エサを染み込ませたティッシュを水切りネットの上に置いておけばよい。

をかぶせておくと，産卵基質として何の植物を与えなくても産卵を始める（図3）。成虫のエサとしては湿らせたティッシュをネットの上に置いておけばよい。孵化した幼虫には雑草として生えているイネ科植物を与えればたいていは食いついて，順調に成長してくれる。

実のところ，ウラナミジャノメが野外で何を食草としているのかあまりよくわかっていない。私も仲間とともに生息地で必死に幼虫を探したことがあったが，まったく見つからなかった。食草を解明しにくい理由として，上述の産卵習性も関わっている。野外でも食草外（枯れ葉など）に産卵するため（鈴木, 2008），成虫を追跡しても食草をなかなか特定できないのである。

ただし，「代用食」は次々と明らかになっている。野外で利用していないにしろ，飼育条件下ではさまざまな種類の植物を食べて成長できるのである（仁平, 2004）。これは生態学者が調べ上げたのではなく，愛好家が飼育のために試行錯誤を重ねていった成果である。たとえば，チヂミザサ（いわゆる笹の仲間ではない）は葉が大きくて柔らかく，身近な環境にたくさん生えているので，ウラナミジャノメ属の飼育にはうってつけの植物である。

また最近では，愛好家の執念によってウラナミジャノメの野外での食草が解明されつつある。兵庫県加古川市ではショウジョウスゲ（カヤツリグサ科スゲ属）とケネザサ（イネ科メダケ属）が食草として記録された（島﨑, 2015; 島﨑・島﨑, 2019）。いずれも，チヂミザサやエノコログサといった雑草と比べると葉の硬そうな植物である。ジャノメチョウ科の中でもクロヒカゲやサトキマダラヒカゲといった大きめの種類は笹や竹の仲間を食草としている。一方で，小型の（といってもヒメウラナミジャノメよりはひと回り大きい）ウラナミジャノメの幼虫がケネザサを利用しているのは意外な発見だった。私も，京都府木津川市でウラナミジャノメがササの一種に産卵したことを野外で確認した（図4）。このように，代用食としてはさまざまな種類を利用できるものの野外では意外な種類の植物を利用していることが，幼虫がなかなか見つからない一因かもしれない。

図4　ササの一種に産みつけられたウラナミジャノメの卵

ウラナミジャノメが野外でどのような植物をどのくらい利用しているのか，定量的に明らかになっているわけではない。しかし，次節に述べる生活史形質の特徴も合わせて考えると，葉の硬い植物を主に利用しているのではないかと予想される。

5. 生活史形質の比較

ウラナミジャノメとヒメウラナミジャノメの生活史形質として成虫の体サイズ，卵の大きさと数，そして孵化幼虫の頭幅を比較した。また，孵化幼虫に葉の硬さが異なる複数の種類のイネ科植物（チヂミザサ・ネザサ・ヨシ）を与え，生存率を評価する実験を行なった（鈴木, 2009）。

まず，野外で母蝶を採集した。ウラナミジャノメは京都府木津市にて6月と9月に，ヒメウラナミジャノメは京都市にて4月・7月・9月に採集した。次に，実験室で成虫の体サイズ（前翅長と胸幅）を計測し，前述した水切りネットを用いた方法で採卵した。一日あたりの最大産卵数を卵数とし，顕微鏡を用いて卵サイズおよび孵化幼虫の頭幅を計測した。

結果の概要は以下の通りである。発生時期（世代）による差もあるものの，概してウラナミジャノメのほうがヒメウラナミジャノメよりも体サイズが大きく，大きい卵を産む（図5）。また，ウラナミジャノメのほうがヒメウラナミジャノメよりも卵数は少ない傾向にある。つまり，ウラナミジャノメは大きい卵を少なく産み，ヒメウラナミジャノメは小さい卵をたくさん産んでいる。

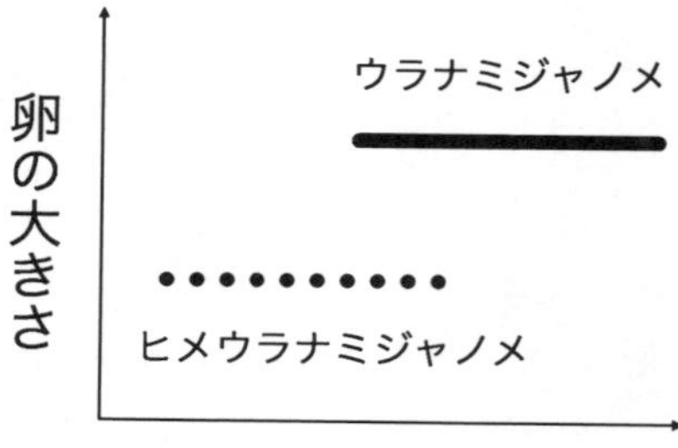

図5 成虫の大きさと卵の大きさの関係についての概略図
ウラナミジャノメのほうがヒメウラナミジャノメよりも大きい卵を産む。

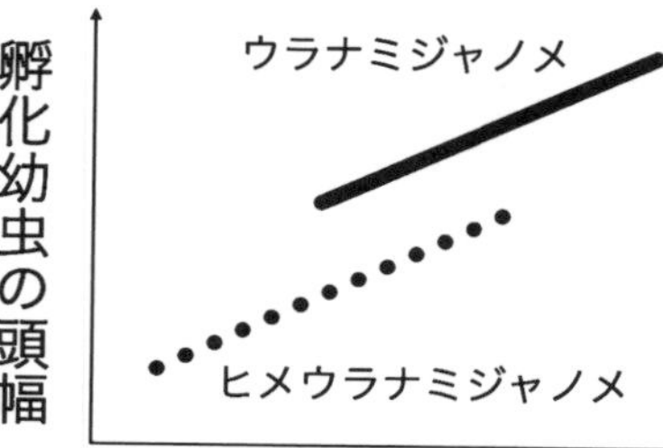

図6 卵の大きさと孵化幼虫の頭幅の関係についての概略図
ウラナミジャノメのほうが卵の大きさあたりの孵化幼虫の頭幅が大きい。

当然だが，大きい卵から孵化した幼虫の頭幅は大きい。ただし，ウラナミジャノメのほうが，卵の大きさあたりの孵化幼虫の頭幅が大きい(図6)。頭幅をできる限り大きくすることが硬い食草に食いつくために重要になってくるのだろう。

野外における食草の硬さは季節によっても変動する。ただし，チヂミザサ(くり返しになるが笹の仲間ではない)は季節を通じて柔らかく，ネザサのほうが硬い。ヨシはさらに葉が硬い。ヒメウラナミジャノメの孵化幼虫はチヂミザサをうまく摂食できたが，ネザサに対しては食つけずに死亡する個体が多かった。一方で，ウラナミジャノメの幼虫はネザサであっても食いついて生存できた。ヨシではどちらの種類の孵化幼虫もほとんど生存できなかった(図7)。

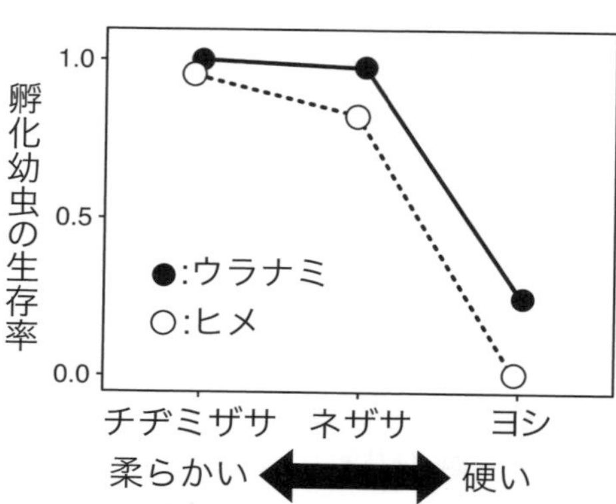

図7 葉の硬さが異なる植物をウラナミジャノメ（黒丸）およびヒメウラナミジャノメ（白丸）の孵化幼虫に与えたときの生存率
葉のやや硬いネザサにおいてのみ種間で有意差があった。

以上の結果をまとめると，ヒメウラナミジャノメは葉の柔らかい食草しか利用できないが，ウラナミジャノメは葉の硬い食草まで利用できることがわかった。つまり，体サイズが大きくて，大きい卵を産むウラナミジャノメのほうが潜在的な食性幅(いわゆる基本ニッチ)が広いといえる。直感的には，基本ニッチの広い種類のほうが野外でもさまざまな環境に生息できると考えられる。しかしこの考えは，ヒメウラナミジャノメが普通種で，ウラナミジャノメが全国的な希少種である事実と矛盾している。ウラナミジャノメでは野外で実際に生息している環境の幅(実現ニッチ)が何らかの要因で制限されているのかもしれない。

6. 種間相互作用とニッチ分割

潜在的な食性幅(基本ニッチ)が野外での食性幅(実現ニッチ)へと狭まるのなら，その要因として考えられるのは負の種間相互作用である。

負の種間相互作用としてもっともよく想定されるのは，資源をめぐる競争である。しかし，植食性昆虫ではエサが枯渇することはほとんどないので，資源競争は起こりにくいと考えられる。たしかに，イネ科の雑草や笹が害虫でもないチョウの幼虫によって食い尽くされるのは想像しにくいだろう。

そのため，資源をめぐる競争の代わりに，私は繁殖干渉を想定してウラナミジャノメの食性を説明しようと試みた(鈴木, 2012)。繁殖干渉とは，繁殖プロセスにおいて生じる負の種間相互作用と定義される。具体的には，オスが他種のメスに求愛して産卵を妨害する行動，その結果として同種との交尾機会が失われること，あるいは種間交尾や交雑などが含まれる。このようなコストが発生すると，近縁種どうしは同じニッチに共存しにくいので，ニッチ分割が生じるという流れである。

繁殖干渉は(幼虫の)エサが余っていても生じるので，植食性昆虫でも無視できないだろう。実際に，ヒメシロチョウやスジグロシロチョウの仲間を対象にした研究で，繁殖干渉がニッチ分割の主要因であることが示唆されている(Friberg *et al.*, 2013; Ohsaki *et al.*, 2020)。

繁殖干渉で注目すべきは，発生するコストが種間で異なりうることである。A 種のオスが B 種のメスへしつこく求愛する一方で，B 種のオスは A 種のメスにあまり関心を示さないこともありえる。そうなると，両種が出会った

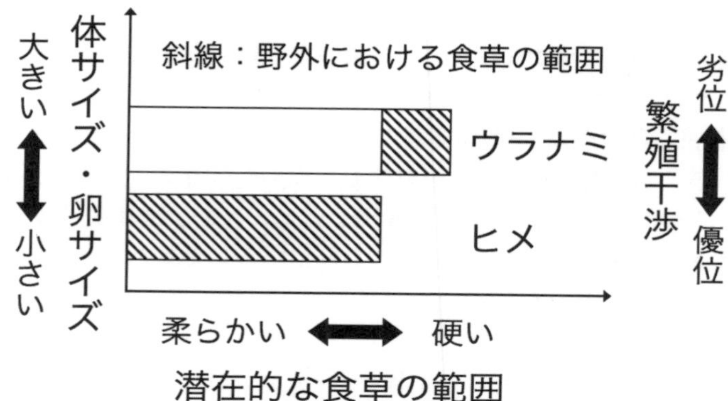

図 8　ウラナミジャノメとヒメウラナミジャノメの食性幅を説明する模式図
体サイズと卵サイズの大きいウラナミジャノメは，潜在的には葉の柔らかい食草から硬い食草まで利用できるが，ヒメウラナミジャノメが繁殖干渉で優位だと仮定すると，野外におけるウラナミジャノメの食草は葉の硬い食草のみに限定されると予想される。

際にそれぞれの種の個体が被るコストに差が出て，集団としての増殖率にも差が出てくる。この場合，繁殖干渉で優劣(種間の勝敗)がつきやすくなる。繁殖干渉に劣位な種はそのニッチで存続できず，優位な種のみが生き残ることになるだろう。

そこで，繁殖干渉の優劣に着目しながら，ウラナミジャノメの食性について考えてみよう(図 8)。もしヒメウラナミジャノメが繁殖干渉に優位であるならば，ヒメウラナミジャノメは葉の柔らかい食草を独占する。一方で，繁殖干渉に劣位なウラナミジャノメは，近縁種が利用しているニッチに定着することはできない。ただし，ウラナミジャノメは大きい卵を産めるので潜在的にはより硬い葉の植物まで利用できる。したがって，次善の策として，ウラナミジャノメはヒメウラナミジャノメが利用できないような葉の硬い食草だけに特化するようになるだろう。

体サイズの大小と繁殖干渉の優劣に論理的な必然性はないと考えられる。そこで次は，仮に体サイズの大きなウラナミジャノメが繁殖干渉に優位である状況を考えてみよう。このとき，体サイズの大きな種は葉の柔らかい食草を利用するよう進化するだろう。そのほうが卵サイズを小さくしてより多くの卵を産むことができるからである。一方，体サイズの小さい種は，もし形態的な制約があるのなら，大きい卵を産むことはできない。その場合，硬い葉を利用するわけにはいかず，かといって大きい種と共存しながら柔らかい葉を利用するわけにもいかない。結果として，小さい種は駆逐されてしまうだろう。

以上の二通りのシナリオからは，(1)大きい種が硬い葉を利用し，小さい種が柔らかい葉を利用しながらニッチ分割するパターンと，(2)大きい種が柔らかい葉を利用し，小さい種は共存できないパターン，が予想される。近縁種どうしが同じ地域に共存しているのは(1)のパターン(図8)のみである。このとき，成虫サイズと卵サイズを種間で比較してみると，正の相関が生じる。これが，イネ科植物を食草とするグループでは成虫サイズと卵サイズに相関が生まれるという問いに対する，私なりの仮説である。

だが，ウラナミジャノメとヒメウラナミジャノメでは，繁殖干渉のコストを定量化するための実験をうまく設定することができなかった。その原因のひとつとしては，成虫が食草外の枯葉などに産卵するため，卵を回収して数えることが難しく，繁殖成功を測定しにくいこともあった。繁殖干渉の優劣をもとにした食性と生活史形質の進化を統合的に説明しうる仮説は，検証されていないテーマである。

7. 化性の地理変異

ウラナミジャノメの生活史や食性幅を検討する上で，化性の地理変異に興味深いパターンが見られるのでここで紹介しよう。

化性とは年間に世代をくり返す回数である。昆虫は気温が低すぎると発育できないし，食草が枯れたり質がわるい期間も成長できない。よって，成長に適した期間に発生をくり返し，それ以外は休眠をしてやり過ごす。その結果，ある種類において地域間で化性を比較してみると，温暖な地域にいる集団ほどだんだんと化性が多くなる(寒冷なほど少なくなる)傾向がよく知られている。たとえば，ヒメウラナミジャノメの化性は，標高の高い地域や日本列島の北部では少なくなる。これは温帯に生息する多くの種類の昆虫に見られる一般的なパターンである。

一方，ウラナミジャノメの化性の地理変異はこのパターンに従わない

(Noriyuki *et al.*, 2010)。西日本のほとんどの地域では成虫が6月と9月に発生する年2化であるものの，兵庫県南部の瀬戸内海沿岸や家島諸島では6月のみに発生する年1化の集団が知られている。また，対馬の集団は5月から10月にかけて断続的に発生をくり返すので，年3化以上と考えられる。

特に興味深いのは瀬戸内海に浮かぶ家島と男鹿島である。両者はわずか数kmしか離れていないが，家島では年2化，男鹿島では年1化である。隣り合う島々で気温や降水量はほとんど変わらないはずだから，ウラナミジャノメの化性には気象条件とは別の要因も効いていると考えられる。

ウラナミジャノメに年1化の集団がいることを発見したのは，アマチュア愛好家の方々である。男鹿島ではどういうわけか9月に成虫を発見できなかった。また，同じ年1化であっても6月ではなく7月に発生する集団が兵庫県北部や滋賀県南部などに局地的に知られている。日本各地の採集記録を統合することで，化性の地理変異について特異なパターンが浮かび上がってきたのである。

化性の異なる集団間では幼虫の休眠性にも差があった(Noriyuki *et al.*, 2011)。温度と日長を制御した実験室内で飼育してみたところ，年1化の男鹿島の集団は年2化の集団よりも幼虫の発育期間と臨界日長が長かった。このような発育特性をもつ男鹿島の集団は，野外の日長条件においても休眠しやすいと考えられる。

また，系統地理学的な解析を行なうことで，系統と化性の関係を調べた(Noriyuki *et al.*, 2010)。おおまかには，男鹿島と家島のように地理的に近い集団は系統的にも近縁であった。つまり，生活史形質が系統に制約されることなく，それぞれの集団の環境に応じて柔軟に進化したことを示唆している。

8. 化性の進化の要因

それでは，ウラナミジャノメの化性はどのような生態的要因によって進化したのだろうか。

標準的なものは年2化である。京都・大阪・奈良・家島などの集団は，水田や果樹園といった里山環境に生息している(といっても分布は局地的で，このような環境であればどこにでも生息しているというわけではない)。静岡県では河川敷の草むらに生息している。これらの環境ではヒメウラナミ

図9 兵庫県加古川市の生息環境

ジャノメと共存していることが多い。前述したように，葉の硬さの異なる食草でニッチ分割しているのかもしれない。

一方，男鹿島や兵庫県加古川市の年1化の集団の生息環境は特徴的である(図9)。男鹿島は花崗岩地帯であり，採石場があって山が大規模に削られているほどである。この島のウラナミジャノメの生息環境は酸性湿地であり，そこに生息している動植物相も特異的である。加古川市では湿地の代表種であるヒメヒカゲと共存している。植物でいえばモウセンゴケやサギソウといった湿地性の種類が生育している。

年1化の地域は，土壌が特殊な上に，瀬戸内海沿岸のため雨が少ない。特に夏場は，植物やそれを食べる植食性昆虫にとって好ましい環境とはいえないだろう。よって，発育に不適なその期間をやり過ごすための休眠性がウラナミジャノメに備わっていると考えられる。また，男鹿島の集団では卵サイズと孵化幼虫の頭幅が年2化の集団よりも大きい(鈴木, 2009)。男鹿島における食草は明らかではないが，おそらくより硬い葉の植物を利用するための形質だと考えられる。

興味深いことに，男鹿島の生息地では全国的に普通種のヒメウラナミジャノメが生息していない。乾燥した特殊な環境では葉の柔らかい食草が得られないのであれば，小さい卵しか産むことのできないヒメウラナミジャノメは生存できないだろう。一方で，大きい卵を産めるウラナミジャノメはこの環境でも何とか対処できる。ただし，競争相手のヒメウラナミジャノメが生息していないからといって，ウラナミジャノメにとっても好適な環境とはいえなさそうである。卵サイズを大きくした分だけ卵数を犠牲にし，発育する期間が限られているために化性も減ってしまったからである。

最後に，対馬の多化性の集団についても検討しよう。対馬にはヒメウラナミジャノメが分布していない。その代わり，全国的には希少なウラナミジャノメの個体数が多く，化性も多い。つまり，競争相手から解放された対馬のウラナミジャノメは，本州などにおけるヒメウラナミジャノメのニッチを利用しているのかもしれない。

以上のように近縁種との関係に着目しながら見ていくと，気候条件や系統的制約によらないウラナミジャノメの化性が，ヒメウラナミジャノメとの関係に規定されているのではないかと考えたくなる。従来の研究では，化性の進化は気候条件に依存すると考えられてきた。一方でウラナミジャノメの化性に見られる複雑な地理的パターンを統一的に説明するためには，近縁種・食性・生活史形質を組み入れた論理の軸が必要になってくるだろう。

9. 一般化に向けて

「大きい種類が大きい卵を産み，より硬い葉の食草を利用する」というパターンは，ウラナミジャノメの系に限った話ではない。冒頭で紹介したようにイネ科食のセセリチョウ科で知られていたし，ジャノメチョウ科でも他の属で見られる（Wiklund & Karlsson, 1984）。本州・四国・九州に生息するヒカゲチョウ属3種の中では，クロヒカゲモドキの成虫がもっとも大きく，卵サイズも大きい。特に，近縁種のクロヒカゲとヒカゲチョウが年に2～3化する一方で，クロヒカゲモドキは化性が年1化にとどまっており，全国的な希少種でもある。ウラナミジャノメとの状況に似ているため，これらの異なる系で食性・化性・生活史などが共通した原理で決まっていると予想するのは自然な流れだろう。

さらに,「スペシャリストが近縁のジェネラリストよりも大きい卵を産み価値の低い資源に特化することで,両種の地域的な共存が実現している」という,より一般的なパターンに拡張してみると,適用範囲はチョウにとどまらない。私はこの課題について,(ウラナミジャノメ属での実証はあきらめて)捕食性のクリサキテントウを対象に研究を進めてきた(鈴木ほか, 2012)。本種はジェネラリストのナミテントウに近縁だが,マツ類のアブラムシに特化したスペシャリストの捕食者である。マツ類のアブラムシは捕まえにくく栄養的な質も低いため,テントウムシの幼虫にとっては不適なエサである。クリサキテントウの母親は大きい卵を産み,さらには栄養卵を多く投資することで対処している。クリサキテントウは繁殖干渉で劣位なものの,価値の低い資源に特化することでナミテントウとの相互作用をなるべく回避している,という仮説である。

このようなレンズで昆虫の図鑑を眺め,自分自身のフィールドでの経験も参考にしながら,近縁種どうしのすみわけや生活史の違いがどのようにして生まれたのかあれこれ思いをめぐらすと,単に昆虫を採集して記録していくことにはない楽しみを味わうことができるだろう。

〔引用文献〕

Ehrlich PR, Raven PH (1964) Butterflies and plants: a study in coevolution. *Evolution*, 18: 586–608.

Friberg M, Leimar O, Wiklund C (2013) Heterospecific courtship, minority effects and niche separation between cryptic butterfly species. *Journal of Evolutionary Biology*, 26: 971–979.

Nakasuji F (1987) Egg size of skippers (Lepidoptera: Hesperiidae) in relation to their host specificity and to leaf toughness of host plants. *Ecological Research*, 2: 175–183.

仁平勲(2004)日本産蝶類幼虫食草一覧. 自費出版.

Noriyuki S, Matsumoto T, Nishida T (2010) Phylogenetic analysis of *Ypthima multistriata* (Lepidoptera: Satyridae) showing nonclinal geographic variation in voltinism. *Annals of the Entomological Society of America*, 103: 716–722.

Noriyuki S, Akiyama K, Nishida T (2011) Life-history traits related to diapause in univoltine and bivoltine populations of *Ypthima multistriata* (Lepidoptera: Satyridae) inhabiting similar latitudes. *Entomological Science*, 14: 254–261.

Ohsaki, N, Ohata M, Sato Y, Rausher MD (2020) Host plant choice determined by reproductive interference between closely related butterflies. *The American Naturalist*, 196: 512–523.

島﨑正美(2015)ケネザサを摂食するヒメヒカゲとウラナミジャノメの幼虫を観察．月刊むし, 536: 53–54.

島﨑正美・島﨑能子(2019)ウラナミジャノメの自然状態での前蛹から羽化までを初記録．月刊むし, 584: 33–35.

鈴木紀之(2008)ウラナミジャノメが枯れたヒメコバンソウに産卵. SPINDA, 23: 127.

鈴木紀之(2009)ウラナミジャノメの生活史形質に関する生態学的研究．京都大学大学院修士論文

鈴木紀之(2012)ウラナミジャノメの化性の地理変異から季節適応を再考する．昆虫 DNA 研究会ニュースレター, 16: 7–15.

鈴木紀之・大澤直哉・西田隆義(2012)繁殖干渉による寄主特殊化の進化. 日本生態学会誌, 62: 267–274

Wiklund C, Karlsson B (1984) Egg size variation in satyrid butterflies: adaptive vs historical, "Bauplan", and mechanistic explanations. *Oikos*, 43: 391–400.

Wiklund C, Karlsson B, Forsberg J (1987) Adaptive versus constraint explanations for egg-to-body size relationships in two butterfly families. *The American Naturalist*, 130: 828–838.

(鈴木紀之)

⑫ 草原性チョウ類の生活史特性と分布様式から考える日本の草原の本質

日本の国土を最も広く覆っている環境は何であろうか？ 日本は多くの大都市を抱え，人口密度もそれなりに高いので，住宅地や都市であろうか？ 答えは森林である。日本は国土の3分の2を森林に覆われた森林国家だ(森林のうち4割は植林地である)。温帯日本の森林には国蝶であるオオムラサキなどの魅力的なチョウが数多く生息している。私がチョウを好きになったのは，子供の頃ミドリシジミ類に強く憧れたからだ。今でもこれら森林のチョウは大好きであるが，これからは森林のチョウの話ではなく草原のチョウの話をしたい。草原にもヒメシロチョウやアサマシジミなどの可憐なチョウが生息し，キキョウやナデシコ(カワラナデシコ)，オミナエシといった秋の七草も生育している(図1)。草原はかつて，茅や牛馬のえさ，田畑への肥料を得たり，放牧したりする場所として人々の生活に不可欠な環境であり，明治時代初期には国土の30％以上が草原だったという推定もある(小椋, 2012)。

図1 草原に生息するチョウと植物

上段：左からアカセセリ，アサマシジミ，ヒメシロチョウ，ウラギンスジヒョウモン。
下段：左からキキョウ，オミナエシ，カワラナデシコ，アヤメ。

しかし，現代社会で不要になった草原は，放棄や開発，土地利用の変化などによって失われ，現在では国土のわずか1～2%程度にまで減ってしまった。これから，草原に生息する草原性チョウ類の生活史や起源を通じて，日本の草原の見方とその保全について考える。まずは，草原とはどういう環境なのか，生態学の中で草原はどのように考えられているかについて述べておきたい。

1．世界の草原の分布と成立要因

草原は熱帯から温帯まで広く分布し，基本的には降水量のやや少ない乾燥した地域に成立する（図2）。これらの草原は基本的に，気候的な極相としての草原である。もっと降水量が多い地域には森林が発達し，より乾燥した地域は砂漠になる。Dixon *et al.*（2014）によると，草原はその地域本来の在来植生からなり，イネ科草本や広葉草本の被度が少なくとも25%以上あり，樹木の被度が少ない植生，と定義されている。つまり，セイタカアワダチソウやオオキンケイギクなどの外来種に覆われた草地や外来牧草に覆

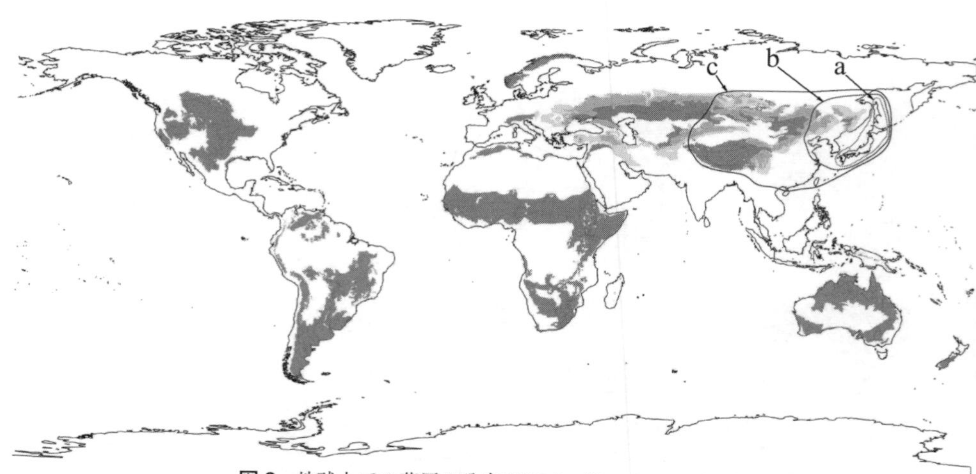

図2　地球上での草原の分布（地図上の濃いグレーの部分）

ユーラシア大陸では森林ステップ（森林と草原がモザイク状に入り組んだ場所）の分布も薄いグレーで示した。a枠は日本列島・サハリンに固有な種の分布範囲，b枠は環日本海域に分布する種の分布範囲，c枠は温帯東アジアに分布する種の分布範囲を示す。世界地図はNatural Earth（2018），草原はDixon *et al.*（2014），森林ステップはErdős *et al.*（2018）によって提供されている素材を用いて描き，チョウの分布域はOhwaki（2018）を基に描いた。

われた草地は草原とは言わない。日本に最も近いユーラシア大陸の草原は「ステップ」と呼ばれるが，ステップと森林帯の境界部やステップの内部には，草原と森林がモザイク状に入り組む「森林ステップ」という環境がある（図2の薄いグレーの部分：Erdős *et al.*, 2018）。森林ステップの成立にも気候条件が重要と考えられているので，これも極相としての草原と見なして良いだろう。気候的な極相としての草原だけでなく，気候的には森林が発達しても良い場所に草原が発達することもある。例えば，アフリカのサバンナや北米のプレーリーでは，頻繁な自然火災や大型草食獣の採食により森林への遷移が妨げられ，地質学的時間スケールで草原が安定的に維持されてきた場所も少なくない（Bond & Keeley, 2005; Joern, 2005; Asner *et al.*, 2009; Veldman *et al.*, 2015）。また，森林が発達できるだけの降水量があっても，乾き過ぎた土壌や湿り過ぎた土壌，塩分が多過ぎる土壌では樹木が育たず，草原となることがある（Dengler *et al.*, 2014）。このように，草原は基本的にはやや乾燥した地域に成立するが，自然火災や大型草食獣，土壌条件などによって成立することもある。

2. 日本の植生における草原の伝統的な見方

日本では草原はどのような植生と考えられてきたのであろうか。日本は気温が高く，降水量も多いので，基本的には森林が発達する気候帯である。潜在植生図を見ると，高山帯を除き，日本の潜在植生は全て森林となっていて，

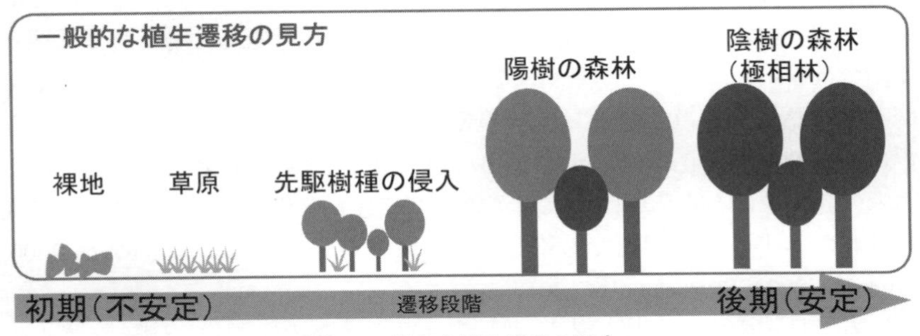

図3　一般的な植生遷移の概念

草原は裸地に続く遷移初期段階とされる。ただし，必ずしもこの図の通りに遷移が進むわけではない。

図4　佐渡の海岸に発達する自然草原（左）と毎年の火入れによって維持されている富士山麓の半自然草原（右）

草原は出てこない（例えば，福島, 2017）。生物学を学ぶ中で「草原」の文字を目にするのは，高校生物で植生遷移について習うときではないだろうか。何もない裸地から始まる一次遷移では，裸地から草原に遷移し，続いて低木が侵入して，その後，陽樹林，陰樹林へと置き換わっていくと教わる（図3）。また，日本では自然状態で成立する「自然草原」が少なく，草原のほとんどは人が火入れや草刈，放牧などによって維持管理してきた「半自然草原」である（図4）。半自然草原は管理をやめると，通常，遷移が進行して森林になる。このことから，閉じた森林こそが本来の自然の姿であり，草原は人間が維持しないと存在しない不安定で遷移初期の環境と認識されているように思う。実際，草原は人がたまたま維持してきたから残っただけではないのか，生活する上で不必要になった草原が管理放棄されて消失するのは仕方ないのではないか，と言われたことも何度かある。ただ，このような考え方は日本に限った話ではない。ヨーロッパや北米の森林帯においても，自然としての価値は閉じた森林に置かれ，草原は人の撹乱の痕跡として歴史的に軽視されてきた（Vera, 2000; Weigl & Knowles, 2014）。しかし，2000年以降，ヨーロッパや北米の森林帯にある草原は，人間がいなくても大型草食獣の採食によって維持された本来の自然環境であるという考え方が定着しつつある（Vera, 2000; Svenning, 2002; Feurdean *et al.*, 2018）。

一方，日本の温帯草原に生息するチョウや植物の起源は，内モンゴルや中国東北部，ロシア沿海地方などのステップであることが知られる（田端,

1997; 須賀ほか, 2012)。ステップは200万年以上続く安定した草原であり，遷移初期の植生ではない(Dengler *et al.*, 2014)。では，ユーラシア大陸の安定した草原を起源とするチョウや植物は，日本では不安定で遷移初期と考えられている草原に生息しているという事実をどう考えれば良いのであろうか？日本の草原は本当に遷移初期の不安定な環境なのであろうか？ ここからは，草原性のチョウの生活史や起源，分布域などを通して日本の温帯草原の見方を考えていきたい。

3. 草原性チョウ類の生活史特性から見えること

(1) 生息環境と生活史特性の進化

一生を通じての成長や休眠，繁殖の様式を生活史といい，生活史の特徴を生活史特性(life history traits)という。例えば，モンシロチョウは年に何回も発生するが，フジミドリシジミは1年に1回しか発生しない。モンシロチョウの幼虫はアブラナ科の色々な植物を利用できるが，フジミドリシジミの幼虫はブナかイヌブナしか利用しない。このように1年間で発生する世代数(化性)や幼虫の食草利用幅，越冬態(越冬するのが卵か幼虫か蛹か成虫か)などが生活史特性である。チョウは生態の知見が蓄積されているので，生活史特性を利用した解析を行う上で非常によい研究対象である。

昆虫の生活史特性は，生息環境の安定性や資源の予測可能性に強く影響される(Southwood, 1977)。森林のような長期的に安定した環境では，幼虫の餌となる食草(例えば樹木の葉)などの資源は長期的に安定して存在するため，早く成長して遠くへ分散する必要がない。したがって，森林性のチョウでは年1化(1年に1世代)や狭食性(特定の種類の植物しか利用しない)，定着的な特性が進化しやすい。一方，耕作地のような頻繁に撹乱される環境や速やかに遷移が進んで植生が変化する環境では，撹乱や遷移によって資源(食草など)がすぐになくなるため，速やかに成長して別の適地に分散する必要があるだろう。したがって，撹乱地のチョウには，多化性(年に2世代以上)，広食性(様々な種類の植物を利用)，移動的な特性が進化する(図5)。実際に，休耕地から森林への遷移進行や人為的な土地利用強度の低下にともない，昆虫群集は多化性，広食性，移動的な種から年1化，狭食性，

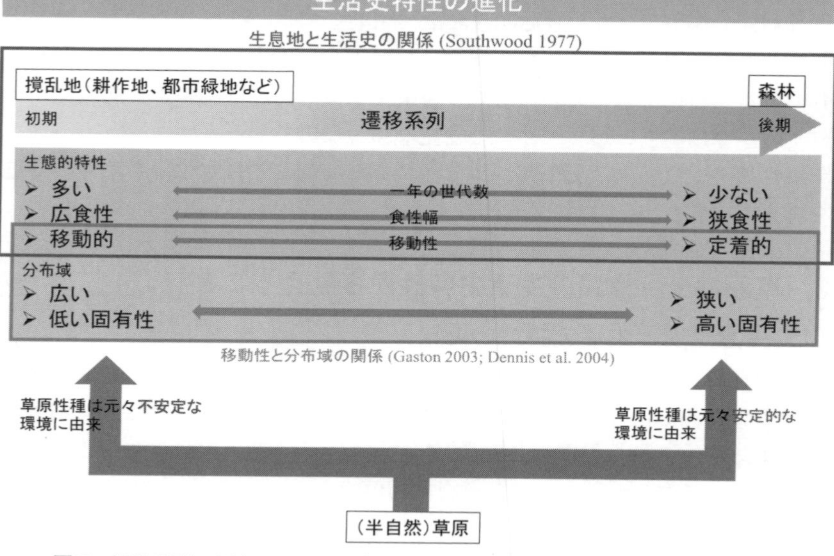

図 5　遷移系列の傾度にそった生息環境の安定性とチョウの生活史特性や地理的分布域，固有性の関係を示す概念図（Ohwaki (2018) の Fig. 1 を改変）
遷移初期や撹乱された不安定な環境では多化性，広食性，移動的，分布域の広い種が多いと予想されるが，森林のような安定的な環境では年 1 化，狭食性，定着的，分布域の狭い種が多いと予想される。

定着的な種へと推移することが示されている（Brown, 1985; Kitahara & Fujii, 1994; Steffan-Dewenter & Tscharntke, 1997）。では，草原性のチョウはどちらの特性を持つのであろうか？　もし，従来の見方の通り，草原は遷移初期で不安定な環境であるなら，草原性のチョウは撹乱地のチョウと似た生活史特性を持つであろう。また，不安定な環境に生息する種は分散力が高くなると考えられるので，広域分布種が多く，固有種がほとんどいないと予想される（図 5）。逆に，草原性のチョウの起源が安定的なステップであることを考えると，草原性のチョウは森林性のチョウと似た生活史特性を持つと考えられる。安定的な環境に生息する種は定着的と考えられるので，分布域が狭く，固有種が多くなると予想される（図 5）。そこで，草原性のチョウと森林性および撹乱地のチョウの生活史特性や地理的分布域，固有性などを比較することによって，草原性のチョウの特徴，ひいては日本の温帯草原の見方を考えていこう。

(2) 草原性，森林性，撹乱地のチョウの抽出

日本には約 240 種のチョウが定着している。今回は温帯草原のチョウを対象としているため，まず温帯に生息するチョウのみを抽出した。熱帯や亜熱帯は 1 年を通じて温暖であるため，たとえ安定的な環境に生息する種でも温帯の種に比べて 1 年の世代数が多い可能性がある。したがって，東南アジアの熱帯・亜熱帯域に分布が達している種や日本では琉球列島のみに生育している種は除外した。一方，日本の亜高山帯や高山帯に分布が制限されている種は温帯の種に比べて分布域が北方に偏っており，1 年の世代数も温帯の種より少ない可能性があるため除外した。最終的に，139 種を温帯性のチョウとして抽出した。

次に，温帯性のチョウ 139 種から草原性，森林性，撹乱地性のチョウを抽出する。しかし，それぞれの種を森林性，草原性，撹乱地性に分けるのは簡単ではなかった。特に悩ましかったのは，明るい環境を好む種を草原性と撹乱地性にどう分けるかであった。感覚的には，どの種は草原性でどの種は撹乱地性かだいたい分けられるが，科学論文で私個人の感覚に頼るわけにもいかない。どうにか分けられないかと思っていたのだが,「フィールドガイド日本のチョウ」(日本チョウ類保全協会, 2012) という図鑑が出版されて解決する糸口が見つかった。

この図鑑では，チョウの生息環境を森林，林縁，疎林，草原，湿地(湿原)，農地，公園，人家，河川，高山，露岩地の 11 タイプに分けており，各種がどの環境に出現するか書かれている。例えば，フジミドリシジミの生息環境は「森林」となっているが，モンシロチョウの生息環境は「農地，公園，人家，河川」となっている。この情報を使えば，一定の基準に沿ってチョウの生息環境をうまく分類できそうだ。そこで，次のような基準で森林性，草原性，撹乱地性のチョウを分けることにした。森林性のチョウは，森林に生息しているが，草原や湿地といった開けた環境，農地，公園，人家といった人為的撹乱の大きい環境，高山，露岩地には生息していない種とした。森林性のチョウには森林に加えて林縁や疎林，河川(河畔林)に生息する種も含めた

表1　森林性，草原性，撹乱地性のチョウの分類方法
（日本チョウ類保全協会(2012)の生息環境の記述に基づく）

生息環境	森林性	草原性	撹乱地性
森林	Y	N	N
林縁	Y/N	Y/N	Y/N
疎林	Y/N	Y/N	Y/N
草原	N	Y	Y/N
湿地(湿原)	N	Y/N	Y/N
農地	N	Y/N	Y
公園・人家	N	N	Y
河川	Y/N	Y/N	Y/N
高山	N	Y/N	Y/N
露岩地	N	N	N

(表1)。草原性のチョウは草原に生息するが，森林，公園・人家といった撹乱された明るい環境，露岩地には生息しない種とした。ただし，草原に加えて，林縁や疎林，湿原，農地(農地でも棚田の畦などに生息することがある)，河川，高山(実際には森林限界の上ではなく，亜高山帯の草原に生息)に生息する種も草原性のチョウとした(表1)。撹乱地のチョウは農地と公園・人家に出現するが，森林には生息しない種とした(表1)。草原性のチョウと撹乱地のチョウはどちらも明るい環境に生息するが，撹乱地のチョウは公園や人家，都市部といった人間による撹乱の影響が大きい環境を利用できる点で草原性のチョウと異なる。その結果，森林性のチョウ53種，草原性のチョウ38種，撹乱地のチョウ11種となった。この基準による森林性，草原性，撹乱地のチョウの区分は完璧ではないかもしれないが(例えば，私はヒメキマダラセセリが草原性となったことには違和感がある)，全体としてはほぼ私自身の感覚とも一致しており，うまく区分できていると感じている(チョウのリストはOhwaki, 2018 の Table A1 を参照。無料でダウンロード可)。

(3) 草原性のチョウと森林性，撹乱地のチョウの比較

対象となるチョウが絞れたので，ようやく生活史特性などを比較する準備が整った。草原性チョウ類の特徴をあぶり出すために，化性(1年の世代数)，幼虫の食草利用幅，絶滅危惧ランク，地理的分布域，固有性の5つの特性について，草原性のチョウと森林性，撹乱地のチョウの間で比較した。化性は年1化，多化性の2カテゴリー(白水, 2006)，幼虫の食草利用幅は単食性，1属の植物のみ，1科の植物のみ，複数の科の植物を利用の4カテゴリー(Saito *et al.*, 2016)，絶滅危惧ランクは絶滅危惧Ⅰ類，絶滅危惧Ⅱ類，準絶滅

危惧，それ以外の4カテゴリー（環境省, 2020），地理的分布域は日本列島・サハリン固有種，環日本海域，温帯東アジア，それより広い広域分布の4カテゴリー（図2：白水, 2006），固有性は日本固有種，日本固有亜種，それ以外の3カテゴリー（白水, 2006）に分類した。本当は分散力も比較したかったが，日本の個々の種についての分散力の指標が整理されていないので，今回は比較できなかった。また，日本の草原性のチョウと撹乱地のチョウがユーラシア大陸ではどのような環境と結びついているか明らかにするために，ロシアとモンゴルの図鑑（Gorbunov & Kosterin, 2003・2007; Tshikolovets *et al.*, 2009）に記載された生息環境に基づいて，自然草原のみ，人工的な撹乱環境（農地・都市）にも出現，森林の3カテゴリーに分けた。これらの分類方法については表2にまとめた。それでは草原性のチョウの生活史特性や地理的分布域などは森林性のチョウと似ているのか，撹乱地のチョウと似ているのか見てみたい。

表2　生活史特性，絶滅危惧ランク，地理的分布域，固有性，大陸での生息環境についての分類区分

特性	カテゴリー
化性（世代数）	年1化
	多化性
幼虫の食草利用幅	単食性（1種の植物のみ）
	1属の植物のみ
	1科の植物のみ
	2科以上
絶滅危惧ランク	絶滅危惧Ⅰ類
	絶滅危惧Ⅱ類
	準絶滅危惧
	その他
地理的分布域	日本列島・サハリン固有種
	環日本海域
	温帯東アジア
	広域分布
固有性	日本列島・サハリン固有種
	日本列島・サハリン固有亜種
	その他
大陸での生息地*	自然草原のみ
	人工環境にも出現
	森林

*：草原性のチョウのうち2種はモンゴルや極東ロシアには分布していなかった

まず化性（1年の世代数）を見てみると，草原性のチョウの多くは年1化であり，その割合は森林性のチョウと似ているが，撹乱地のチョウとは大きく異なっていた（図6a）。幼虫の食草利用幅については，草原性のチョウは単食性や1属のみを利用する狭食性の種が多く，その傾向は森林性のチョウと似ているが，撹乱地のチョウは1科のみや2科以上の植物を利用できる広食

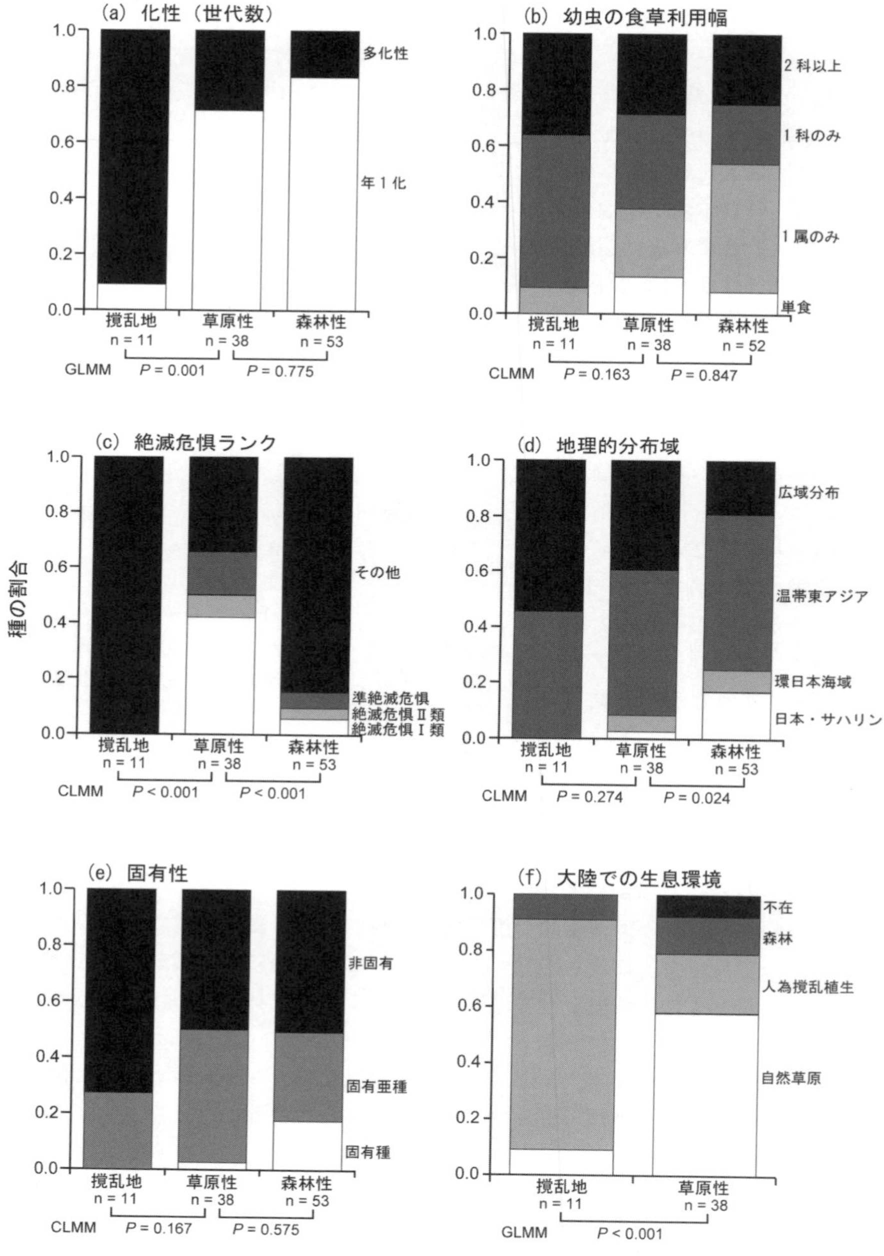

(a) 化性（世代数）

1.0 0.8 0.6 0.4 0.2 0.0

多化性

年 1 化

攪乱地 n = 11 草原性 n = 38 森林性 n = 53

GLMM $P = 0.001$ $P = 0.775$

(b) 幼虫の食草利用幅

1.0 0.8 0.6 0.4 0.2 0.0

2 科以上

1 科のみ

1 属のみ

単食

攪乱地 n = 11 草原性 n = 38 森林性 n = 52

CLMM $P = 0.163$ $P = 0.847$

(c) 絶滅危惧ランク

種の割合

1.0 0.8 0.6 0.4 0.2 0.0

その他

準絶滅危惧

絶滅危惧Ⅱ類

絶滅危惧Ⅰ類

攪乱地 n = 11 草原性 n = 38 森林性 n = 53

CLMM $P < 0.001$ $P < 0.001$

(d) 地理的分布域

1.0 0.8 0.6 0.4 0.2 0.0

広域分布

温帯東アジア

環日本海域

日本・サハリン

攪乱地 n = 11 草原性 n = 38 森林性 n = 53

CLMM $P = 0.274$ $P = 0.024$

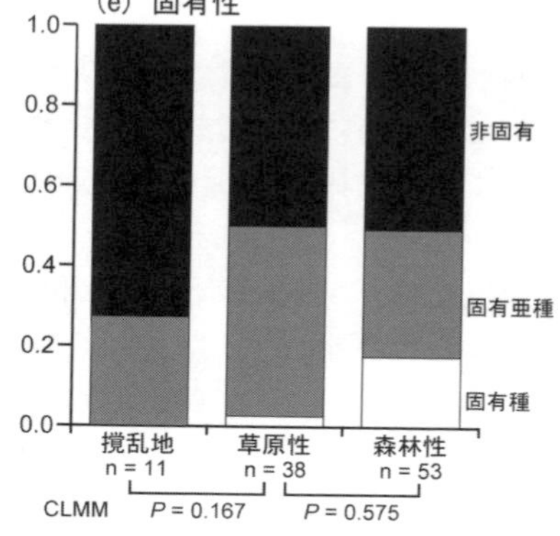

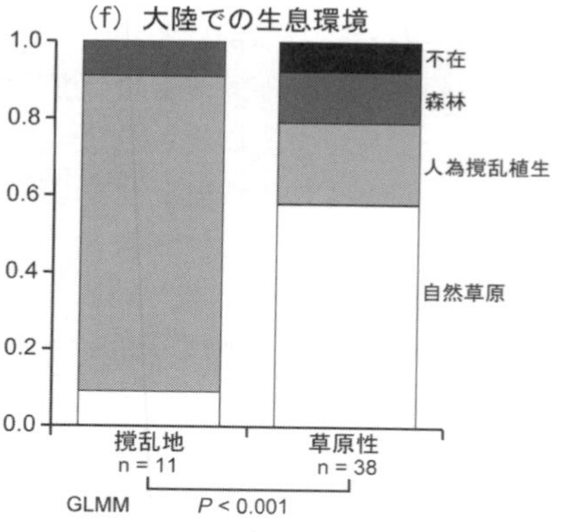

図 6 ※図の解説は次頁に掲載。

性のチョウが多かった(図6b)。絶滅危惧ランクについては，Nakamura(2011)などによって既に知られている通り，草原性のチョウの6割以上が環境省の絶滅危惧や準絶滅危惧にランクされており，森林性のチョウや撹乱地のチョウに比べてはるかに多くの絶滅危惧種を含んでいた(図6c)。地理的分布域については，森林性のチョウは日本列島・サハリン固有種を含む温帯東アジアにしか分布しない種が多かったが，草原性のチョウには日本列島・サハリン固有種はほとんどいなかった。しかし，撹乱地のチョウと比べると，草原性のチョウは環日本海域に分布する種を含め，分布域の狭い種が多かった(図6d)。固有性については，前述の通り草原性のチョウに日本・サハリン固有種はほとんどいないが，約半分は固有亜種であり，その割合は撹乱地のチョウより高かった(図6e)。最後に，日本の草原性のチョウと撹乱地のチョウのユーラシア大陸(ロシアとモンゴル)における生息環境を見てみると，日本の草原性のチョウの多くはユーラシア大陸では自然草原に生息しているが，日本の撹乱地のチョウはユーラシア大陸でも撹乱された環境も利用していた(図6f)。

(4) 草原性のチョウの本質

以上の比較の結果，草原性のチョウの生活史特性(化性や幼虫の食草利用幅)は不安定な撹乱地に生息するチョウとは大きく異なり，安定的な森林性のチョウと似ていることが明らかになった。また，日本の草原性のチョウの多くはユーラシア大陸では安定的な自然草原に生息していた。日本では自然草原が少ないため，草原性のチョウは主に遷移初期と考えられている半自然草原に生息している。しかし，草原性のチョウの生活史特性や大陸での生息

図6 草原性のチョウと森林性，撹乱地のチョウの間での化性（a），幼虫の食草利用幅（b），絶滅危惧ランク（c），地理的分布域（d），固有性（e），ユーラシア大陸での生息環境（f）の比較（Ohwaki(2018)のFig. 4を改変）〔図は前頁に掲載〕

世代数とユーラシア大陸での生息環境については各カテゴリーの割合の違いを一般化線形混合モデル（Generalized Linear Mixed Models: GLMMs）で，幼虫の食草利用幅，絶滅危惧ランク，地理的分布域，固有性については順位尺度を考慮した累積ロジット混合モデル（Cumulative Link Mixed Models: CLMMs）で草原性と森林性のチョウの間および草原性と撹乱地のチョウの間の違いを検定した。解析では系統的制約を考慮し，科(family)とその中に入れ子にした族(tribe)をランダム効果として，異なるグループのチョウの間の統計的な有意差を尤度比検定で評価した（註:再解析したため出典の論文とP値が異なるものがある）。

環境を考えると，草原性のチョウを不安定な遷移初期環境のチョウとみなすことはその本質を大きく見誤ることになる。つまり，日本の草原性のチョウは，本来は安定的な草原に生息するチョウなのだ。また，撹乱地のチョウと異なり，草原性のチョウは移動力がかなり低いと予想される。実際に，国外の研究によると，日本と同種（ヒメシジミ，ゴマシジミ）や近縁の草原性チョウ類（アカセセリ近縁種，ヒョウモンモドキ属の 1 種）の移動距離はせいぜい数 km 程度であると推定されている（Thomas & Harrison, 1992; Hill *et al.*, 1996; Gao *et al.*, 2016; Fountain *et al.*, 2018）。モンシロチョウやモンキチョウ，イチモンジセセリなどの撹乱地のチョウは小さな畑や道路わきの空き地などにどこからともなくやってくるが，草原性のチョウの場合，どんなに理想的な生息環境を準備しても，そこが現在の生息地から離れているとまず定着することはない。既に多くの草原性チョウ類の生息地が互いに孤立している現在，一回個体群が絶滅してしまったら，復活させることは容易ではないだろう。草原性チョウ類の保全を困難にしているこのような性質は，資源が同じ場所に安定的に存在する環境で暮らしてきた進化的背景を反映したものと考えられる。また，日本の草原性のチョウの多くは地理的分布域が狭く（温帯東アジアのみに生息），多くの固有亜種を含んでいた。しかし，草原性のチョウの多くは絶滅の危機に瀕しているため，日本で独自の進化の道を歩みつつあるこれらのチョウは，それを支える豊かな草原環境とともに失われようとしているのである。

4. 草原性チョウ類の生息環境である草原はどのように残ってきたのか

花粉分析による古植生の研究から，最終氷期（約 7.4～1.2 万年前）の間，北海道や八ヶ岳，琵琶湖周辺から草原性植物の花粉が継続的に検出されている（Takahara *et al.*, 2010; Yoshida *et al.*, 2016）。最終氷期のほとんどの期間において，人は日本列島にいないか人による植生への影響は小さいと考えられるので，最終氷期の草原は自然状態で存在していたと考えられる。しかし，氷河期が終わり，森林が発達しやすい温暖多雨な気候になった完新世の間（約 1 万年前以降），草原は自然状態ではほとんど存続できないと考えられている。では，温暖で多雨な気候になった過去 1 万年の間，草原はどのように存続してきたのであろうか。草原性チョウ類は移動力が乏しいので，同じ場所で長期的に草原が存続していなければ，現在まで生き残れなかったはずである。

弥生時代や古墳時代以降は，人間の農耕が草原的環境を広げてきたであろう。それ以前の縄文時代には，縄文人の火入れが日本の草原の維持・創出に重要な役割を果たしたと考えられている（須賀ほか, 2012）。中濱らは草原性チョウ類の1種であるコヒョウモンモドキの集団動態を解析し，草原への火入れの指標とされる黒ボク土の発達した約6000～3000年前にコヒョウモンモドキが増加したことを見いだした（Nakahama *et al.*, 2018）。現在の日本の気候では自然火災はほとんど起きないと考えられているので，この結果は縄文人の火入れが草原を拡大してきたことを示唆している。たしかに過去の人間活動が日本で草原環境を広げてきたことは間違いないであろうが，温暖多雨な気候になった約1万年の間，人間活動がなければ本当に草原は維持されなかったのであろうか。

温暖多雨な気候条件下でも，様々な自然条件によって草原が同じ場所に長期的に維持され，草原性チョウ類はずっと生き残ることができたのではないだろうか。第一に，河川の氾濫が草原環境を維持してきたと考えられる。現在の日本の河川は上流にダムが作られ，河川敷は人工物に改変されているため，氾濫が抑制され，河川敷の植生も本来の姿ではなくなっている。しかし，日本は地形が急峻で河川の勾配がきつく，山の雪解け水による春の増水もあり，元々暴れ川がたくさん存在した。ミヤマシジミやカワラナデシコといった草原性のチョウや植物が生息する常願寺川では，明治～大正時代には数年に一度氾濫した記録が残っている（立山カルデラ砂防博物館, 1998）。また，氾濫原にはタイプの異なる様々な草原環境が存在する（Gao *et al.*, 2000）。したがって，人間が河川を大幅に改変していなければ，河川周辺にはより多くの草原性チョウ類が生息していたと思われる。第二に，海岸や山の尾根部の風衝地には草原が発達しやすい。また，山岳の急斜面は地滑りや雪崩などの撹乱によって森林にならず，草原的な環境になることがある。アサマシジミやゴマシジミなどは風衝地や山岳の急斜面にしがみつくように生息していることがある。第三に湿原，火山土壌のような貧栄養土壌，冬の低温といった厳しい気候条件が草原を維持してきたかもしれない。ヒョウモンモドキやヒメヒカゲ，ヒメシジミなどは天然の湿原に生息することがある。また，日本の半自然草原の分布は火山との結びつきが強い（小路, 2003）。富士山麓の半自然草原の中には，50年以上放棄されても未だに草原の状態が維持され，多くの貴重な草原性のチョウや植物が生息する場所がある。また，多くの草原性チョウ類が生息する中部地方の高原は，冬の低温が厳しい場所でもある。火山土壌などの貧栄養土壌と冬の厳しい気象条件の組合せが草原を長期的に維持してきたのではないだろうか。しかし，貧栄養な土地や湿原の多くは土地改良や開発などにより変質，消失してしまった。第四に人による火入れだけではなく，自然火災も草原の維持に貢献したかもしれない。完新世の火災は人間活動によるものと考えられているが（Inoue *et al.*, 2021），温暖な気候条件では自然火災も増加する（Kappenberg *et al.*, 2019）。日本の太平洋側では春先は乾燥しており，完新世になって自然火災が増加してもおかしくない。富士山麓のような遷移の進みにくい場所では，100年に1回の自然火災で草原が維持されたかもしれない。最後に既に絶滅した大型草食獣の可能性も挙げておきたい。最終氷期の本州にはナウマンゾウやヤベオオツノジカ，バイソン，ウシなど，北海道にはマンモスやヤベオオツノジカなどの大型草食獣が生息していた。最終氷期末でのこれらの動物の絶滅は一般的に気候変動によるものと考えられているが（Iwase *et al.*, 2012），人間の狩りによって減少した可能性も示唆されている（Bartlett *et al.*, 2016）。もし人間によってこれらの大型草食獣が絶滅したのであれば，人間がいなければこれらの草食獣が今も日本を闊歩し，草原を維持していたかもしれない。

草原は過去の人間活動で増加したであろうし，上述の自然条件による草原の維持機構は想像の域を出ない点も多い。しかし，日本は地形や地質による異質性が高く，自然界は様々な撹乱によって私たちの想像以上にダイナミックな姿だったのではないだろうか。本来は様々な自然条件によって完新世の間も日本で同じ場所に草原がずっと存続してきたと考える方が自然のように思える。大規模な自然撹乱の抑制は私たちが安全な生活を営む上で不可欠であるが，「今や経済的価値を失った草原やそこに棲む草原性チョウ類などの動植物はいなくなっても仕方がない」と考えても良いのだろうか。草原は日本の自然環境の重要な構成要素であると同時に，万葉集にも歌われた植物が生育する，文化的にも大切な環境である。自然撹乱の抑制と大幅な土地改変によって草原が著しく失われてしまった現在，私たちが適切に管理することによって残された草原を次世代に引き継ぐことが不可欠である。

5. 本研究を形にするまで

ここでは，参考までに論文に書くことのない研究の経緯を簡単に書き留めておきたい。私は最初の筆頭論文で，二次林のような安定的な環境に生息するチョウは年1化，狭食性の種が多いが，田畑周辺の撹乱された環境で見られるチョウは多化性，広食性であることを見いだした(Ohwaki *et al.*, 2007)。そのころ，ヒョウモンモドキ類やアサマシジミ，アカセセリなど，遷移初期といわれる草原に棲むチョウに年1化，狭食性の種が多いことに気づいた。生活史特性から判断すると，どうやら草原のチョウは遷移初期のチョウではなさそうだと思ったが，当時その理由はわからなかった。その後，日本の草原性チョウ類の故郷は東アジアの草原(ステップ)であること，ステップは数百万年続く安定的な草原であることを知り，日本の草原性チョウ類になぜ年1化，狭食性が多いかを理解した。そして，温暖多雨な完新世の日本でも，草原は自然条件によって存続してきた可能性があることがわかると，草原はよく言われるような「失われても仕方ない，人が維持してきた遷移初期の環境」ではないと思うようになった。日本では草原というと「半自然草原」のイメージが強いが，海外では人為環境と見なされてきた草原を様々な証拠に基づいて本来の自然環境であると(中には熱く)主張する論文や書籍があった(熱帯：Bond & Keeley, 2005; Veldman *et al.*, 2015，温帯：Vera, 2000; Svenning, 2002; Weigl & Knowles, 2014)。これらは私の草原に対する見方を大きく変えてくれた。草原性チョウ類の生活史特性に違和感を持った時から論文(Ohwaki, 2018)にするまで10年以上掛かってしまったが，今のところ最も思い入れのある論文である。

6. 草原の保全とこれから

日本の草原やそこに棲むチョウをどう保全すれば良いかについては，以下の研究がある。長野県開田高原では，草原を二つに分けて2年に1回春の火入れと秋の草刈を交互に行う伝統的な管理は，火入れのみや草刈のみ，管理放棄に比べ，絶滅危惧種を含む草原性チョウ類の保全に効果的であることが知られている（Uchida *et al.*, 2016）。一方，富士北麓における調査から，草原の一般的な管理方法の一つである春の全面的な火入れは，多くのチョウにとって壊滅的なダメージを与えることがわかっている（Ohwaki, 2019）。これは，火入れを行う春先に枯葉や地表で越冬している草原性チョウ類が，全面火入れによって燃えてしまうためと考えられる。また，近年のシカによる食害もチョウに大きな影響を与えており，防鹿柵をするとチョウが増加することがわかっている（Nakahama *et al.*, 2020）。今では草原自体が非常に少なくなっていることから，草原性チョウ類にとって草原の代替生息地を知ることも必要である。これまでの研究から，棚田の畦，防火帯，伐採地，送電線下草地などが草原性チョウ類の代替生息地として機能しうることがわかってきた（Inoue, 2003; Uchida & Ushimaru, 2014; Ohwaki *et al.*, 2018a・b; Oki *et al.*, 2021）。

以上のような野外調査に加えて，遺伝解析に基づく分子系統地理的な研究によって，日本の草原性チョウ類がいつ，どこから移住し，日本列島の中でどのように分化したのか解明することも，草原性チョウ類をなぜ，どのように保全するのか理解するうえで役立つだろう。多くの草原性チョウ類の危機的な状況を鑑みると，今後は集団の再導入などが必要になってくるかもしれない。分子系統地理的な研究成果は，再導入に際して個体をどこから持ってくれば良いか重要な示唆を与えてくれる。また，日本の草原性チョウ類の起源や歴史，人間活動と関連してどのように集団が変化したかについても明らかになると期待される。今後も，草原性チョウ類をなぜ，どのように保全すれば良いのか，その両方の観点から研究を進めていきたい。

〔引用文献〕

Asner GP, Levick SR, Kennedy-Bowdoin T, Knapp DE, Emerson R, Jacobson J, et al. (2009) Large-scale impacts of herbivores on the structural diversity of African savannas. *Proceedings of the National Academy of Sciences*, 106: 4947–4952.

Bartlett LJ, Williams DR, Prescott GW, Balmford A, Green RE, Eriksson A, et al. (2016) Robustness despite uncertainty: regional climate data reveal the dominant role of humans in explaining global extinctions of Late Quaternary megafauna. *Ecography*, 39: 152–161.

Bond WJ, Keeley JE (2005) Fire as a global 'herbivore' : the ecology and evolution of flammable ecosystems. *Trends in Ecology & Evolution*, 20: 387–394.

Brown VK (1985) Insect herbivores and plant succession. *Oikos*, 44: 17–22.

Dengler J, Janišová M, Török P, Wellstein C (2014) Biodiversity of Palaearctic grasslands: a synthesis. *Agriculture, Ecosystems & Environment*, 182: 1–14.

Dennis RLH, Hodgson JG, Grenyer R, Shreeve TG, Roy DB (2004) Host plants and butterfly biology. Do host-plant strategies drive butterfly status? *Ecological Entomology*, 29: 12–26.

Dixon AP, Faber-Langendoen D, Josse C, Morrison J, Loucks CJ (2014) Distribution mapping of world grassland types. *Journal of Biogeography*, 41: 2003–2019.

Erdős L, Ambarlı D, Anenkhonov OA, Bátori Z, Cserhalmi D, Kiss M, et al. (2018) The edge of two worlds: A new review and synthesis on Eurasian forest-steppes. *Applied Vegetation Science*, 21: 345–362.

Feurdean A, Ruprecht E, Molnár Z, Hutchinson SM, Hickler T (2018) Biodiversity-rich European grasslands: Ancient, forgotten ecosystems. *Biological Conservation*, 228: 224–232.

Fountain T, Husby A, Nonak, E, DiLeo MF, Korhonen JH, Rastas P, et al. (2018) Inferring dispersal across a fragmented landscape using reconstructed families in the Glanville fritillary butterfly. *Evolutionary Applications*, 11: 287–297.

福島司(2017)図説日本の植生　第2版．朝倉書店，東京．

Gao C, Keen DH, Boreham S, Russell Coope G, Pettit ME, Stuart AJ, et al. (2000) Last interglacial and Devensian deposits of the River Great Ouse at Woolpack Farm, Fenstanton, Cambridgeshire, UK. *Quaternary Science Reviews*, 19: 787–810.

Gao K, Li X, Chen F, Guo Z, Settele J (2016) Distribution and habitats of Phengaris (Maculinea) butterflies and population ecology of Phengaris teleius in China. *Journal of Insect Conservation*, 20: 1–10.

Gaston KJ (2003) *The structure and dynamics of geographic ranges*. Oxford University Press, NY.

Gorbunov P, Kosterin O (2003) *The butterflies of North Asia in nature. vol. I.* Rodina & Fodio Joint-Stock Company, Moscow.

Gorbunov P, Kosterin O (2007) *The butterflies of North Asia in nature. vol. II.* Rodina & Fodio Joint-Stock Company, Moscow.

Hill JK, Thomas CD, Lewis OT (1996) Effects of habitat patch size and isolation on dispersal by Hesperia comma butterflies: implications for metapopulation structure. *Journal of Animal Ecology*, 65: 725–735.

Inoue J, Okuyama C, Hayashi R, Inouchi Y (2021) Postglacial anthropogenic fires related to cultural changes in central Japan, inferred from sedimentary charcoal records spanning glacial–interglacial cycles. *Journal of Quaternary Science*, 36: 628–637.

Inoue T (2003) Chronosequential change in a butterfly community after clear-cutting of deciduous forests in a cool temperate region of central Japan. *Entomological Science*, 6: 151–163.

Iwase A, Hashizume J, Izuho M, Takahashi K, Sato H (2012) Timing of megafaunal extinction in the late Late Pleistocene on the Japanese Archipelago. *Quaternary International*, 255: 114–124.

Joern A (2005) Disturbance by fire frequency and bison grazing modulate grasshopper assemblages in tallgrass prairie. *Ecology*, 86: 861–873.

環境省(2020)環境省レッドリスト 2020. 環境省自然環境局野生生物課希少種保全推進室. https://www.env.go.jp/press/files/jp/114457.pdf

Kappenberg A, Lehndorff E, Pickarski N, Litt T, Amelung W (2019) Solar controls of fire events during the past 600,000 years. *Quaternary Science Reviews*, 208: 97–104.

Kitahara M, Fujii K (1994) Biodiversity and community structure of temperate butterfly species within a gradient of human disturbance: An analysis based on the concept of generalist vs. Specialist strategies. *Researches on Population Ecology*, 36: 187–199.

Nakahama N, Uchida K, Koyama A, Iwasaki T, Ozeki M, Suka T (2020) Construction of deer fences restores the diversity of butterflies and bumblebees as well as flowering plants in semi-natural grassland. *Biodiversity and Conservation*, 29: 2201–2215.

Nakahama N, Uchida K, Ushimaru A, Isagi Y (2018) Historical changes in grassland area determined the demography of semi-natural grassland butterflies in Japan. *Heredity*, 121: 155–168.

Nakamura Y (2011) Conservation of butterflies in Japan: status, actions and strategy. *Journal of Insect Conservation*, 15: 5–22.

Natural Earth (2018) Free vector and raster map data at a 1:50 m scale. http://www.naturalearthdata.com/about/terms-of-use/

日本チョウ類保全協会 編(2012)フィールドガイド 日本のチョウ. 誠文堂新光社, 東京.

小椋純一(2012)森と草原の歴史. 古今書院, 東京.

Ohwaki A (2018) How should we view temperate semi-natural grasslands? Insights from butterflies in Japan. *Global Ecology and Conservation*, 16: e00482.

Ohwaki A (2019) Entire-area spring burning versus abandonment in grasslands: butterfly responses associated with hibernating traits. *Journal of Insect Conservation*, 23: 857–871.

Ohwaki A, Hayami S, Kitahara M, Yasuda T (2018a) The role of linear mown firebreaks in conserving butterfly diversity: Effects of adjacent vegetation and management. *Entomological Science*, 21: 112–123.

Ohwaki A, Koyanagi TF, Maeda S (2018b) Evaluating forest clear-cuts as alternative grassland habitats for plants and butterflies. *Forest Ecology and Management*, 430: 337–345.

Ohwaki A, Tanabe S-I, Nakamura K (2007) Butterfly assemblages in a traditional agricultural landscape: importance of secondary forests for conserving diversity, life history specialists and endemics. *Biodiversity and Conservation*, 16: 1521–1539.

Oki K, Soga M, Amano T, Koike S (2021) Power line corridors in conifer plantations as important habitats for butterflies. *Journal of Insect Conservation*, 25: 829–840.

Saito MU, Jinbo U, Yago M, Kurashima O, Ito M (2016) Larval host records of butterflies in Japan. *Ecological Research*, 31: 491–491.

Southwood TRE (1977) Habitat, the templet for ecological strategies? *Journal of Animal Ecology*, 46: 337–365.

白水隆(2006)日本産蝶類標準図鑑．学研，東京．

小路敦(2003)野草地保全に向けた景観生態学的取り組み．*Grassland Science*, 48: 557–563.

Steffan-Dewenter I, Tscharntke T (1997) Early succession of butterfly and plant communities on set-aside fields. *Oecologia*, 109: 294–302.

須賀丈・岡本透・丑丸敦史(2012)草地と日本人　日本列島草原 1 万年の旅．築地書館，東京．

Svenning J-C (2002) A review of natural vegetation openness in north-western Europe. *Biological Conservation*, 104: 133–148.

田端英雄(1997)里山の自然．保育社，大阪．

Takahara H, Igarashi Y, Hayashi R, Kumon F, Liew P-M, Yamamoto M, et al. (2010) Millennial-scale variability in vegetation records from the East Asian Islands: Taiwan, Japan and Sakhalin. *Quaternary Science Reviews*, 29: 2900–2917.

立山カルデラ砂防博物館(1998)立山カルデラ砂防博物館 常設展示総合解説．山カルデラ砂防博物館，富山．

Thomas CD, Harrison S (1992) Spatial dynamics of a patchily distributed butterfly species. *Journal of Animal Ecology*, 61: 437–446.

Tshikolovets VV, Yakovlev RV, Balint Z (2009) *The butterflies of Mongolia*. Vadim V. Tshikolovets, Pardubice.

Uchida K, Takahashi S, Shinohara T, Ushimaru A (2016) Threatened herbivorous insects maintained by long-term traditional management practices in semi-natural grasslands. *Agriculture, Ecosystems & Environment*, 221: 156–162.

Uchida K, Ushimaru A (2014) Biodiversity declines due to abandonment and intensification of agricultural lands: patterns and mechanisms. *Ecological Monographs*, 84: 637–658.

Veldman JW, Buisson E, Durigan G, Fernandes GW, Le Stradic S, Mahy G, et al. (2015) Toward an old-growth concept for grasslands, savannas, and woodlands. *Frontiers in Ecology and the Environment*, 13: 154–162.

Vera FWM (2000) *Grazing ecology and forest history*. CABI Publishing, Wallingford.

Weigl PD, Knowles TW (2014) Temperate mountain grasslands: a climate-herbivore hypothesis for origins and persistence. *Biological Reviews*, 89: 466–476.

Yoshida A, Kudo Y, Shimada K, Hashizume J, Ono A (2016) Impact of landscape changes on obsidian exploitation since the Palaeolithic in the central highland of Japan. *Vegetation History and Archaeobotany*, 25: 45–55.

（大脇　淳）

Ⅳ．種間相互作用

13 ムラサキシジミ類によるアリ植物の利用

昆虫のなかでアリ類の存在量は卓越して多く，ある試算によれば，地球上に生息するアリの乾燥重量の総量は人類のそれに匹敵するとも言われている（Hölldobler & Willson, 1994）。アリは量だけでなく，真社会性を高度に発達させた生物として，また，他の生物との多様な結びつきをもつものとしても際だった存在である（市岡, 2009）。そんなアリと密接して生活し，住み場所や餌，天敵からの保護などの利益を得る「好蟻性」（myrmecophily）と呼ばれる性質はさまざまな動物分類群で見られる（丸山ほか, 2013）。蝶類のなかでとりわけアリとの関係が深いのがシジミチョウ科である。シジミチョウにおける好蟻性は18世紀に見いだされて以降，現在に至るまで多くの研究者や自然愛好家らの関心を惹きつけてやまない（Fiedler *et al.*, 1996）。

生物多様性のホットスポットである東南アジア・ボルネオ島の熱帯雨林では，アリの種数は極めて多い。たとえば，ボルネオ島にあるランビルヒルズ国立公園（以下，ランビルと略す）では，島根県の宍道湖にちょうど収まる程の面積の低地熱帯雨林から日本で記録されたアリの全種数（約300種）を上回る579種が記録されている（Yamane *et al.*, 2021）。同様にシジミチョウの多様性も高く，日本で記録されたシジミチョウの全種数（約80種）を上回る115種が，やはりランビルから記録されている（Itioka *et al.*, 2009）。本稿では，筆者らがボルネオで行っている「アリ植物」と植食性昆虫の相互作用に関する研究によって明らかになってきた，好蟻性ムラサキシジミ属とアリ，寄主植物との関係を紹介する。

1. シジミチョウとアリ

世界に約6,000種いると推計されるシジミチョウ科のうち，アリと何らかの関係をもつことがわかっているのは665種とされ，これは生活史がある程度まで判明しているシジミチョウ種の75％に及ぶ（Pierce *et al.*, 2002）。その関係のほとんどはシジミチョウの幼虫期においてみられるものであり，不特定のアリ種に随伴されるような緩やかな関係や，常に特定のアリ種に随伴さ

図1　エビアシシジミ *Allotinus* の一種

A：アシナガキアリ *Anoplolepis longipes* が随伴するアブラムシを捕食する幼虫。B：アシナガキアリの集団に降り立ち，口吻でアリの触角に触れる成虫。これはアリに対する「なだめ行動」と考えられている（Fiedler & Maschwitz, 1989a）。

れるもの，さらに，アリが随伴するアブラムシやツノゼミなどの同翅類を捕食するもの(図1)，アリの巣に入り込みアリの幼虫や蛹を捕食するものなど，多様な相互関係が確認されている。シジミチョウの幼虫と関係をもつアリ種は，少なくとも6亜科53属から知られ，なかでもシリアゲアリ属とオオアリ属から多くの種が知られている(Fiedler, 2001)。

このようなシジミチョウの幼虫とアリとの関係の成立には，好蟻性器官と総称されるいくつかの器官の相補的な働きによる化学的交信が重要な役割を果たしていると考えられている(加藤・廣木, 2005)。シジミチョウの幼虫にみられる代表的な好蟻性器官は，キューポラ状器官，背部蜜腺，伸縮突起の3つである。とくにキューポラ状器官はすべてのシジミチョウ幼虫の体表に見られ，ここから分泌される物質が，アリとの関係の維持に重要であると考えられている(矢後, 2003)。背部蜜腺からは，糖類やアミノ酸を含んだ甘露が分泌される。甘露を求めるアリがシジミチョウの幼虫に付き添うことになり，この随伴行動がシジミチョウの幼虫から寄生蜂などの天敵を遠ざける(Pierce *et al*., 2002)。随伴するアリがシジミチョウの幼虫から十分な栄養を得ていれば，両者は，甘露の栄養と天敵からの保護という利益を交換する相利関係にあると考えられる。しかし，その一方で，アリに対して不利益を与える，寄生的なシジミチョウも知られている。ゴマシジミ属やキマダラルリツバメ属などの幼虫は，アリの巣に入り込んでアリの幼虫を捕食したり，アリが巣外から運び込んだ餌をアリに給餌してもらったりする。ゴマシジミ類幼虫の体表炭化水素の組成は宿主であるクシケアリの体表炭化水素組成とよく似ているため，クシケアリはゴマシジミ幼虫を巣仲間として認識しているとみられる(Akino *et al.*, 1999)。このような，アリの同胞個体認識に用いられる化学物質を利用して共生相手のアリに擬態する「化学擬態」は，複数種のシジミチョウ幼虫で確認されている(Piece *et al.*, 2002)。

2. アリ植物とアリの相利共生

(1) アリ植物とは

葉や茎の形状を変形させて空洞状の器官を形成し，そこにアリの巣を誘い込んで共生関係を結ぶ植物をアリ植物という(Davidson & McKey, 1993)。共生アリは巣場所を守るために，営巣したアリ植物個体に接近する植食者などの侵入者を排除しようとする。この排除行動は，アリ植物にとっては，強力な対植食者防衛として機能する。さらに，共生アリは，営巣中のアリ植物に覆い被さろうとするつる植物を除去するので，「棲み込み用心棒」としてアリ植物を守っている。一方，共生アリにとってアリ植物が提供する空洞器官は，捕食者やアリ種間・種内の競争者からの攻撃に耐える強度をもち，集団育児に十分な広さを備えた好適な営巣場所となる。このように，アリ植物とそこに営巣する共生アリとの間には，お互いに必要な利益を交換する密接な相利関係が成立している。

このようなアリ植物は植物の幅広い分類群で独立に進化しており，これまでに50科の150を超える属から700種近くのアリ植物種が知られている(Chomicki & Renner, 2015)。その多くは，熱帯雨林が広がる地域に分布している。動物群集全体に占めるアリ類の存在量の割合が，他の植生タイプをもつ生態系よりも群を抜いて高い熱帯雨林では，巣場所をめぐるアリ類の競争が激しく，アリ植物が提供する空洞器官は貴重な営巣可能な空間資源となる。また，乾季や低温期(冬季)がない熱帯雨林では，植物は常に植食者の攻撃に曝されており，巣場所への侵入者に敏感な共生アリによる対植食者防衛の効果は抜群である。熱帯雨林以外の気候帯では，アリ類と同時に植食者の活動が鈍る乾季や冬季があるため，アリ植物がほとんど分布しないと考えられる。

アリ植物には，大きく分けて2つのタイプがある。一つは着生植物型，もう一つは地上定着型である。土壌に乏しい樹上に根をおろす前者は，地面に根を張る後者のように，根から水溶性の栄養塩を十分に補給することが難しい。この両者の違いが，共生アリとの栄養のやりとりに大きな違いをもたらす。

前者の共生アリは営巣した植物個体を離れて餌を集め，巣に持ち帰る。外部から持ち込まれた餌の一部や，巣内のアリの老廃物などに含まれる栄養塩は，着生植物型アリ植物にとって貴重な資源となり得る。実際に，いくつかの着生植物型アリ植物では，アリが営巣する空洞器官の内壁から，栄養塩を吸収していることが知られている（Treseder *et al.*, 1995）。

一方，地上定着型のアリ植物には，営巣場所だけでなく，土壌から吸収した栄養塩をもとに，共生アリに提供するための栄養物質を生産するものが多い。地上定着型のアリ植物の近縁種には，葉など花以外の部位から蜜（花外蜜）を分泌してアリを誘引して茎や葉を徘徊させ，植食者を寄せ付けないようにしている植物が多い。おそらく，花外蜜を提供する植物のなかから，アリの営巣に適した空洞状の器官を形成するいくつかの地上定着型のアリ植物が進化してきたと考えられる。

(2) オオバギ属のアリ植物

東南アジアの熱帯雨林域を中心に多様な地上定着型のアリ植物を進化させたのが，トウダイグサ科のオオバギ属 *Macaranga* である（Whitmore, 2008; 図2AB）。オオバギ属からは，これまでに，東南アジアの島嶼部から少なくとも26種のアリ植物種が知られている（Davies *et al.*, 2001）。

オオバギのアリ植物の大部分は，オオバギのアリ植物との共生に特殊化したシリアゲアリ属 *Crematogaster* を共生相手としている（Fiala *et al.*, 1999; Feldhaar *et al.*, 2016）。これらのシリアゲアリ種は，繁殖個体の分散時以外の生活史の大部分において，特定のオオバギ種との共生が維持されている。また，オオバギのアリ植物種の多くが，送受粉と種子分散，種子発芽後の実生初期以外の生活史の大部分において，特定の共生アリ種との相利関係を維

図 2 オオバギ属アリ植物の一種 *Macaranga trachyphylla*

A：大きな葉と長い葉柄が特徴的な幼樹の全景。B：新葉と共生アリ。葉縁に並んでいるのは花外蜜腺。矢印は托葉を示す。C：茎の断面。共生アリは一個体が通れる程度の穴を茎表面に開けて出入りする。

持している。このように，両者の相利関係は互いに特定の種のみを共生相手とし，その存在がなければ生存できないほどに緊密である。オオバギのアリ植物種では，茎がタケのように空洞となり，そこに共生アリが営巣する（図 2C）。また，若い葉や托葉の表面には，脂肪酸やアミノ酸に富んだ食物体（Food body）と呼ばれる粒状の細胞の塊が生産され，共生アリはこれを餌としている（Fiala & Maschwitz, 1992; 図 3）。共生アリのハタラキアリは営巣中のオオバギ個体から離れることがなく，食物体が共生アリの主要な栄養源となっていると考えられている。

(3) オオバギの対植食者防衛

他のアリ植物と同様に，オオバギは対植食者防衛を共生アリに大きく依存している。花外蜜や食物体が生産される茎頂部の葉芽・新葉や托葉には多くのハタラキアリ個体が常に随伴し，植食者などの侵入者が接近すると敏感に感知して，ときに動員をかけて，激しく攻撃を加えて排除する（Fiala *et al.*, 1989）。

図3　オオバギ属アリ植物の食物体

A：*Macaranga trachyphylla* の托葉断面。内側に食物体が分泌されている。共生アリは托葉下部に開いたわずかな隙間から出入りし，食物体を茎内部に持ち帰る。B：*M. hosei* の托葉表面に分泌された食物体。C：*M. beccariana* の新葉に分泌された食物体。

共生アリによる対植食者防衛（アリ防衛）の強度はアリ植物種間によって異なる（Itioka *et al.*, 2000）。多くの種類では化学防衛の強度と相補的になっており，アリ防衛の強度が強い種ほど化学防衛の強度が弱くなっている傾向がある（Nomura *et al.*, 2000; Eck *et al.*, 2001）。化学防衛が弱い種類では，何らかの原因で共生アリのコロニー成長が滞ると，十分な対植食者防衛が得られないので，普段は発生することのない広食性の植食性昆虫が突如として高密度に発生したり，植物個体を枯らすほどの食害を与えたりすることがある（Shimizu-kaya *et al.*, 2015）。

3. ムラサキシジミによるアリ植物の利用

(1) オオバギを食べるムラサキシジミ属

上述のように，シリアゲアリとの相利共生関係が緊密なオオバギ属アリ植物においては，常にアリが植物上をパトロールしているため，通常は，植食者から食害を受ける頻度は高くない。したがって，大部分の個体は，大きな葉をほとんど無傷なまま茂らせている。アリ防衛はほとんどの植食性昆虫を排除する有効な防衛方法であるとの一般的な理解（Rosumek *et al.*, 2009）が，オオバギのアリ植物にもあてはまるようだ。しかし，植食性昆虫のなかには，様々な手段でシリアゲアリの攻撃を無効化し，オオバギ属アリ植物を寄主植物として利用している種類がいる。ランビルの森でオオバギ属の若木を見回ると，必ずと言っていいほど見つかるのが，ムラサキシジミ属 *Arhopala* の

表1 ランビルヒルズ国立公園でオオバギを専食するムラサキシジミ4種と主な寄主オオバギ種，オオバギの共生アリであるシリアゲアリ種の対応

ムラサキシジミ属 *Arhopala*	オオバギ属 *Macaranga*	シリアゲアリ属 *Crematogaster*
	M. winkleri	sp. 2
A. amphimuta	***M. trachyphylla***, *M. bancana*	*C. borneensis*
A. zylda	***M. beccariana***, *M. hypoleuca*	*C. decamera*
A. dajagaka	***M. rufescens***, *M. hosei*	sp. 4
A. major	***M. gigantea***	

飼育実験に用いたオオバギ種を太字で示す。上部のオオバギ種ほどアリ防衛の強度が強い。*Macaranga winkleri* を専食するムラサキシジミ種は確認されていない。共生アリは主要な種のみ示す。

卵や幼虫，蛹である。

ムラサキシジミ属は約200種で構成され，ボルネオでは90種以上が記録されている（関ほか, 1991）。日本にはムラサキシジミ *A. japonica* やムラサキツバメ *A. bazalus*, ルーミスシジミ *A. ganesa* がいる。英名では Oakblue（カシの木を寄主植物とする青い蝶）と称されるように，この属の多くの種はブナ科植物を食草としている。ムラサキシジミ属のなかでオオバギ属を主な食草として利用するのは，*amphimuta* サブグループの5種のみである（Migens *et al.*, 2005）。

Maschwitz ら（1984）は，マレー半島において実施した，アリ植物を含む多数のオオバギ属の種類を対象とした調査により，3種のムラサキシジミ *A. amphimuta*，*A. moolaiana*，*A. zylda* がそれぞれ特定のオオバギ属アリ植物種を寄主利用していること，各種の幼虫の体色が寄主オオバギ種の葉や托葉によく似ていること，寄主オオバギの共生アリには攻撃されないことを報告した。その後，Okubo ら（2009）がランビルで詳細な観察を行い，マレー半島においてオオバギ属を寄主植物として利用していることが確認されていた *A. amphimuta* と *A. zylda* に加えて，*A. dajagaka* と *A. major* が幼虫期にオオバギ種を寄主利用していることを確認するとともに，これらのムラサキシジミ4種の幼虫や蛹の形態的特徴を明らかにした。ランビルのオオバギ上で見られるムラサキシジミ4種は寄主オオバギ種がそれぞれ異なっており，このうち *A. major* を除く3種の寄主はアリ植物種であった（表1；図4）。4種の幼虫はいずれも好蟻性器官であるキューポラ状器官と伸縮突起を備えており，通常アリから攻撃されることはない。さらに *A. zylda* 以外の3種の幼虫は背部蜜

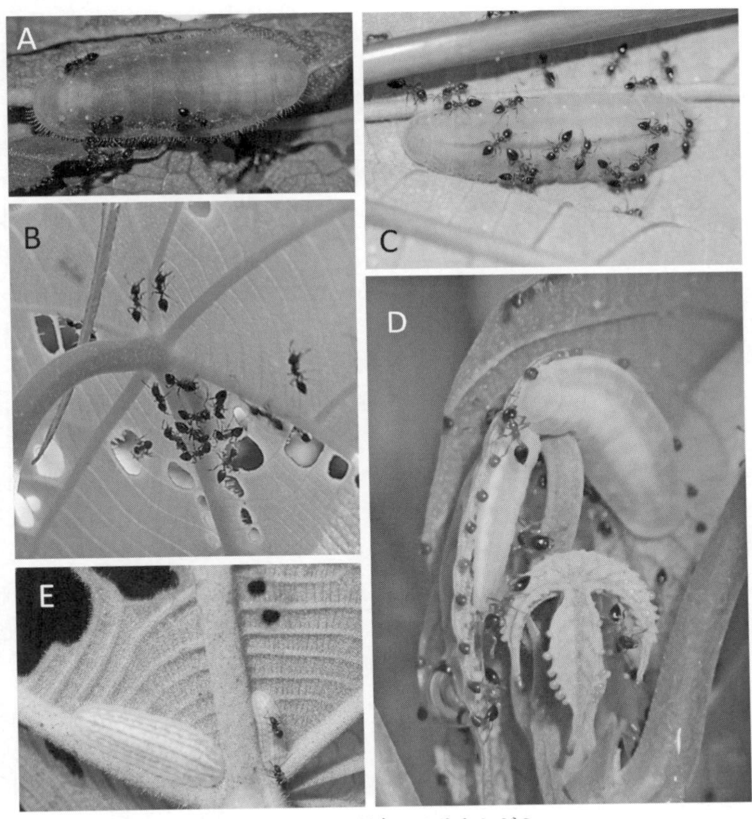

図4　オオバギ食ムラサキシジミ

A：*Macaranga trachyphylla* の共生アリに随伴される *Arhopala amphimuta* 終齢幼虫。B：*M. bancana* 上の *A. amphimuta* 若齢幼虫。葉脈に沿った食痕を残している。C：*M. rufescens* の共生アリに随伴される *A. dajagaka* の終齢幼虫。D：*M. beccariana* 新葉上の *A. zylda* 3齢幼虫（左）と終齢幼虫（右）。葉縁に並ぶ突起は花外蜜腺。E：*M. gigantea* 新葉裏の *A. major* 終齢幼虫（左）と若齢幼虫（右）。若齢幼虫はオオバギ定着性ではないヒラフシアリ *Technomyrmex* の一種に随伴されている。

腺も備え，蜜腺からの分泌物にアリが随伴する。幼虫は寄主上で蛹化し，蛹もアリに攻撃されない。

(2) オオバギ食ムラサキシジミの潜在的食草範囲

日本のムラサキシジミは，ブナ科の複数の属にまたがる樹種を食草としている。ランビルに生息する上記のムラサキシジミ4種は，なぜごく一部のオオバギ種しか利用しないのだろうか。また，同じ地域に分布しながら，寄主植物種が種間で重複することがないのはなぜなのだろうか。

一般に，蝶類の寄主範囲を限定する要因となるのは，植物の化学的成分（とくに二次代謝物質）に対する幼虫の生理的応答性である（Ehrlich & Raven, 1964）。オオバギ食のムラサキシジミ種の寄主範囲も，オオバギ種間の植物の化学的成分の違いとその違いに応じたシジミチョウ各種の幼虫の生理的な応答特性の違いによって規定されている可能性がある。しかし，前項で述べたようにオオバギ属アリ植物種では化学防衛の程度が低いため，この生理学的要因説によって，オオバギのアリ植物種を寄主利用するムラサキシジミ各種の寄主範囲が特定の少数のオオバギ種に限定されることを説明するのは困難である。

シジミチョウの幼虫の餌として適している新葉の供給時期，すなわち寄主となるオオバギ種ごとの展葉フェノロジーとシジミチョウの生活史との間の一致・不一致が寄主植物を制限する要因として考えられるかもしれない。しかし，日本などの季節性がはっきりしている地域と異なり，これらのオオバギ食のムラサキシジミが分布する熱帯雨林地域は一年を通して温暖・湿潤であるので，シジミチョウの幼虫が好む新葉は常に供給されている。また，シジミチョウの発生時期にも明瞭な季節性は見られない。この説も説得力に欠けるようだ。

オオバギ種ごとに共生相手のシリアゲアリ種が異なっていることに注目すると，新たな仮説が浮上する。オオバギ共生アリの攻撃性をなだめるために，シジミチョウの幼虫が備える好蟻性は，寄主植物上の特定のシリアゲアリ種に対してしか通用しないので，他のシリアゲアリ種が共生するオオバギ種を利用することができない，という好蟻性限界説である。

ランビルにはオオバギ属アリ植物種が多数分布しているうえ，昆虫の飼育等の作業ができる研究用の施設がある。筆者らはこの施設で，好蟻性限界説の検証のため，ランビルで幼虫が手に入るオオバギ食ムラサキシジミ 4 種を用い，アリを排除したオオバギ各種の葉を，幼虫 1 個体に 1 種類ずつ与えて飼育実験を行った（Shimizu-kaya *et al.*, 2013a）。実験に用いたオオバギの種類は，ムラサキシジミ 4 種の寄主 4 種と，ランビルに分布するオオバギのなかで最も共生アリによる防衛への依存が高く化学防衛の弱い *M. winkleri* を加えた 5 種である（表 1）。その結果，*A. zylda* を除く 3 種のムラサキシジミ幼虫は，全5種または4種のオオバギを食草として利用できることが示され，アリの存在が寄主範囲を制限していることが示唆された。*A. zylda* の幼虫は，寄主種である *M. beccariana* を与えられた時のみ，成長することができた。

A. major の寄主種である *M. gigantea* は，茎が空洞にならずアリは営巣しないが，花外蜜を分泌して不特定の多様なアリ種を誘引している。上記2(3)で述べたように，この種は同属のアリ植物種に比べ化学防衛の強度が高い。葉の厚みや硬さの点でも，同属アリ植物種を上回る。この *M. gigantea* の葉を与えられた *A. amphimuta* と *A. dajagaka* の幼虫は，葉を少しかじった後に死亡した。このことから，この2種は *M. gigantea* の化学防衛に対応できていないと推定される。生理学的要因説は部分的に正しかったようである。

A. major が潜在的食草範囲の広さに関わらず自然条件下では非アリ植物種だけを利用しているのは，アリ植物の共生アリに対する有効な対抗手段をもたないことと関連があると考えられる。実際に，*A. major* 幼虫を人為的にアリ植物種に移動させると，移入先の共生アリから激しい攻撃を受け，植物上にとどまることはできなかった（Shimizu-kaya *et al.*, 2016）。一般的な好蟻性器官を有する *A. major* が攻撃を受ける事実は，オオバギ属アリ植物種の共生アリの排他性の高さを示唆している。では，共生アリ種の違いが，*A. amphimuta* と *A. dajagaka* のそれぞれの寄主範囲をオオバギの少数種に限定する原因となっているのだろうか。好蟻性限界説の検証のためには，さらにムラサキシジミ各種の幼虫がどのようにオオバギ共生アリの攻撃をかわしているのか，それぞれの種の好蟻性の特異性を調べる必要がある。

(3) *A. zylda* の食物体食

好蟻性の種特異性について検討する前に，*A. zylda* の寄主範囲が極めて狭くなっている理由を考えておきたい。*A. zylda* の幼虫は，非寄主種の葉を与えられると，摂食行動を示さないまま徐々に衰弱していった。このような現象は，*A. amphimuta* と *A. dajagaka* の幼虫を飼育した場合には観察されず，これらの幼虫がしばしば示す，与えられた *M. gigantea* の葉をかじった後に死亡するという現象とは明らかに異なっていた。*A. zylda* の幼虫は，寄主である *M. beccariana* の葉を与えられれば，葉に食痕が残らない時期が続くものの，衰弱することはなかった。これらのことは，*A. zylda* の幼虫はオオバギの食物体を主な餌として利用している可能性を示唆している。*M. beccariana* の食物体は新葉の裏面(背軸側)に産出されるので(図 3C),飼育実験において幼虫に *M. beccariana* の葉を与える際には,食物体が一緒に与えられることになる。しかし,それ以外のオオバギ種の葉を飼育実験に用いる際には,食物体が幼虫に与えられることはない。なぜなら,他のアリ植物 2 種では食物体は托葉の表面に産出され(図 3AB;飼育実験では葉のみを与え托葉は与えていない),共生アリのいない *M. gigantea* はそもそも食物体を産出していないからである。

飼育実験に加え,ランビルで野外観察を繰り返した結果,*A. zylda* は,終齢幼虫に到達する頃までは新葉の裏に潜んで食物体のみを食べ,蛹化の 10 日ほど前になると新葉も食べ始めることが明らかになった(Shimizu-kaya *et al.*, 2014)。幼虫が消費する食物体の量は,終齢期間中だけでも,茎頂にある食物体重量の約 6 倍に相当した。2(2)で述べたとおり,食物体は共生アリの重要な餌資源である。*A. zylda* がこれほど大量の食物体を消費しても共生アリに攻撃されない理由は,続く好蟻性調査で明らかになる。

ところで,*A. zylda* がアリを取り除いても食草範囲を広げなかった理由は食物体食にあると判明したが,*A. zylda* の幼虫が寄主種以外のアリ植物種が生産する食物体を餌として利用できるかどうかは現在も不明である。*A. zylda* は「分布域を通じて稀」(関ほか, 1991)なうえ,葉に食痕を残さない性質により,寄主オオバギ種の葉を一枚一枚めくらねば発見できない。実験に必要な幼虫を揃えるには大変な労力を必要とする。食物体には防衛物質はほとんど含まれないとみられるが,オオバギ種によって成分が異なるため(Hatada *et al.*, 2002),*A. zylda* が寄主の食物体しか利用できない可能性は大いにある。ちなみに,*A. zylda* の成虫標本にはしばしば油がにじむ。この油分はおそらく,幼虫期に摂食した食物体に由来するのだろう。

(4) オオバギ食ムラサキシジミの好蟻性と客蟻性

アリ植物を寄主とする 3 種,*A. amphimuta*,*A. dajagaka*,*A. zylda* について,幼虫の体表炭化水素をガスクロマトグラフを用いて分析するとともに,寄主種以外のオオバギ属アリ植物種に幼虫を実験的に移入した際の移入先の共生アリとの相互反応を観察した結果,アリの攻撃性をなだめる方法は 3 種間でそれぞれ異なっていることがわかってきた(Inui *et al.*, 2015)。

A. dajagaka 幼虫の体表炭化水素の組成は寄主オオバギ種の共生アリ種との類似性が高く，寄主種の共生アリに対して化学擬態していると考えられた。この化学擬態は共生アリ種が異なる寄主種以外のオオバギ種では通用しないと考えられるが，*A. dajagaka* は移入先の共生アリにも随伴されることがあった。これは，蜜腺からの分泌物が一時的にアリの攻撃性を抑える効果をもつためと考えられる。*A. dajagaka* の蜜腺は *A. amphimuta* や *A. major* のものよりも大きいこともあり(Okubo *et al.,* 2009)，化学擬態に加えて，蜜腺も寄主オオバギ上でアリから攻撃されないために有効に機能しているようだ。

A. amphimuta の体表炭化水素の組成はアリとの類似性が低かったため，アリに対する化学擬態は行っていない可能性が高い。*A. amphimuta* が寄主上で共生アリの攻撃を回避する詳しい仕組みはまだ不明であるものの，幼虫は移入先の非寄主種の共生アリから攻撃されることが多かったため，この種が備える好蟻性はごく限られたアリ種のみに有効であると予想される。

A. zylda 幼虫の体表成分としては，一般に植物の表面に見られるテルペン類が検出された。*A. zylda* の寄主種の表面は粉上のワックスで覆われており，この性質はオオバギ属の中でも一部の種に限られる(Markstädter *et al.,* 2000)。*A. zylda* がこのワックスに化学擬態しているのかはまだわからないが，植物表面に擬態している可能性は高いようで，寄主種を含めたオオバギ 4 種の共生アリはいずれも，移入された *A. zylda* 幼虫に対して攻撃や随伴行動をほとんど示さなかった(Shimizu-kaya *et al.,* 2013b)。アリの随伴が見られないことは，*A. zylda* の幼虫が蜜腺を欠くこととも合致する。このようにアリの近くで生活するにも関わらず，アリに随伴も攻撃もされない性質は，好蟻性とは区別して「客蟻性」myrmecoxeny と定義される(Kitching & Luke, 1985; Fiedler & Maschwitz, 1989b; Ballmer & Pratt, 1991)。実際に，*A. zylda* の幼虫が新葉に密集する共生アリに干渉されることなく動く様子は，近縁種とそれぞれの共生アリとの間の相互反応行動とは全く異なる印象を受ける(図 4C)。アリ植物種の食物体を食べる鱗翅類は *A. zylda* の他にもわずかに報告があるが，共生アリが本来の働きを失っている状況下などに限られる(Roux *et al.,* 2011)。食物体は栄養価の高い餌であるはずなのに *A. zylda* が近縁種より一回り小型であることや，個体群密度が低いことも併せて考えると，オオバギ属アリ植

物上で客蟻性を維持するために相当なコストが必要となっているのかもしれない。

以上のように，生理的な機構などに不明点は残るものの，オオバギ食ムラサキシジミ各種は系統的にごく近縁でありながら，オオバギの共生アリに対する幼虫の適応戦略はそれぞれ全く異なっていた。ムラサキシジミの寄主特異性の高さには，予想通りオオバギとシリアゲアリとの種特異的な共生関係が強く影響していたのである。また，*A. zylda* においては，食物体の生産というオオバギのアリ植物としての特性を利用する食性の特殊化が起こっていた。

分子系統解析による推定では，オオバギとシリアゲアリの共生関係は約2千万年前に起源したと推定されている（上田, 2015）。オオバギを専食するムラサキシジミが近縁種から分岐してオオバギを食べ始めたのは，それよりずっと後の約200万年前と推定される（Ueda *et al.*, 2012）。オオバギとシリアゲアリの相利共生関係に見られる高い種特異性が，オオバギ専食性ムラサキシジミ各種の種分化を促した可能性がある。この考えは，好蟻性をはじめとするアリとの密接な関係がシジミチョウ科の膨大な種多様性に寄与しているという従来の見方（Fiedler, 1991）に矛盾しない。

(5) 日和見的なオオバギ食

シジミチョウにとってアリ植物を寄主とすることは，共生アリの存在によって天敵から保護されるだけでなく，化学防衛が弱い“おいしい”餌を独占的に手に入れられるという利点がある。*A. zylda* が客蟻性の維持に少なからぬコストを払っているのと同様に，アリ植物を利用する他のムラサキシジミ種も攻撃性の激しい共生アリ対してに好蟻性を維持するには相当のコストを払っていると予想される。その一方で，こうしたコストを払わずにアリ植物を利用するシジミチョウ種も存在する。

例えばランビルでは，先に述べた5種のオオバギ専食性ムラサキシジミの他に，機会的・日和見的にオオバギを寄主植物とするシジミチョウ種が確認されている。その一つが，オオバギ属以外にもフタバガキ科を含む幅広い分類群の植物を寄主利用することが確認されている *A. kinabala* である（図5）。この幼虫は，共生アリが通常の活動を維持できている場合は，オオバギ属のアリ植物種を寄主利用することはない。しかし，共生アリの衰退に伴って対

図5 ナナフシアリ *Myrmicaria* の一種に随伴される *Arhopala kinabala*
A：若齢幼虫，B: 終齢幼虫。

植食者防衛効果が低下し，共生アリでないナナフシアリ属 *Myrmicaria* がそのアリ植物個体上を占有するような状況が生じると，*A. kinabala* による寄主利用が高頻度に発生することが，複数のオオバギ属アリ植物種において確認されている(Shimizu-kaya *et al.*, 2015)。オオバギ上に限らず, *A. kinabala* の幼虫にはしばしばナナフシアリが随伴しており, *A. kinabala* の雌成虫は, ナナフシアリの存在を目印にオオバギ属のアリ植物種に産卵している可能性がある。

〔引用文献〕

Akino T, Knapp JJ, Thomas JA, Elmes GW (1999) Chemical mimicry and host specificity in the butterfly *Maculinea rebeli*, a social parasite of *Myrmica* ant colonies. *Proceedings of the Royal Society B-Biological Sciences*, 266: 1419–1426.

Ballmer R, Pratt GF (1991) Quantification of ant attendance (Myrmecophily) of lycaenid larvae. *Journal of Research on the Lepidoptera,* 30: 95–112.

Chomicki G, Renner SS (2015) Phylogenetics and molecular clocks reveal the repeated evolution of ant-plants after the late Miocene in Africa and the early Miocene in Australasia and the Neotropics. *New Phytologist,* 207: 411–424.

Davidson DW, McKey D (1993) The evolutionary ecology of symbiotic ant-plant relationships. *Journal of Hymenoptera Research,* 2: 13–83.

Davies SJ, Lum SKY, Chan R, Wang LK (2001) Evolution of myrmecophytism in western Malesian *Macaranga* (Euphorbiaceae). *Evolution*, 55: 1542–1559.

Eck G, Fiala B, Linsenmair KE, Hashim RB, Proksch P (2001) Trade-off between chemical and biotic antiherbivore defense in the South East Asian plant genus *Macaranga*. *Journal of Chemical Ecology,* 27: 1979–1996.

Ehrlich PR, Raven PH (1964) Butterflies and plants: a study in coevolution.

Evolution, 18: 586–608.

Feldhaar H, Maschwitz U, Fiala B (2016) Taxonomic revision of the obligate plant-ants of the genus *Crematogaster* Lund (Hymenoptera, Formicidae, Myrmicinae), associated with *Macaranga* Thouars (Euphorbiaceae) on Borneo and the Malay Peninsula. *Sociobiology*, 63: 651–681.

Fiala B, Maschwitz U (1992) Food bodies and their significance for obligate ant-association in the tree genus *Macaranga* (Euphorbiaceae). *Botanical Journal of the Linnean Society*, 110: 61–75.

Fiala B, Maschwitz U, Pong TY, Helbig AJ (1989) Studies of a South East Asian ant-plant association: protection of *Macaranga* trees by *Crematogaster borneensis*. *Oecologia*, 79: 463–470.

Fiala B, Jakob A, Maschwitz U, Linsenmair KE (1999) Diversity, evolutionary specialization and geographic distribution of a mutualistic ant-plant complex: *Macaranga* and *Crematogaster* in South East Asia. *Biological Journal of the Linnean Society*, 66: 305–331.

Fiedler K (1991) Systematics, evolutionary, and ecological implications of myrmecophily within the Lycaenidae (Insecta: Lepidoptera: Papilionoidea). *Bonner Zoologische Monographien*, 31: 1–210.

Fiedler K (2001) Ants that associate with Lycaeninae butterfly larvae: diversity, ecology and biogeography. *Biodiversity Research*, 7: 45–60.

Fiedler K, Maschwitz U (1989a) Adult mermecophily in butterflies: the role of the ant *Anoplolepis longipes* in the feeding and oviposition behaviour of *Allotinus unicolor* (Lepidoptera, Lycaenidae). *Lepidoptera Science*, 40: 241–251.

Fiedler K, Maschwitz U (1989b) Functional analysis of the myrmecophilous relationships between ants (Hymenoptera, Formicidae) and lycaenids (Lepidoptera, Lycaenidae). *Ethology*, 80: 71–80.

Fiedler K, Hölldobler B, Seufert P (1996) Butterflies and ants: The communicative domain. *Experientia*, 52: 14–24.

Hatada A, Itioka T, Yamaoka R, Itino T (2002) Carbon and nitrogen contents of food bodies in three myrmecophytic species of *Macaranga*: implications for antiherbivore defense mechanisms. *Journal of Plant Research*, 115: 179–184.

Hölldobler B, Willson OE (1994) *Journey to the Ants: A Story of Scientific Exploration.* Harvard University Press, Cambridge.

Inui Y, Shimizu-kaya U, Okubo T, Yamsaki E, Itioka T (2015) Various chemical strategies to deceive ants in three *Arhopala* species (Lepidoptera: Lycaenidae) exploiting *Macaranga* myrmecophytes. *PLoS One*, 10: e0120652.

市岡孝朗(2009)生物群集のキーストン―アリの役割．生物間ネットワークを紐とく（大串隆之・近藤倫生・難波利幸編）: 123–149，京都大学学術出版会，京都.

Itioka T, Nomura M, Inui Y, Itino T, Inoue T (2000) Difference in intensity of ant defense among three species of *Macaranga* myrmecophytes in a Southeast Asian dipterocarp forest. *Biotropica*, 32: 318–326.

Itioka T, Yamamoto T, Tzuchiya T, Okubo T, Yago M, Seki Y, Ohshima Y, Katsuyama R, Chiba H, Yata O (2009) Butterflies collected in and around Lambir Hills National Park, Sarawak, Malaysia in Borneo. *Contributions from the Biological Laboratory, Kyoto University*, 30: 25–68.

加藤義臣・廣木眞達（2005）ほかの生物との共生．チョウの生物学（本田計一・加藤義臣 編）：507–540，東海大学出版会，神奈川.

Kitching RL, Luke B (1985) The myrmecophilous organs of the larvae of some British Lycaenidae (Lepidoptera): a comparative study. *Journal of Natural History*, 19: 259–276.

Markstädter C, Federle W, Jetter R, Riederer M, Hölldobler B (2000) Chemical composition of the slippery epicuticular wax blooms on *Macaranga* (Euphorbiaceae) ant-plants. *Chemoecology*, 10: 33–40.

丸山宗利・小松貴・工藤誠也・島田拓・木野村恭一（2013）アリの巣の生きもの図鑑．東海大学出版会，神奈川.

Maschwitz U, Schroth M, Hanel H, Pong TY (1984) Lycaenids parasitizing symbiotic plant-ant partnerships. *Oecologia*, 64: 78–80.

Megens HJ, De Jong R, Fiedler K (2005) Phylogenetic patterns in larval host plant and ant association of Indo-Australian Arhopalini butterflies (Lycaenidae: Theclinae). *Biological Journal of the Linnean Society*, 84: 225–241.

Nomura M, Itioka T, Itino T (2000) Difference in intensity of chemical defense among myrmecophytic and non-myrmecophytic sympatric species of *Macaranga* in a South East Asian dipterocarp forest. *Ecological Research,* 15: 1–11.

Okubo T, Yago M, Itioka T (2009) Immature stages and biology of Bornean *Arhopala* butterflies (Lepidoptera, Lycaenidae) feeding on myrmecophytic *Macaranga*. *Lepidoptera Science*, 60: 37–51.

Pierce NE, Braby MF, Heath A, Lohman DJ, Mathew J, Rand DB, Travassos MA. (2002) The ecology and evolution of ant association in the Lycaenidae (Lepidoptera). *Annual Review of Entomology*, 47: 733–771.

Rosumek FB, Silveira FAO, de S. Neves F, de U. Barbosa NP, Diniz L, Oki Y, Pezzini F, Fernandes GW, Cornelissen T (2009) Ants on plants: a meta-analysis of the role of ants as plant biotic defenses. *Oecologia*, 160: 537–549.

Roux O, Céréghino R, Solano PJ, Dejean A (2011) Caterpillars and fungal pathogens: two co-occurring parasites of an ant-plant mutualism. *PLoS One*, 6: e20538.

関康夫・高波雄介・大塚一寿(1991)ボルネオの蝶 2 (1) シジミチョウ科編. 飛島建設株式会社, 東京.

Shimizu-kaya U, Okubo T, Inui Y, Itioka T (2013a) Potential host range of myrmecophilous *Arhopala* butterflies (Lepidoptera: Lycaenidae) feeding on *Macaranga* myrmecophytes. *Journal of Natural History*, 47: 2707–2717.

Shimizu-kaya U, Okubo T, Yago M, Inui Y, Itioka T (2013b) Myrmecoxeny in *Arhopala zylda* (Lepidoptera, Lycaenidae) larvae feeding on *Macaranga* myrmecophytes. *Entomological News*, 123: 63–70.

Shimizu-kaya U, Okubo T, Itioka T (2014) Exploitation of food bodies on *Macaranga* myrmecophytes by larvae of a lycaenid species, *Arhopala zylda* (Lycaeninae). *Journal of the Lepidopterists Society*, 68: 31–36.

Shimizu-kaya U, Kishimoto-Yamada K, Itioka T (2015) Biological notes on herbivorous insects feeding on myrmecophytic *Macaranga* trees in the Lambir Hills National Park, Borneo. *Contributions from the Biological Laboratory, Kyoto University*, 30: 85–125.

Shimizu-kaya U, Okubo T, Itioka T (2016) A bioassay for measuring the intensities of ant defenses on *Macaranga* myrmecophytes. *Tropics*, 25: 101–106.

Treseder KK, Davidson DW, Ehleringer JR (1995) Absorption of ant-provided carbon dioxide and nitrogen by a tropical epiphyte. *Nature,* 375: 137–139.

上田昇平(2015)アリに学ぶ食と住まいの安全—小さな虫の大きな知恵. アリの社会 (坂本洋典・村上貴弘・東正剛 編): 158–174, 東海大学出版部, 神奈川.

Ueda S, Okubo T, Itioka T, Shimizu-kaya U, Yago M, Inui Y, Itino T (2012) Timing of butterfly parasitization of a plant–ant–scale symbiosis. *Ecological Research*, 27: 437–443.

矢後勝也(2003)シジミチョウ科幼虫の好蟻性器官. 昆虫と自然, 38(5): 15–20.

Whitmore TC (2008) *The Genus Macaranga: A Prodromus*. Kew Publishing, Richmond.

Yamane S, Tanaka HO, Hashimoto Y, Ohashi M, Meleng P, Itioka T (2021) A list of ants from Lambir Hills National Park and its vicinity, with their biological information: Part II. Subfamilies Leptanillinae, Proceratiinae, Amblyoponinae, Ponerinae, Dorylinae, Dolichoderinae, Ectatomminae and Formicinae. *Contributions from the Biological Laboratory, Kyoto University*, 31: 87–157.

(清水加耶・市岡孝朗)

14 ゴマシジミの食害に対する食草の補償反応

1. はじめに

自然界には様々な生物間相互作用が存在する。大多数の蝶は植物をエサとして利用するが，植物は植食者に食べられないよう，もしくは食べられても大きな負の影響を受けないよう，様々な防衛戦略を進化させてきた。そのため，蝶と植物の食う－食われる関係を理解するためには，植物側の視点から考えることも重要である。そこで本章では，ゴマシジミ *Phengaris teleius* という蝶とその食草であるナガボノワレモコウ *Sanguisorba tenuifolia* を対象に，蝶に食べられた植物が引き起こす反応に焦点を当てた研究を報告する。また，本章では2種の種間関係に関する研究内容のほかに，ゴマシジミが持つ独特な生活史や人為的な環境改変と個体数の関係についても説明し，最後にゴマシジミの保全に関する取り組み例を紹介する。

2. ゴマシジミの生活史に関わる動植物たち

鱗翅目幼虫の99％以上が植食性であるなか（那須, 2011），シジミチョウ科のゴマシジミは，幼虫期間内で草食性から肉食性へと食性が変わるという独特な生活史を持っている（図1）。若齢幼虫期のゴマシジミはワレモコウ属 *Sanguisorba* 植物を利用する。ゴマシジミはワレモコウ属の穂状花序（花軸のまわりに小花が穂状についたもの）に産卵し，孵化した幼虫は3齢までワレモコウ属の花（未成熟果実など）を摂食する。その後，4齢（終齢）幼虫になるとクシケアリ属 *Myrmica* のアリを利用するようになる。終齢幼虫まで成長したゴマシジミはクシケアリ属の働きアリによって巣の中へ運ばれ，アリの幼虫を摂食する。ゴマシジミ幼虫はクシケアリ属の匂いを擬態し（Akino *et al.*, 1999），かつクシケアリ属の女王アリが出す音を発することで（Barbero *et al.*, 2009），巣の中から排除されずにアリの幼虫を食べ続け，その後，巣の中で蛹化および羽化をする。ゴマシジミは寄主への特異性が高く，ワレモコウ属およびクシケアリ属の両方が同所的に生息していなければ生存することができない。つまりゴマシジミは，産卵場所および若齢幼虫のエサとしてワレ

図1　ゴマシジミの生活史

3齢幼虫まではワレモコウ属の花を摂食し，終齢幼虫ではクシケアリ属の幼虫を摂食する。ワレモコウ属とクシケアリ属がゴマシジミの生存に必須である。

モコウ属植物を，終齢幼虫のエサおよび蛹化場所としてクシケアリ属のアリを利用するという，2種の生物に依存した生活史を送るチョウである(福田ほか, 1984; 永盛ほか, 2020)。

3. ゴマシジミ個体群の現状

現在ゴマシジミは，日本各地で個体数および分布域が減少している。環境省のレッドリスト2020によると，ゴマシジミは関東・中部亜種で絶滅危惧IA類，中国地方・九州亜種でIB類，中部高知帯亜種でⅡ類，北海道・東北亜種で準絶滅危惧に指定されている(環境省, 2020)。また，ゴマシジミはアジアやヨーロッパ，ロシアに広く分布しているが，世界的に見ても，ゴマシジミの個体数および分布域の減少が報告されている(van Swaay & Warren, 1999; Gao *et al.*, 2016)。減少の原因としては，過度な採集の他に，草原の管理放棄や乾燥化などの生育環境の悪化に伴うワレモコウ属およびクシケアリ属の減少などがあげられる(吉田, 2006; 日本チョウ類保全協会編, 2012)。一

図2 ナガボノワレモコウ（左：全体，右：穂状花序）

方，北海道では分布域を広げている。その要因として，道路法面の新規および改修工事の際，緑化のために散布される種子の中に食草であるナガボノワレモコウ(図2)の種子が含まれており，それらを伝って分布が拡大していると考えられている(有田・前田, 2014)。現状北海道では，ゴマシジミの個体数減少に関して本州以南ほど深刻な問題とはなっていない。しかし，人為的に改変された場所へ新たに分布を拡大できても，数年経つと植生遷移や環境変化に伴い食草が消滅する場合が多く，今後のゴマシジミ個体群の定着・増加には定期的な草刈りなど継続的な生息地の管理が必要である(黒田, 2016)。

4. ゴマシジミと食草の種間関係

食草であるワレモコウ属に対して，個体数を増やすための植栽や草刈りによる生息環境の管理などの活動および研究が各地で実施されてきた(新井・大窪, 2014; 日本チョウ類保全協会編, 2016)。ワレモコウ属はゴマシジミの生存に必要不可欠な存在であるが，ワレモコウ属にとっては，ゴマシジミ幼虫は花，すなわち繁殖器官を食べてしまう存在である。そのため，ただゴマシジミに食べられているだけならば，ワレモコウ属は生産する種子数の減少，ひいては個体群の衰退を招いてしまうのではないだろうか。しかしながら，ゴマシジミとワレモコウ属の共存関係は長年継続されてきた。このことから，ワレモコウ属ではゴマシジミの食害に対して種子生産の減少を防ぐ何らかの戦略があるのではないかと考えた。これまで，ゴマシジミに食べられることによるワレモコウ属自体への影響は評価されていなかった。そこで，私たち

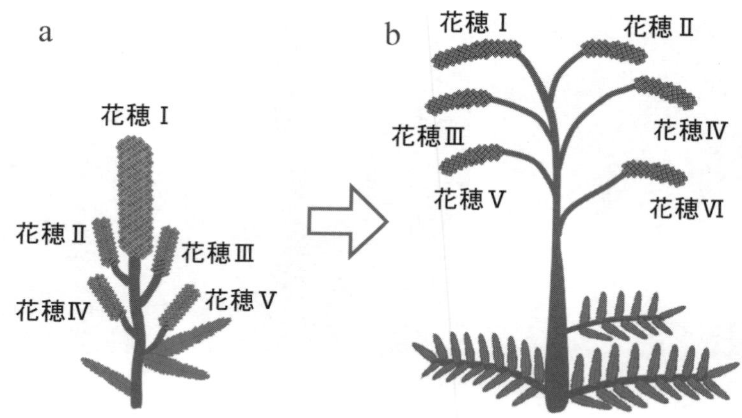

図3 ゴマシジミの産卵時期（a）およびゴマシジミ幼虫の摂食時期（b）におけるナガボの花序の模式図と花穂の位置。茎頂にある花穂を花穂Ⅰとし，そこから地際方向に分枝する度に花穂Ⅱ，花穂Ⅲ…と定めた。

はゴマシジミによる食害の現状および食害後の果実の生産数を調査し，ゴマシジミとワレモコウ属の共存関係がどのように成り立っているのかを評価した。

(1) ゴマシジミは食草1個体にいくつ産卵するのか

ワレモコウ属植物は1個体から複数の穂状花序(以降は花穂と表記する)を形成する。本研究では，どの花穂に何個産卵されたのかを確認することで，産卵を受けやすい花穂の位置，および食草1個体あたりで食害される花穂数を調査した。調査地は北海道北広島市の緑地で，そこに自生するナガボノワレモコウ(以降はナガボと表記する)約1,000個体(花茎)を対象とした。ゴマシジミは開花前の花穂の蕾と蕾の間に埋め込むようにして産卵するため，卵を見落とさないよう開花前の花穂を注意深く観察し，卵を捜索した。産卵された花穂の位置関係を把握するため，茎頂に形成した花穂から順にⅠ，Ⅱ，Ⅲ…と番号を付け，区別した(図3)。

調査の結果，ゴマシジミに産卵された花穂の55%が茎頂につく花穂Ⅰだった(図4a)。花穂Ⅱ以降では，それぞれ10%前後の産卵頻度になった。ゴマシジミが産卵を開始する7月下旬では，ナガボの花茎は伸長段階であり，花穂Ⅰ以外の花穂は小さい蕾の状態であった(例えば，図3a)。蕾と蕾の間に卵を埋め込むゴマシジミにとって，花穂Ⅰ以外の花穂は産卵に適していな

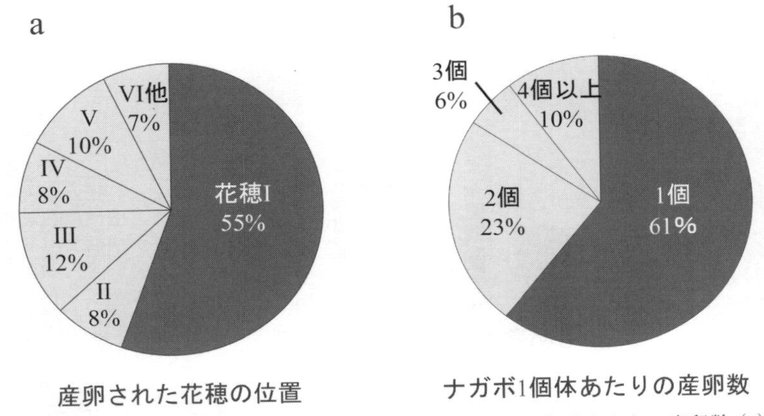

図4　ゴマシジミに産卵された花穂の位置（a）とナガボ1個体あたりの産卵数（b）

かったのだと考えられる。また，ゴマシジミは幼虫に十分なエサを確保するため，他の花穂よりもサイズの大きい花穂Ｉに主に産卵したとも考えられる。

また，ナガボ1個体あたりに産み付けられた卵の数を数えたところ，1個だけ産卵されたナガボ個体が61％を占めており，2個産卵されたナガボ個体も含めると全体の80％を超えた（図4b）。ゴマシジミでは，別のゴマシジミ個体の産卵を防ぐフェロモンを持つことが示唆されている（Sielezniew & Stankiewicz, 2013）。これにより，ゴマシジミはナガボ1個体に複数個産卵することを防いでいると考えられる。食草1個体内に少数の卵しか産まないことで，幼虫同士のエサを巡る競争を減らしている可能性がある（Thomas & Wardlaw, 1992）。以上のことから，ゴマシジミはナガボの花穂Ｉに1個産卵する傾向があることが明らかになった。

(2) ゴマシジミはナガボ果実をどのくらい食害するのか

ゴマシジミに産卵された花穂は，どの程度食害を受けるのかを調査するため，ゴマシジミに産卵された花穂168個を果実の成熟後に回収し，成熟した果実数および食害された果実数をそれぞれ数えた。花穂あたりの被食率の頻度分布を図5に示した。この結果，花穂内の80％以上の果実を食害された花穂が全体の約50％を占めており，次いで，60〜80％食害された花穂が約20％を占めた。一方，40％未満の被食率だった花穂も約10％存在したが，それらの花穂の一部から死亡したゴマシジミ幼虫が発見されたことから，途中で幼虫が死亡したため低い被食率になったことが理由の1つとして考えら

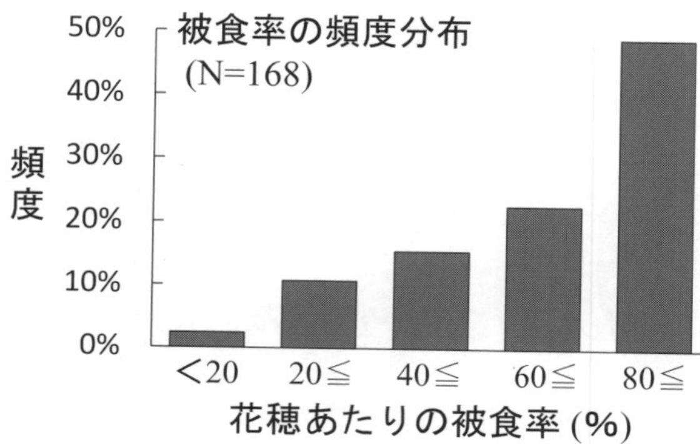

図5　ゴマシジミの食害による花穂あたりの被食率。横軸は花穂内の果実が何％食べられていたのかを，縦軸はその被食率の花穂が全体の何％だったのかを示している。

れる。以上のことから，ゴマシジミ幼虫は，終齢幼虫になるまでに，産卵された花穂内の大部分の果実を食害するほどの強い摂食圧を持つことが示唆された。

(3) ゴマシジミはナガボ個体全体の果実生産量を減少させるのか

ここまで，ゴマシジミは主にナガボの花穂Ⅰに産卵し，花穂内の大部分の果実を食害することがわかった。では，花穂Ⅰを食害された個体で，残りの花穂の果実数にも食害の影響はあるのだろうか。花穂Ⅰにゴマシジミの食害を受けたナガボ個体と食害を受けていないナガボ個体間で，花穂Ⅱから花穂Ⅴまでの花数と成熟した果実数を比較した。この結果，花数はほとんどの花穂で食害の有無による差は確認されなかった一方（図6a），果実数では，花穂Ⅰを食害

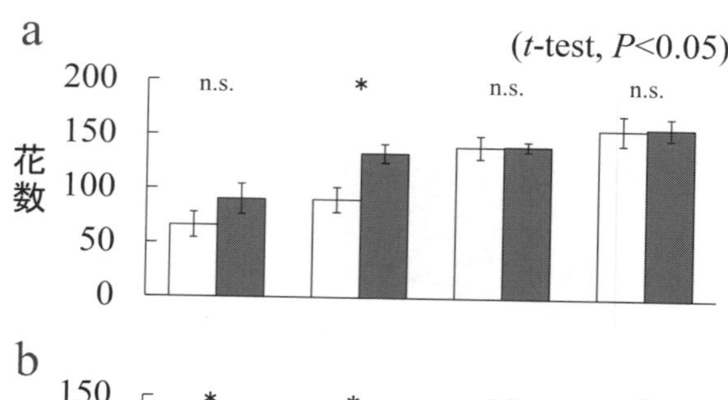

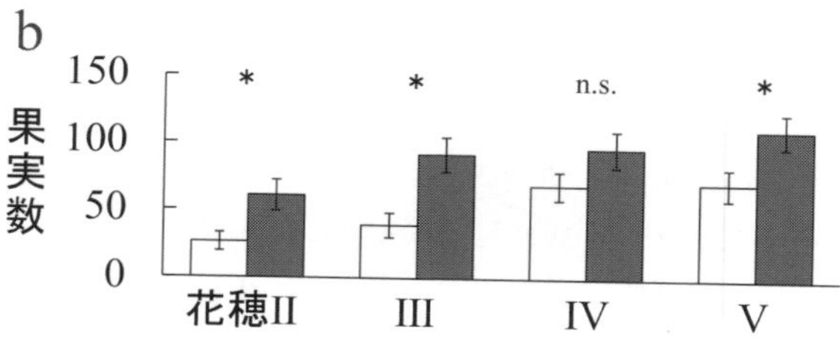

□ 花穂Ⅰに食害なし　■ 花穂Ⅰに食害あり

図6　花穂Ⅰの食害個体と非食害個体における花穂Ⅱ～Ⅴの花数（a）と果実数（b）。グラフの白色は花穂Ⅰに食害を受けていないナガボ個体，灰色は花穂Ⅰに食害を受けたナガボ個体を示す。

された個体の方が増加する傾向が見られた(図 6b)。つまり，花穂Ⅰの食害個体では，非食害個体と比べて，花穂Ⅱ以降の形成する花数は変わらないが，成熟する果実数が増加する補償反応が生じたことを示している。

個体全体で比較すると，統計的な有意差はないが，花穂Ⅰの食害個体の方が，果実数が多い傾向が見られた(P=0.067; 図 7b)。これは，食害を受けた花穂Ⅰでは果実を生産できないにもかかわらず，残りの花穂の果実数が増加したことで，個体レベルでの生産量は食害を受けていない個体と少なくとも同程度，あるいはそれ以上の果実を生産したことを意味する。これらの調査結果から，ゴマシジミの食害は，花穂レベルでは果実生産を減少させるものの，個体レベルでは補償反応によって果実の生産量減少を抑えていることが明らかになった。

このナガボの補償反応は，花穂Ⅰから他の花穂への資源の再配分が生じたためと考えられる(Strauss & Agrawal, 1999)。ナガボの花穂は食害のない状態でも，結果率が 30～40％程度と未成熟な果実(すなわち，種子を形成していない果実)が多く残されていた(図 6・7)。花穂Ⅰが食害された場合，残りの花穂では，花数が変わらないにもかかわらず，果実数は食害されていない個体よりも増加した。つまり，食害のない状態では成熟していなかった果実が，補償反応によって新たに成熟することで，

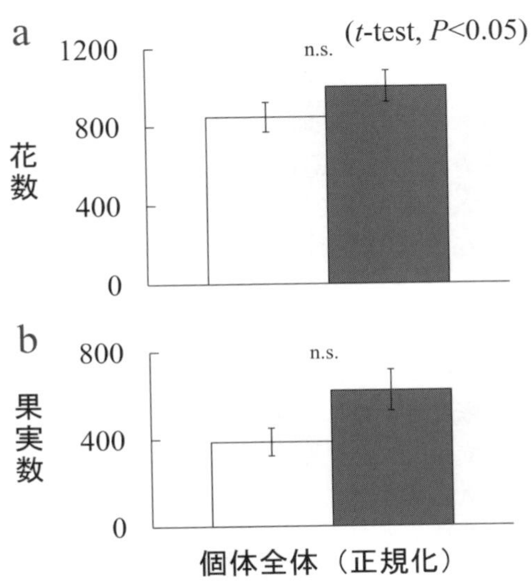

図 7 花穂Ⅰの食害個体と非食害個体における個体全体の花数（a）と果実数（b）。個体によって花穂数にばらつきがあるため，本調査地における平均花穂数 7 個に正規化した。

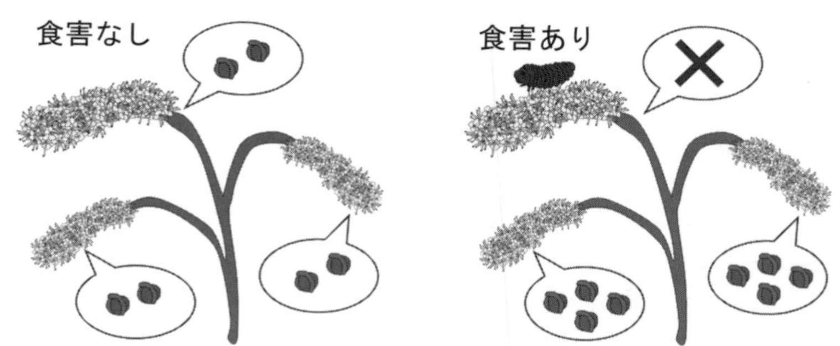

図 8　補償反応のイメージ図

花穂Ⅰを食害されたナガボ個体は残りの花穂での果実の生産量が増加する。

食害による果実数の減少を補ったのだと考えられる（図 8）。

（4）補償反応はゴマシジミの食害でのみ生じるのか

最後に，ナガボの補償反応はゴマシジミの食害に対する特異的な反応なのかを確かめるため，人為的な損傷を与える操作実験を行った。本調査地でゴマシジミ幼虫の食害が始まる 8 月中旬頃に，花穂Ⅰをはさみで切除した。その後，ゴマシジミに産卵および食害されることを防ぐために，ナガボ個体全体に網をかけた。対照として，切除をせずに網のみをかけた個体を用いて，花穂数，各花穂の長さ，個体当たりの合計果実数を比較した。この結果，花穂数と各花穂の長さは差が認められなかった一方，果実数では切除個体の方が減少した。

花穂Ⅰの切除はゴマシジミによる食害の結果と異なる結果となった。つまり，他の花穂での果実数の増加傾向が見られた花穂Ⅰの食害とは異なり，人為的な損傷ではナガボの補償反応が生じないことが明らかになった。これは，切除処理ではゴマシジミによる食害を再現できなかった可能性が考えられる（Heil, 2010）。植物では，植食者から分泌される化学物質を刺激として受容し，その結果，生理的応答を起こすことがある（Mithöfer & Boland, 2008; War *et al.*, 2018）。つまり，物理的な損傷のみの場合，植物は異なる応答をすることがあるということである。他の植食者の食害での検証はできていないが，少なくとも本実験の結果から，ナガボの補償反応はゴマシジミ幼虫の唾液成分や体表成分などの化学物質によって誘引されるメカニズムである可能性が考えられる。

5. ゴマシジミを保全していくために

ゴマシジミの食害に対するナガボの補償反応は，ナガボの種子生産の維持，ひいてはゴマシジミとの共存関係を維持していくために重要なメカニズムである可能性がある。ナガボ1個体に1個産卵するというゴマシジミの産卵傾向は，幼虫間の競争を減らすためのゴマシジミ側の戦略であると考えられるが，結果的にナガボにとっても，補償反応によって種子生産を補える程度の食害圧に抑えられていることにつながっている。しかし，この補償反応が全てのゴマシジミ生息地で生じているとは限らない。ゴマシジミの産卵に適したナガボ個体が少ない環境では，複数の花穂に産卵および食害を受けることで，ほとんど種子を生産できないかもしれない。実際に，産卵に適した植物個体が少ない場合，すでに産卵された花穂にも複数個卵を産み付けることも報告されている(Sielezniew & Stankiewicz, 2013)。これらのことから，ワレモコウ属の個体数の減少は，単純にゴマシジミの産卵場所および幼虫のエサが不足するだけではなく，複数の花穂への産卵および食害によってワレモコウ属個体群のさらなる衰退を引き起こすと考えられる。

ゴマシジミの個体数を維持するためには，食草であるワレモコウ属植物に加え，クシケアリ属のアリも必要である。本稿ではゴマシジミと食草の関係に着目したが，クシケアリ属に関しては，特定の遺伝系統のアリのみをゴマシジミが利用していることなど，ゴマシジミの生存に関わる重要な知見が近年得られている(Ueda *et al.*, 2016)。ゴマシジミはどちらか一方の宿主でも欠ければ生存することができないが，

図9　ゴマシジミの生態などを紹介した科学読みもの。内容は全てネットで公開されている（https://moriclu.jimdofree.com/）。

両種さえ生息していれば道路の法面や住宅街の空き地など，身近な場所でも生息することができるチョウである(永盛ほか, 2020)。本研究を行った緑地は，比較的住宅街に近い環境にあり，長年市民団体によるゴマシジミの保全活動が行われている。産卵場所および若齢幼虫のエサであるナガボに対しては，新たな場所への移植やススキの草刈りを通して，分布域の拡大および個体数の増加を目指している。終齢幼虫のエサおよび蛹化場所であるアリに対しては，朽ち木を埋めたり石のブロックを置いたりすることで，アリが巣を作りやすい場所を増やす活動を行っている。また，ゴマシジミの生態をわかりやすく伝えるために科学読みものを制作し，近隣の学校への配布やインターネットでの公開を行っている(図 9)。このような啓蒙活動は身近な場所に住む生物や自然環境に目を向けるきっかけとなり，希少生物の保全や生態系の維持に対する理解へとつながると考えている。

謝辞

本稿で紹介した研究において，北広島森の倶楽部ゴマシジミ研究部の皆様には，調査に大変ご尽力いただいた。この場をお借りして御礼申し上げる。

〔引用文献〕

Akino T, Knapp JJ, Thomas JA, Elmes GW (1999) Chemical mimicry and host specificity in the butterfly *Maculinea rebeli*, a social parasite of *Myrmica* ant colonies. *Proceedings of the Royal Society of London B*, 266: 1419–1426.

新井隆介・大窪久美子(2014)岩手県におけるゴマシジミ生息地の保全を目的とした湿生群落の植生管理 . ランドスケープ研究（オンライン論文集), 7: 155–160.

有田斉・前田善広(2014)珠玉の標本箱　日本産蝶類標本写真およびデータベース（8）シジミチョウ科⑥ゴマシジミ（北海道･東北)･オオゴマシジミ: 1–3, NRC 出版, 大阪.

Barbero F, Thomas JA, Bonelli S, Balletto E, Schönrogge K (2009) Queen ants make distinctive sounds that are mimicked by a butterfly social parasite. *Science* 323: 782–785.

Gao K, Li X, Chen F, Guo Z, Settele J (2016) Distribution and habitats of *Phengaris* (*Maculinea*) butterflies and population ecology of *Phengaris teleius* in China. *Journal of insect conservation*, 20: 1–10.

Heil M (2010) Plastic defence expression in plants. *Evolutionary Ecology*, 24: 555–

569.
福田晴夫・浜栄一・葛谷健・高橋昭・高橋真弓・田中蕃・田中洋・若林守男・渡辺康之(1984)原色日本蝶類生態図鑑(Ⅲ): 262–266, 保育社, 大阪.
環境省(2020) 環境省レッドリスト 2020 http://www.env.go.jp/press/files/jp/114457.pdf
黒田哲(2016)北海道におけるチョウの分布拡大. 環境 Eco 選書 12 チョウの分布拡大（井上大成・石井実 編): 158–173, 北隆館, 東京.
Mithöfer A, Boland W (2008) Recognition of herbivory-associated molecular patterns. *Plant Physiology*, 146: 825–831.
永盛俊行・芝田翼・辻規男・石黒誠(2020)北海道の蝶: 146–147, 北海道大学出版会, 北海道.
那須義次(2011)鱗翅類の食性の多様性. 日本の鱗翅類 —系統と多様性（駒井古実・吉安裕・那須義次・斉藤寿久 編): 37–46, 東海大学出版会, 神奈川.
日本チョウ類保全協会 編(2012)フィールドガイド日本のチョウ: 164–165, 誠文堂新光社, 東京.
日本チョウ類保全協会 編(2016)ゴマシジミの保全のため, 生息環境の維持・改善を進めています. チョウの舞う自然, 22: 16–17.
Sielezniew M, Stankiewicz AM (2013) Behavioural evidence for a putative oviposition-deterring pheromone in the butterfly, *Phengaris* (*Maculinea*) *teleius* (Lepidoptera: Lycaenidae). *European Journal of Entomology*, 110: 71–80.
Strauss SY, Agrawal AA (1999) The ecology and evolution of plant tolerance to herbivory. *Trends in Ecology & Evolution*, 14: 179–185.
Thomas JA, Wardlaw JC (1992) The capacity of a *Myrmica* ant nest to support a predacious species of *Maculinea* butterfly. *Oecologia*, 91: 101–109.
Ueda S, Komatsu T, Itino T, Arai R, Sakamoto H (2016) Host-ant specificity of endangered large blue butterflies (*Phengaris* spp., Lepidoptera: Lycaenidae) in Japan. *Scientific Reports*, 6: 36364.
van Swaay C, Warren M (1999) Red data book of European butterflies (Rhopalocera). Nature and Environment, No. 99: 29–32, *Council of Europe*, France.
War AR, Taggar GK, Hussain B, Taggar MS, Nair RM, Sharma HC (2018) Plant defence against herbivory and insect adaptations. *AoB Plants*, 10: ply037.
吉田勝一(2006)岩手県産ゴマシジミ（チョウ目：シジミチョウ科）の保全に関する生態的知見. アルテスリベラレス（岩手大学人文社会科学部紀要), 78: 171–181.

（内田葉子・大原　雅）

⑮ 寄主植物の量と質を介したシカとジャコウアゲハの間接相互作用

チョウにとって寄主植物の質の違いは，産卵や摂食の選好性といった行動に影響するとともに，幼虫の生存，成長，季節消長など生活史を通じて様々な影響をもたらす。本章では，ウマノスズクサ属を寄主植物とするジャコウアゲハ *Byasa alcinous* について，寄主植物の質と密接な関係にあるその生活史について紹介するとともに，シカの採食による寄主植物の変化によってもたらされる，シカとチョウの間接的な相互作用について紹介する。

1. ジャコウアゲハと2種類のウマノスズクサ

ジャコウアゲハは東アジアに分布する大型のアゲハチョウ科のチョウであり，オスの成虫は和名の由来となった特徴的な麝香臭を放つ(図1)。幼虫は

図1 ジャコウアゲハの成虫(左上：オス，右上：メス)および幼虫(左下)と蛹(右下)
蛹は特徴的な形から「お菊虫」の別名も持つ。

図 2　ジャコウアゲハの 2 種類の寄主植物
ウマノスズクサ（左）とオオバウマノスズクサ（右）。

ウマノスズクサ属植物を寄主植物とする。ウマノスズクサに含まれる有毒物質であるアリストロキア酸はジャコウアゲハの産卵刺激物質や摂食刺激物質であることが知られており（Nishida & Fukami, 1989），ジャコウアゲハはこれを体内に蓄えることによって，鳥などの天敵からの防衛に役立てているとされる。

本州から九州に生息するジャコウアゲハの個体群では寄主植物の違いに応じて，大きく分けて 2 種類の季節消長を示すことが知られている。平地の河川敷などに多く生育するウマノスズクサ *Aristolochia debilis*（図 2）を寄主植物とする個体群では，その地域の気候にもよるが多化性で年 3〜5 回の成虫の発生が知られる。一方で，山地の林縁部に多く生育するオオバウマノスズクサ *A. kaempferi*（図 2）を寄主植物とする個体群では，主に 5 月頃に成虫の出現のピークが見られた後，8 月頃に一部の個体のみが羽化する，部分二化性となることが報告されている（加藤, 2001）。多くのチョウでは，年何回成虫が発生するかは，種で一定であるか，緯度や気温によって地域的な変異が見られる場合が多いが，同程度の緯度でそれほど気温に違いがないような地域間においても，平地と山地で明瞭に発生回数が異なることは，ユニークな特徴と言える。山地の個体群で夏に羽化する成虫が少ないことは，夏季の高い休眠割合に起因する。休眠とは冬などの成長に不適な環境を過ごすために，活動の一部を停止した状態であり，ジャコウアゲハは幼虫時代に低温や短日日長（夜が長く日が短い状態，すなわち秋から冬が近づく状態）を経験すると，蛹で休眠状態に入ることが知られている。平地のウマノスズクサを利用する地域においては，春から夏にかけて成長した幼虫の蛹は，休眠せずに 2 週間程度で羽化するのに対し，秋に成長した幼虫の蛹は休眠蛹として冬を越し，春になってから羽化する。一方，山地のオオバウマノスズクサを利用する地域においては，春から初夏にかけて成長した幼虫の蛹がそのまま休眠蛹となり，翌年の春に羽化するものの割合が多いとされている。この休眠性の違いは，ウマノスズクサを餌として同一条件下で飼育した場合にも見られ，短日条件下（12 時間明期：12 時間暗期）で飼育した場合は，全ての蛹が休眠蛹となるが，長日条件下（16 時間明期：8 時間暗期）においては，ウマノスズクサ利用地域の個体ではほぼ全て非休眠蛹になり，オオバウマノスズクサ利用地域の個体では 60～80％程度の高い割合で休眠蛹となった（Kato, 2005）。なお，休眠蛹と非休眠蛹ではその色彩も異なり，非休眠蛹では明るい黄色であるのに対し，休眠蛹では褐色となる。ただし，休眠蛹については飼育条件により色彩が変異することも知られている（Yamamoto *et al*., 2011）。

オオバウマノスズクサを利用する地域のジャコウアゲハで見られる，夏季の休眠反応はいったいどのような意味を持つのだろうか。それには寄主植物の季節性（フェノロジー）の違いが一つの鍵となっている（加藤, 2001）。草本性つる植物のウマノスズクサは，春先に地下の根から地上部に新芽を伸ばし，比較的薄く軟らかい葉をつける。ウマノスズクサの生育環境は河川敷などの撹乱地であり，ここではたびたび刈り取りを受けるが，刈り取り後の植物も枯れずに，補償成長により新葉が産生される。夏でも新葉が盛んに成長するため，結果として冬に地上部が枯れるまでの期間，ジャコウアゲハにとって利用しやすい資源が存在する。一方，木本性つる植物のオオバウマノスズクサは，春の展葉から冬の落葉まで葉が存在するが，初夏にはつるの成長が止まり，葉が硬化する性質がある。すなわち，オオバウマノスズクサでは軟らかい葉が得られる季節が，春から夏までと短い期間に限定されており，それ以降は硬い葉や茎しか得られにくい状況である。この葉が硬化する季節での成長を避けるために，オオバウマノスズクサを利用する地域では夏季には高い休眠割合を示し，春から初夏の新葉が展開する季節に幼虫の成長期間を適合させる戦略をとっていると考えられる。ちなみに，オオバウマノスズクサと同様に葉が硬化するアリマウマノスズクサ *A. shimadai* を野外で利用するとされるジャコウアゲハ八重山亜種 *B. alcinous bradanus* では，夏季の休眠反応は見られないが，こちらは若齢幼虫が集合行動を示すことで，単独では食いつきにくい硬い葉に対しての摂食を促進しており，休眠とは異なる戦略で葉の硬化に対応しているようである（Kawasaki *et al.*, 2009）。

寄主植物の季節性に応じた生活史戦略をもつジャコウアゲハにとって，葉の質の季節的な低下は幼虫の生存や成長を左右する重要な要因となっていることが予想される。そこで寄主植物の質に着目して，ジャコウアゲハの休眠戦略について研究をすすめることとした。

2. 餌の質的変化に対するジャコウアゲハの応答

オオバウマノスズクサの季節性について，夏以降は成長が止まることを先程述べたが，実を言うと例外的な反応も見られる。筆者が調査を行っていた地域では，平地の林縁や隣接する農地の土手などでもオオバウマノスズクサが見られ，このような場所ではウマノスズクサの生育環境と同様に刈り取りなどの撹乱を頻繁に受けていた。撹乱を受けた株では，休眠芽の再成長が生じる補償成長によって新葉が展開し，ウマノスズクサと同様に夏以降にも新葉が産生される。8 月に林縁の人為的撹乱環境と林内の撹乱を受けにくい環境の株を比べた結果，撹乱環境では 70％を超える割合で軟らかい新葉が見られたのに対し，撹乱を受けにくい環境では成熟した硬い葉しか見られなかった（Takagi & Miyashita, 2008）。オオバウマノスズクサにおいても夏季の新葉の利用可能性は生育条件によって変化することがわかったことから，新葉と成熟葉がジャコウアゲハの幼虫の成長にどのような影響を及ぼすかを調べることとした。

オオバウマノスズクサを利用する千葉県房総半島で採集したジャコウアゲハのメスを実験室内で産卵させ，飼育実験を行った。卵を 2 つのグループに分けて，一方のグループには軟らかい新葉のオオバウマノスズクサ，もう一方のグループには硬い成熟葉のオオバウマノスズクサを与え，蛹になるまで飼育した（Takagi & Miyashita, 2008）。餌となる植物は筆者の大学の周辺には存在しないため，週に何度か山に通って葉を実験室に持ち帰り，全ての葉について，硬さの指標として葉の貫通に要する力を測定してから，幼虫に与えるという作業を繰り返した。なお，硬さに注目して葉を分類しているが，硬

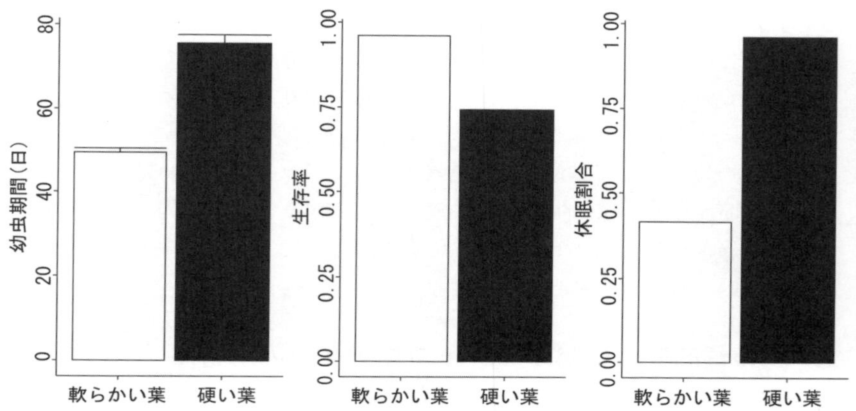

図 3 異なる餌条件下で飼育したジャコウアゲハの幼虫期間, 生存率, 蛹休眠割合
幼虫期間はそれぞれのグループでの平均値および標準誤差を表す。

い葉では昆虫の成長に必要な窒素の含有率が低く，葉の硬さは物理的な違いだけでなく餌の質の指標として用いている。室温 20℃，長日条件下(16 時間明期：8 時間暗期)での飼育の結果，葉の硬さの異なるグループ間では幼虫の成長や生存に大きな違いが見られた(図 3)。まず，幼虫の孵化から蛹化までの発育期間は，軟らかい葉を与えたグループに比べて，硬い葉を与えたグループでは成長が遅くなり，孵化から蛹化まで 90 日かかる個体も見られた。硬い葉を与えたグループでは十分に摂食できずに途中で死亡する個体が見られ，3 齢幼虫までの生存率は低下した。さらに，軟らかい葉を与えたグループでは 4 割程度の休眠率であったのに対して，硬い葉を与えたグループでは 9 割以上の蛹が休眠蛹になった。データを追加して解析を行った結果，成長の遅い個体では休眠蛹になりやすく，およそ 50 日以上の幼虫期間を経た個体では，過剰脱皮も生じ，休眠個体が多かった(図 4)。非休眠蛹となった個体の多くは 5 齢幼虫で蛹へと変態したのに対し，休眠蛹となった個体では 6 齢あるいは 7 齢幼虫を経て蛹に変態した個体が見られた。

これまで，オオバウマノスズクサを利用する地域の個体では夏季の休眠割合が高いことが明らかになっていたが，どうも利用する寄主植物との対応関係は固定的なものではなく，条件に応じて休眠率を柔軟に変化させる戦略を

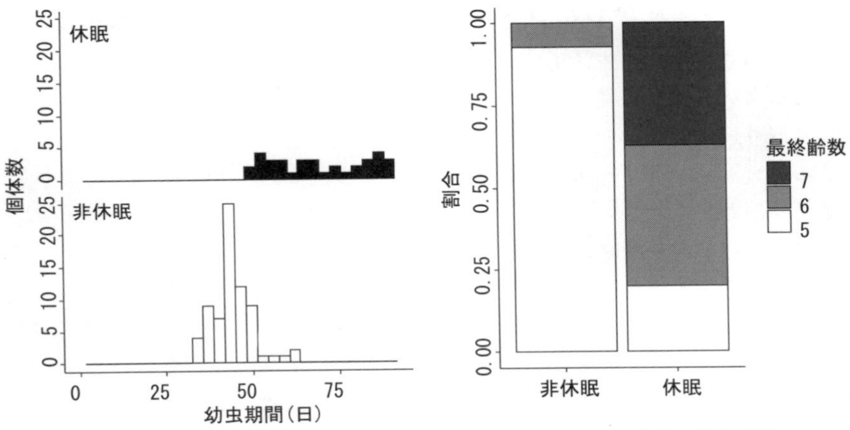

図4 非休眠および休眠個体における幼虫期間の頻度分布と幼虫の最終齢数

ジャコウアゲハはとっているようである。餌の質が悪い条件では，その後羽化，産卵したとしても幼虫が十分に発育できる環境が少ないと予想されるため，条件の良い春まで蛹で休眠するのに対し，餌条件が良ければ世代を繰り返すことのできる見込みが高いため，非休眠となるような可塑的な適応戦略をとっていると言えるだろう。その後の研究で，ウマノスズクサを利用する地域においても，餌が少なく，かつ共食いのリスクの低い条件においては，長日条件下でも成長が遅れた個体で，蛹の休眠がみられることも明らかになっている(Nakahara *et al*., 2020)。また，ウマノスズクサを利用する地域の個体をオオバウマノスズクサで飼育した場合，長日条件下でも高い休眠率を示すとともに，オオバウマノスズクサを利用する地域の個体でもウマノスズクサで飼育した場合には長日条件下での休眠率が低下することも明らかになっている(加藤, 2008a)。ジャコウアゲハの休眠は，他のチョウにおいて主要な要因である温度や日長だけでなく，幼虫時代の餌条件に応じて柔軟に変化することがわかったが，それは幼虫の発育環境を決定づける寄主植物の量や質が，地域間，季節，環境条件で変化しやすいことが背景にあるのかもしれない。ジャコウアゲハの多様な生活史についてより詳しく知りたい場合は，加藤(2008b)の特集が参考になるだろう。

3. シカの採食がもたらすジャコウアゲハの餌の質の変化

ジャコウアゲハの生活史に大きな影響を与える寄主植物の質は，野外においてはどのような条件で変化するだろうか。前述のように人為撹乱環境では刈り取りにより新葉の再展葉が盛んであることが知られているが，植食者による採食も刈り取りと同様の効果を与える。ジャコウアゲハの幼虫は茎や葉を切り落とすことや，株の食い尽くし，師管部を環状に食べることが知られており，これが補償成長を誘導することがある。日本においてジャコウアゲハ以外にウマノスズクサを食べる動物としては，南西諸島に生息するベニモンアゲハと，外来種であるホソオチョウが知られる。これらの昆虫を除き，有毒植物であるウマノスズクサを利用する動物はそれほど多くないと考えられ，筆者の経験でもジャコウアゲハ以外の植食性昆虫による食害を受けたオオバウマノスズクサを見ることは少ない。しかしながら，筆者の調査地であった千葉県房総丘陵では，スギ人工林の林床にオオバウマノスズクサが生育しているのがよく見られ，これに対してジャコウアゲハのものではない採食痕が観察されることに気づいた(図 5)。後の調査で明らかになるが，これはニホンジカ(以下，シカ)による採食であった。シカにとってウマノスズクサの毒がどの程度作用するかは不明だが，そこまで忌避しているわけではないようだ。余談だが，実験でオオバウマノスズクサを切断したときの汁を舐めたらとても苦く，人にとっては食べれたものではない(有毒なので真似しないよう)。

房総丘陵の下層植生をみると，イズセンリョウなどのシカが忌避する不嗜好性植物が優占していることに気づく。これは，1970 年代以降に個体数が増加し，分布拡大しているニホンジカによる強い採食圧の影響と考えられている。当地域ではシカの高密度地域で，林床植生の衰退(Suzuki *et al*., 2008)，造網性クモ類の減少(Miyashita *et al*., 2004; Takada *et al*., 2008)，土壌動物群集への影響(Suzuki & Ito, 2014)など，生物多様性への影響が知られている。シカ類の高密度化は現在日本各地で報告されており，環境省のレッドリストにおいて絶滅危惧種に指定されているウスイロヒョウモンモドキ，ツシマウラボシシジミ，ヒメチャマダラセセリ(絶滅危惧 IA 類)，コヒョウモンモドキ，ミヤマシロチョウ，タカネキマダラセセリ(絶滅危惧 IB 類)，ギフチョウ(絶

図 5 シカ排除柵を用いた実験の様子

ポットに入れたオオバウマノスズクサの株をスギ林の林床に植えている。柵外ではシカの食痕（黒矢印）と再展葉（白矢印）が見られる。

滅危惧 II 類）などのチョウ類では，シカによる寄主植物や訪花植物の食害が，個体群の存続を脅かす要因として指摘されている（環境省, 2015; 近藤, 2017; 中村, 2016）。

オオバウマノスズクサの場合は葉に含まれる有毒物質のせいか，シカに食べられることはあってもシカの高密度地域でも株は生き残っており，それほど頻繁な採食を受けているわけではないようである。それどころか，刈り取りと同様に新しい葉を補償成長により展葉している株がみられた。そこで，シカの採食がジャコウアゲハの寄主植物のオオバウマノスズクサに与える影響について調査することにした。シカが高密度で生息する東京大学千葉演習林内において試験地を設け，シカの排除柵内外に植栽したオオバウマノスズクサの生育状況を比較した（図 5）。実験の結果，シカの柵外で追跡調査をしていた株は，シカの採食を受けており，葉の密度は減少するが，再展葉が生じることが確認された（図 6）。葉の成熟度を指標する SPAD 値（葉緑素計によって非破壊的に測定できる）は，葉の週齢とともに増加するが，採食を受けた株では再展葉が生じ，株あたりの SPAD 値の平均は低下した。シカの採食を模した刈り取りを実験的に行ったところ，再展葉した株では，窒素含有率が高く（C:N 比が低く），軟らかく，餌の化学的・物理的な質が良いことがわかった（図 6）。すなわち，シカの採食はオオバウマノスズクサの補償成長を促進することによって，ジャコウアゲハにとっての餌の質を向上させている可能性が示された（Takagi & Miyashita, 2012）。

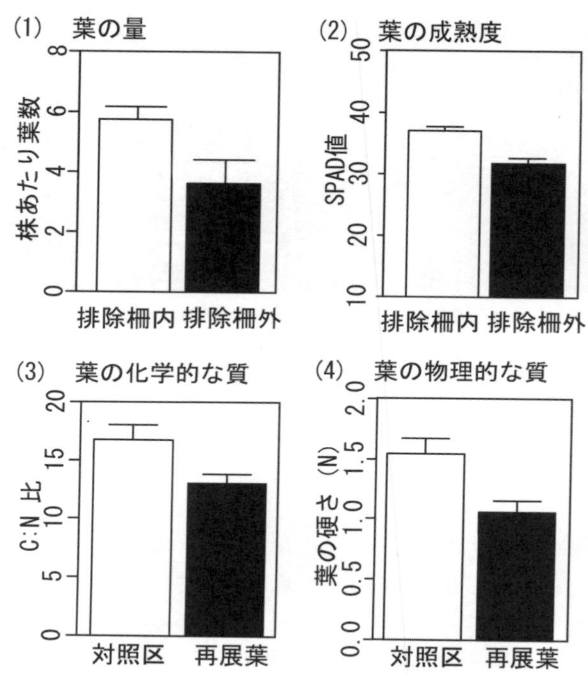

図6　シカ排除柵内外における株の比較およびシカ採食を模した刈り取り後の再展葉による質の変化（平均値および標準誤差を示す）

実験ではシカによる採食がジャコウアゲハにとっての餌の質を向上させる可能性が示されたが，それが野外において稀な事象であればジャコウアゲハにとって大きな意味を持たないかもしれない。そこで，シカの採食によるオオバウマノスズクサの質の向上の広域的なパターンを評価することとした。房総丘陵では2000年代当時，シカの個体群が分布拡大傾向であり，分布の中心ではシカの生息密度が高く，分布の辺縁では生息密度が低い地理的な勾配が見られる。シカの採食がオオバウマノスズクサの再展葉をもたらすのであれば，シカ密度の高い地域では夏になっても再展葉による若い葉が多く見られると予想した。

オオバウマノスズクサの葉が成熟する8月に地域間での葉の成熟状況を調べたところ，予想通りシカ密度が高い地域では，葉齢と比例するSPAD値が

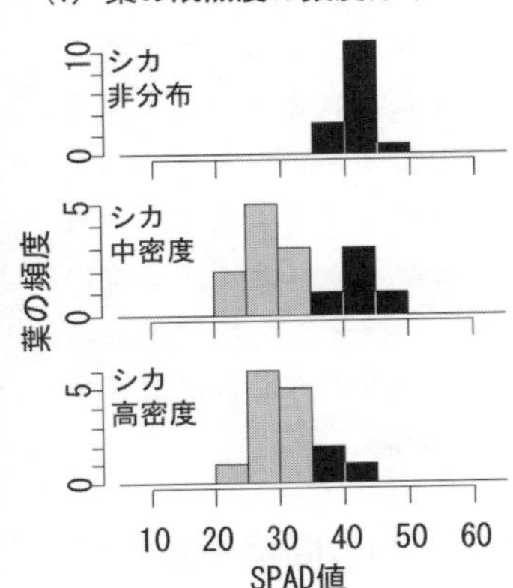

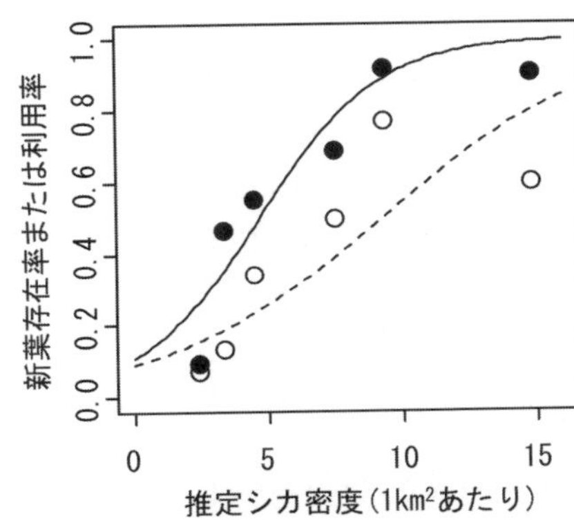

図7　シカ密度の異なる地域でのオオバウマノスズクサの新葉利用可能性

(1) シカ密度に応じたオオバウマノスズクサの SPAD 値の地域間比較（シカ高密度地域で若い葉（薄い灰色）の割合が増加する）

(2) シカ密度とオオバウマノスズクサの新葉存在率（白丸・破線）とジャコウアゲハの新葉利用率（黒丸・実線）の関係

低く，若い葉が多く見られる関係性が見られた(図 7)。シカのいない地域では若い葉は 1 割程度でしか見られないのに対し，シカの多い地域では 6 割以上の葉が若い葉であった。さらに，ジャコウアゲハの卵または 1 齢幼虫が確認された葉は若い葉に集中しており，ジャコウアゲハは産卵の際に質の良い若い葉を選択的に利用していた。結果として，シカ密度の低い地域では，1 割程度しか若い葉を利用できていないのに対し，シカ密度の高い地域では 9 割を超える卵が若い葉に産卵されており，幼虫の利用できる資源の質がシカの存在によって向上することが確認された(Takagi & Miyashita, 2012)。オオバウマノスズクサがシカの採食に対して，ただ食べられるだけでなく補償成長反応を示すことに加え，再展葉後の若い葉に対してジャコウアゲハが選択的に産卵する行動特性を持っていたことによって，このようなパターンが生じたといえる。

シカがジャコウアゲハに与える影響は，オオバウマノスズクサの質的反応を介したものであり，生態学の分野では形質介在間接効果とよばれる。シカが植物の質的変化を介して昆虫に与える形質介在間接効果は，他の昆虫でも知られており，その影響はジャコウアゲハの例と同様プラスに作用する場合もあれば，マイナスに作用する場合もある。例えばガマズミではシカ採食に対する防御反応として硬い葉をつけることで，昆虫による食害率が低下する例が知られている(Shimazaki & Miyashita, 2002)。一方でオオバウマノスズクサの反応で見られたような，採食後に再成長が促進されるような場合，新葉を好む昆虫にとってはプラスの影響をもたらすこととなる。例えば，シカの剥皮を受けたオノエヤナギでは萌芽が生じるとともに，萌芽した枝の葉では二次代謝物質である総フェノールの含有率が低下し，昆虫の食害率が上昇することが明らかになっている(Tanaka & Nakamura, 2015)。

4. 寄主植物の変化を介したシカとジャコウアゲハの間接相互作用

シカの採食によるオオバウマノスズクサの質的変化はジャコウアゲハにプラスの影響を与える事がわかったが，シカが増えれば増えるほど，ジャコウアゲハは増えるといえるだろうか？ 確かにシカの密度が高い地域でもジャコウアゲハは普通に見られるが，シカが多い地域ほど個体数が多いわけでもないように感じられる。寄主植物の質の変化は，シカとジャコウアゲハの関係性を考える上で，一つのプロセスではあるが，それだけで両者の関係性を議論するのは難しい。実はオオバウマノスズクサは補償成長反応を示すが，これによってシカの採食による損失をすべてカバーできているわけではない。シカ排除柵による野外実験からは，3年間の追跡調査で毎年のシカの採

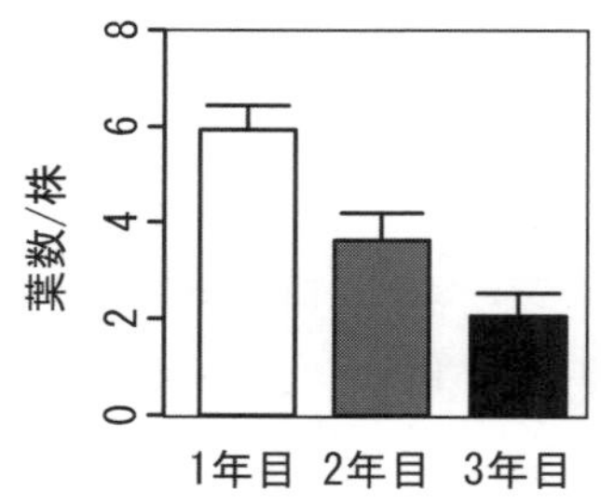

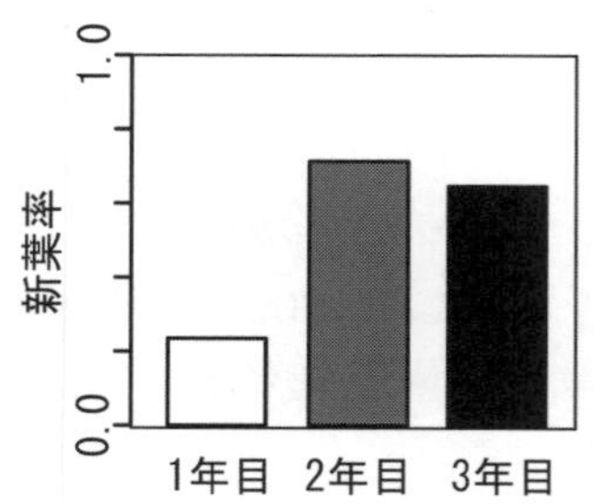

図8 シカによるオオバウマノスズクサの葉数と新葉率に対する経年的影響
実験開始1年目は実験期間が短く，他の年に比べ影響が小さいことに注意。葉数は株あたりの平均値および標準誤差を示す。

食を受けたオオバウマノスズクサでは，新葉の生産は2年目と3年目で変化はなかったが，株あたりの葉数は徐々に減少する傾向が見られた(図8)。つまり，採食が長期化するにつれて，ジャコウアゲハにとっての餌の量は減少する傾向にあることがわかった。10年以上シカが排除されている実験柵の内外の比較でも，柵外では相対的にオオバウマノスズクサの数が少ない。どうもシカからジャコウアゲハへの影響を考える上では，寄主植物の質だけでなく，寄主植物の量の変化にも着目する必要がありそうだ。

資源の質を介した形質介在間接効果に対して，資源の量を介した間接効果は密度介在間接効果と呼ばれる。ツシマウラボシシジミなど，シカが増えることで寄主植物が減少し，絶滅の危機に貧しているチョウ(中村, 2016)は，密度介在間接効果によって強いマイナスの影響を受けていると言える。シカに好まれない負嗜好性植物を寄主植物とするチョウでは，プラスの影響も生じうるが，高密度化したシカによる広域的な下層植生の衰退(藤木ほか, 2014)は，草本類や低木類を寄主植物とする多くのチョウ類にとって負の影響をもたらすと言えるだろう(近藤, 2017)。オオバウマノスズクサの場合は，有毒植物であるためにシカの選好性が高くないと考えられることに加え，補償成長能力が高く採食耐性がある，林縁部で大型化した株ではシカの採食を回避できるといった理由から，そこまで強い負の影響は受けていないと予想される。シカの採食が，オオバウマノスズクサの量に対してどの程度影響するか，葉の質の調査と同様に地域間での比較を行うこととした。調査を行うに当たっては少し工夫をして，調査場所を選定した。調査地の房総丘陵ではシカが分布拡大傾向であったことから，地域によってシカの密度が異なるだけではなくシカの定着履歴も異なる(Osada *et al.*, 2019)。シカの密度が同程度であっても，10年以上前からシカが高密度で生息している地域もあれば，ごく最近になってシカが定着した地域もある。千葉県ではシカの密度のモニタリングが行われていたことから，様々なシカの定着履歴を持つ地域を調査地点に含めることができた。

房総丘陵内の30の調査地点でオオバウマノスズクサの調査を行った結果，シカ密度が高い地域ほど林床のオオバウマノスズクサの量が少なくなる関係性が見られた(Takagi & Miyashita, 2015)。そしてその関係性はシカが長期的に高密度で生息している地域ほど顕著に少なくなる関係性が見られた(図

(1) シカ密度とオオバウマノスズクサの関係

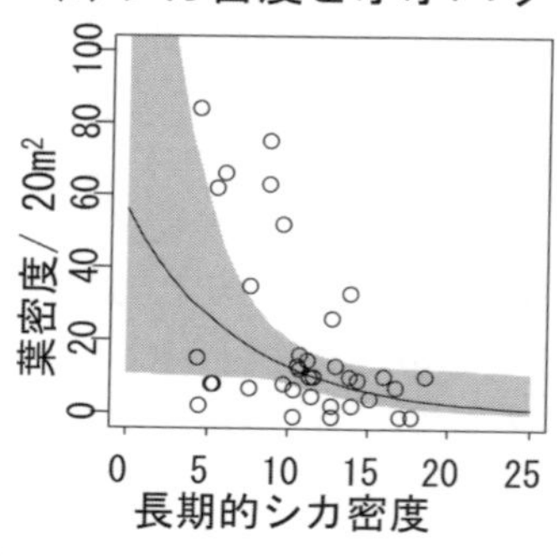

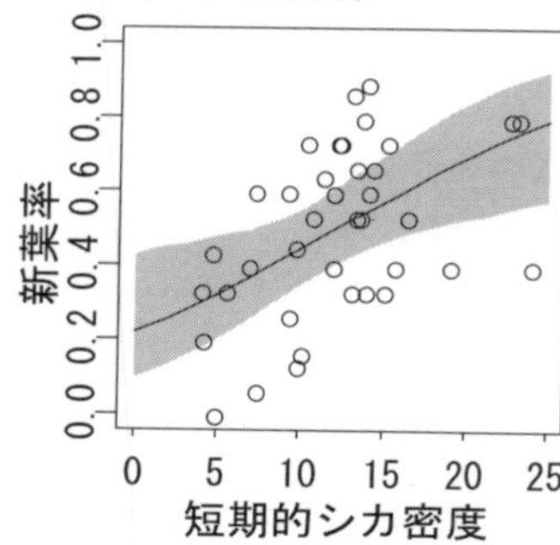

(2) オオバウマノスズクサとジャコウアゲハの関係

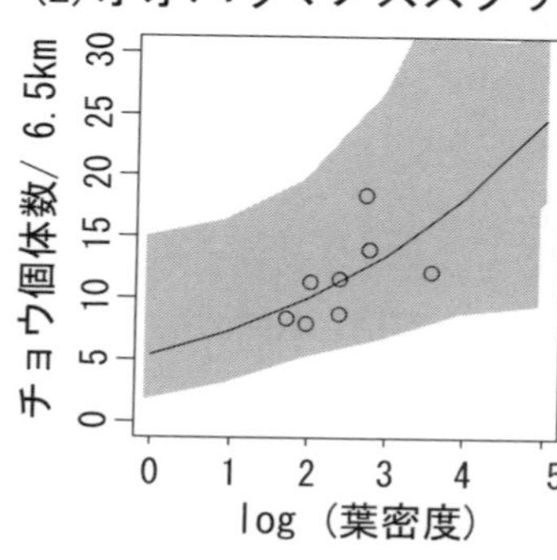

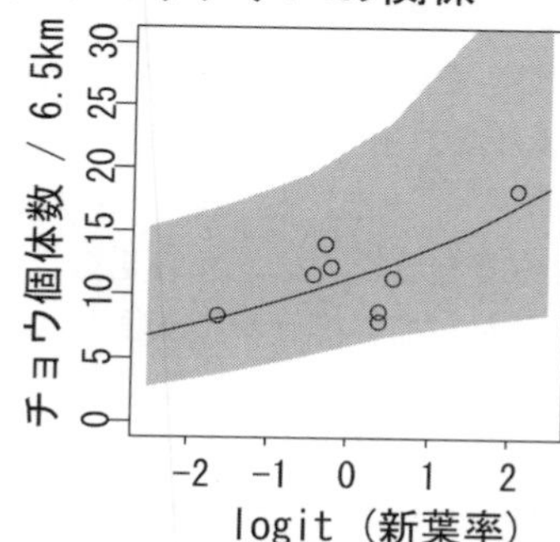

図9　シカ－オオバウマノスズクサ－ジャコウアゲハの関係性
(1) シカ密度とオオバウマノスズクサの量と質の関係
(2) オオバウマノスズクサの量・質とジャコウアゲハの発見個体数の関係
※グラフはいずれも推定された関係について，中央値（実線）および95％信用区間（灰色の塗りつぶし）で示した。

9)。同時に調査した新葉率については，以前の調査同様にシカ密度が高い地域で，新葉が多くなる関係性が見られたが，この関係は短期的な最近のシカ密度と関係性が強かった（図9）。

また，8地点での成虫のルートセンサス調査の結果から，オオバウマノスズクサの葉が多くみられる地域ほど，またその新葉率が高い地域ほどジャコウアゲハも多く見られるという関係性が見られた（図9）。すなわち，シカがオオバウマノスズクサを介してジャコウアゲハに与える影響は，短期的には餌の質を向上させるプラスの効果が大きいが，長期的には餌の量が徐々に減少するマイナスの効果が強くなることが示唆された（Takagi & Miyashita, 2015）。シカがジャコウアゲハに与える影響は，一定ではなく，時間スケールに応じて変化するということがわかり，短期的なプラスの効果は長期的にはマイナスの効果と相殺される関係にあった。

一連の研究から見えてきた，オオバウマノスズクサの変化を介したシカとジャコウアゲハの間接的な相互作用関係について整理してみよう。まず1つ目のプロセスの，オオバウマノスズクサの質を介した影響については，シカの採食がオオバウマノスズクサの補償成長を引き起こし，これがジャコウアゲハにとって餌の質の向上をもたらすといったものである。間接効果の種類としては形質介在型間接効果といえる。補償成長による若い葉の増加は，採食を受けた株上で，数週間のうちに生じる短期的に生じる現象である。これに対しジャコウアゲハは若い葉への選択的な産卵という行動的反応を示し，幼虫の成長や生存にも影響した可能性がある。そしてもう1つのプロセスは，シカの採食がオオバウマノスズクサの量を減らすことで，ジャコウアゲハにとっての餌の量の減少をもたらすものである。これは間接効果の種類としては密度介在型間接効果といえる。このプロセスは，シカが長期的に定着するほど顕在化し，単年度の観察では見えにくいものである。しかしながら，ウマノスズクサ属のみを寄主植物とするジャコウアゲハの個体群に対しては，累積的なマイナスの影響をもたらしたと考えられる。これら短期的，長期的両方のプロセスでシカはジャコウアゲハに対して間接的な影響をもたらしていたと考えられる。

シカとジャコウアゲハの関係性から見えてきた時間スケールの重要性は，シカが他の種のチョウに与える影響を考える上においても同様といえる。シカの密度と下層植生の衰退状況が長年モニタリングされている兵庫県では，シカの高密度化と分布拡大とともに下層植生が衰退しているが，その影響はシカが減少傾向にある2010年以降も継続しており，明瞭な回復傾向はみられない（藤木, 2017）。植物の量の減少を介した影響などは，シカの侵入の初期では大きな影響が検出できなかったとしても，長期的には個体群レベルに大きな影響をもたらし，その回復には長い年月を要する。シカの排除柵も，シカが密度増加した早めの段階で設置された場合には，チョウの保全に対して効果が期待できるものの（例えばNakahama *et al*., 2020），高密度化してから時間が経っている状況では完全な回復は困難かもしれない。

シカが植物を介してチョウを含む昆虫に影響する現象は，決して特殊な事例ではなく，日本における事例についても岸本(2012)，柴田(2008)，高木(2017)にまとめられているが，その影響の背景にあるプロセスはブラックボックスであることも多い。一連の間接的な相互作用関係を明らかにできた背景には，ジャコウアゲハが寄主植物の量や質に対して柔軟に応答する性質を持っていたこともその一因となっているだろう。前述の通りジャコウアゲハは餌の量や質の変化に対して，幼虫の生存や成長，蛹の休眠性までも変化させる性質が知られている。寄主植物と密接な関係をもつジャコウアゲハだからこそ，シカが増えると植物が減ってチョウも減る，といった関係以上のユニークな相互作用が明らかになったといえる。チョウと寄主植物との密接な関係性はその2者にとどまらず，植物を介した多種の相互作用関係を明らかにする上でも格好の研究材料と言えるだろう。

〔引用文献〕

藤木大介(2017)兵庫県本州部の落葉広葉樹林におけるニホンジカの影響による下層植生衰退度の変動と捕獲の効果(2010年～2014年). 兵庫ワイルドライフモノグラフ, 9: 1–16.

藤木大介・酒田真澄美・芝原淳・境米造・井上厳夫(2014)関西4府県を対象としたニホンジカの影響による落葉広葉樹林の衰退状況の推定. 日本緑化工学会誌, 39: 374–380.

環境省(2015)レッドデータブック2014―日本の絶滅のおそれのある野生生物―5昆虫類. ぎょうせい, 東京.

加藤義臣(2001)ジャコウアゲハの発生消長: 平地個体群と山地個体群の比較. 蝶と蛾, 52: 139–149.

Kato Y (2005) Geographic variation in photoperiodic response for the induction of pupal diapause in the *Aristolochia*-feeding butterfly *Atrophaneura alcinous*. *Applied Entomology and Zoology*, 40: 347–350.

加藤義臣(2008a)ジャコウアゲハにおける蛹休眠誘起の地理的変異と食餌植物の影響. 昆虫と自然, 43(14): 12–14.

加藤義臣(2008b)総論: ジャコウアゲハの生活史と進化. 昆虫と自然, 43(14): 2–3.

Kawasaki N, Miyashita T, Kato Y (2009) Leaf toughness changes the effectiveness of larval aggregation in the butterfly *Byasa alcinous bradanus* (Lepidoptera: Papilionidae). *Entomological Science*, 12: 135–140.

岸本年郎(2012)総論: シカが昆虫に与える影響．昆虫と自然，47(4): 2–3.

近藤伸一(2017)兵庫県におけるニホンジカによる自然植生衰退がチョウ類群集に及ぼした影響．兵庫ワイルドライフモノグラフ, 9: 63–89.

Miyashita T, Takada M, Shimazaki A (2004) Indirect effects of herbivory by deer reduce abundance and species richness of web spiders. *Ecoscience*, 11: 74–79.

Nakahara T, Horita J, Booton RD, Yamaguchi R (2020) Extra molting, cannibalism and pupal diapause under unfavorable growth conditions in *Atrophaneura alcinous* (Lepidoptera: Papilionidae). *Entomological Science*, 23: 57–65.

Nakahama N, Uchida K, Koyama A, Iwasaki T, Ozeki M, Suka T (2020) Construction of deer fences restores the diversity of butterflies and bumblebees as well as flowering plants in semi-natural grassland. *Biodiversity and Conservation*, 29: 2201–2215.

中村康弘(2016)シカが生物多様性に及ぼす影響: チョウ類の事例から．森林野生動物研究会誌, 41: 73–76.

Nishida R, Fukami H (1989) Ecological adaptation of an Aristolochiaceae-feeding swallowtail butterfly, *Atrophaneura alcinous*, to aristilochic acids. *Journal of Chemical Ecology*, 15: 2549–2563.

Osada Y, Kuriyama T, Asada M, Yokomizo H, Miyashita T (2019) Estimating range expansion of wildlife in heterogeneous landscapes: A spatially explicit state-space matrix model coupled with an improved numerical integration technique. *Ecology and Evolution* 9: 318–327.

柴田叡弌(2008)ニホンジカによる被害は森林での生物間相互作用を明らかにする．日本森林学会誌，90: 313–314.

Shimazaki A, Miyashita T (2002) Deer browsing reduces leaf damage by herbivorous insects through an induced response of the host plant. *Ecological Research*, 17: 527–533.

Suzuki M, Ito E. (2014) Combined effects of gap creation and deer exclusion on restoration of belowground systems of secondary woodlands: A field experiment in warm-temperate monsoon Asia. *Forest Ecology and Management*, 329: 227–236.

Suzuki M, Miyashita T, Kabaya H, Ochiai K, Asada M, Tange T (2008) Deer density affects ground-layer vegetation differently in conifer plantations and hardwood forests on the Boso Peninsula, Japan. *Ecological Research*, 23: 151–158.

Takada M, Baba YG, Yanagi Y, Terada S, Miyashita T (2008) Contrasting responses of web-building spiders to deer browsing among habitats and feeding guilds. *Environmental Entomology*, 37: 938–946.

高木俊(2017)昆虫群集への影響. 日本のシカ－増えすぎた個体群の科学と管理（梶光一・飯島勇人 編). 東京大学出版会, 東京.

Takagi S, Miyashita T (2008) Host plant quality influences diapause induction of *Byasa alcinous* (Lepidoptera: Papilionidae). *Annals of the Entomological Society of America*, 101: 392–396.

Takagi S, Miyashita T (2012) Variation in utilization of young leaves by a swallowtail butterfly across a deer density gradient. *Basic and Applied Ecology*, 13: 260–267.

Takagi S, Miyashita T (2015) Time-scale dependency of host plant biomass- and trait-mediated indirect effects of deer herbivory on a swallowtail butterfly. *Journal of Animal Ecology*, 84: 1657–1665.

Tanaka M, Nakamura M (2015) Spatially distinct responses within willow to bark stripping by deer: effects on insect herbivory. *The Science of Nature*, 102：46.

Yamamoto K, Tsujimura Y, Kometani M, Kitazawa C, Islam ATMF, Yamanaka A (2011) Diapause pupal color diphenism induced by temperature and humidity conditions in *Byasa alcinous* (Lepidoptera: Papilionidae). *Journal of Insect Physiology*, 57: 930–934.

（高木　俊）

⑯ シカ-イラクサ-アカタテハの進化的相互作用

1. はじめに：生物間相互作用に起因する形質変化の連鎖

群集生態学における大きな関心ごとのひとつに，「3 種以上からなる系において生物間相互作用に起因する構成種の可塑的ないし進化的形質変化がどう群集構造や動態に影響するのか」という問題がある(大串ほか, 2009)。可塑的形質変化とは一個体内での遺伝的多型によらない環境条件に応じた形質の変化を指し，進化的形質変化とは集団における遺伝的多型に基づく形質の世代を通じた変化のことである。

植物と植食者からなる系で可塑的形質変化を扱った研究は多数あり，古典的研究としては，ヒトリガ *Platyprepia virginalis* - ハウチワマメ *Lupinus arboreus* - ドクガ *Orgyia vetusta* を扱った Harrison & Karban(1986)が挙げられる。ヒトリガ幼虫は 2～4 月にハウチワマメの葉を食べ，ドクガ幼虫は 5～7 月に食べる。ヒトリガ幼虫をハウチワマメの枝に放して葉に食害を与えた枝(実験区)と，食害を与えていない枝(対照区)を設定し，それらにドクガ幼虫を放して育てたところ，対照区と比べ実験区では雌のドクガの蛹が軽くなり，卵数も少なくなった。これは，ヒトリガ幼虫の摂食によってハウチワマメの葉の質が変化し，その葉を食べたヒトリガ幼虫の発育成績(growth performance)が低下することを示している。最近の研究としては，本書Ⅳ-⑮章でも取り上げられているニホンジカ *Cervus nippon* - オオバウマノスズクサ *Aristolochia kaempferi* - ジャコウアゲハ *Byasa alcinous* の関係を扱った研究が挙げられる。オオバウマノスズクサはシカに摂食されると新たに葉を展開する。この新葉は旧葉よりも窒素含有率が高く，ジャコウアゲハ幼虫がこれを食べると，蛹の休眠率が下がる。これらふたつの研究は，一方の植食者によって植物の形質が可塑的に変化し，この変化によってもう一方の植食者の形質も可塑的に変化する，という可塑的形質変化の連鎖的現象を示している。

これに対し，進化的形質変化の連鎖的現象を植物と植食者からなる系で示した研究は稀である。少ないながらもよく知られた研究として，アメリカア

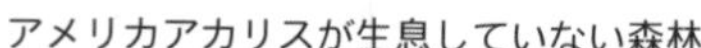

図1　アメリカアカリスが生息する森林と生息しない森林でのロッジポールマツの球果とイスカの嘴
Benkman *et al.*(2001)を参考にして描く。

カリス *Tamiasciurus hudsonicus* - ロッジポールマツ *Pinus contorta* var. *latifolia* - イスカ *Loxia curvirostra* の系を対象とした Benkman *et al.*(2001)の研究がある。リスもイスカもマツの種子を食べるが，リスは鱗片が開く前の球果を樹から採取して，その中の種子を食べるのに対し，イスカは鱗片が開き始めた球果から種子をつまみ出して食べる。従って，リスが生息している森林では，イスカはリスが取りこぼした球果の種子を食べることになり，種子の生残にはリスが大きく影響する。また，リスは，種子が多く，細長い形をしたマツの球果を好んで採取する。こうしたことから，リスが生息している森林では(図1上)，リスが嫌う形質の球果が自然淘汰により進化し，球果は長さに比して基部が太く，基部に近い鱗片が厚くなり，種子数が少なくなっている。そして，このような形質の球果から種子を効率よくつまみ出せるよう，イスカは細い嘴を進化させた。これに対し，リスが生息していない森林では(図1下)，球果は長くて太く，先端に近い鱗片も厚くて大きくなっている。厚くて大きな鱗片が多数あると，細い嘴をもつイスカの採餌効率(球果から種子1個を取り出すのに要する時間)が下がることから，球果のこのような形質はイスカの採餌に対する防御として進化したと考えられる。そして，イスカはこれに対抗するように太い嘴を進化させた。これは，リスの在不在がマツの球果の進化的形質変化をもたらし，それぞれの形質変化に適応するようイスカの嘴の形質も進化的に変化していることを物語っている(ロッジポールマツとイスカの関係は共進化と捉えたほうが適切だが，ここでは問わない）。

本章では，生物間相互作用がもたらした進化的形質変化の連鎖的現象の例として，奈良公園で確認されたニホンジカ-イラクサ *Urtica thunbergiana* -アカタテハ *Vanessa indica* の研究を紹介する。その要点は次のとおりである：わずか数平方キロメートルの面積に数百から千頭ものニホンジカが1000年以上にわたって保護されてきた奈良公園において，シカの強い摂食圧が葉や茎に著しく多数の刺毛をそなえたイラクサを進化させ，それに伴う葉の質的変化に対し植食者であるアカタテハが局所適応している。

2. 奈良公園とニホンジカ

(1) 奈良公園の概要

奈良公園は奈良市街に隣接し，一般的には，春日山と若草山の山林部，飛火野や春日野の平坦部，そして東大寺や興福寺，春日大社の境内を含む 6.6 km^2 の地域を指す（図 2）。春日山は御蓋山，花山，芳山からなり，シイや常緑の

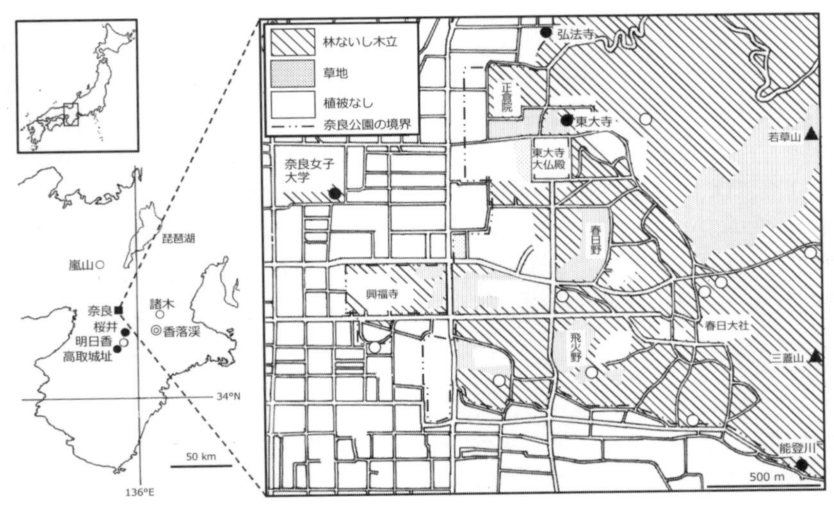

図 2　調査したイラクサ集団

調査項目は，a）野外における葉の刺毛数と，シカの生息数，b）共通圃場栽培下での葉の刺毛数，c）集団遺伝的解析のための AFLP マーカーによる遺伝子型決定，であるが，各集団で全てを調査したわけではない。○: a のみ; ◎: a と c; ●: a，b，c 全て。

カシが優占する原生的な林で覆われており，特別天然記念物春日山原始林として管理されている。一方，若草山や飛火野，春日野にはシバを主体とする草地が広がっている。このように奈良公園は都市公園でありながら，歴史的文化遺産とともに自然にも恵まれた極めて稀な公園といえる(北川, 2004)。

(2) 神鹿

奈良公園と言えば，シカである。もちろんこのシカはニホンジカのことである(以下シカと略記)。奈良公園のシカは神鹿と称され，国の天然記念物である。言い伝えによれば，768年に春日大社が常陸国の鹿島神宮から武甕槌命(たけみかづちのみこと)を勧請したとき，命は白鹿に乗って御蓋山に入山したという。これが神鹿の由来である。春日山は841年に神山として狩猟伐採が禁止され，862年には興福寺周辺2里(和銅大尺に従うと1里≒644 m)が殺傷禁止となった。11世紀初頭までには神鹿思想が行き渡り，明治維新直後と第二次世界大戦中の混乱期を除き，シカは現在に至るまで手厚く保護されてきた。事実，中世の古文書に密猟者を死罪に処したという記録が残っている(藤田, 1997)。

江戸期の個体数は500〜1000頭，第二次世界大戦前の個体数はおよそ900頭と推定されている(藤田, 1997; 奈良の鹿愛護会, 2021)。春日山と若草山北部の山林を除く区域(2.9 km^2)で1946年から毎年行われている頭数調査によると，この40年ほどはおよそ1000〜1400頭の間で変動し，直近の2021年の調査では1105頭(381頭 / km^2)と報告されている(奈良の鹿愛護会, 2021)。北海道の知床半島では15頭 / km^2 を超えた頃から森林植生に大きな影響が現れたという(梶, 2006)。草地が広がっているとはいえ，奈良公園のシカの密度がいかに高いかがわかる。

(3) シカの植生への影響

知床半島の例を引くまでもなく，シカがこれだけ多いと，植生に与える影響が大きいことは容易に想像できる。その顕著な例が，ゴルフ場と見まがうばかりのシバを主体とした草地である。ゴルフ場の草地は芝刈り機と施肥によって人工的に維持されているが，奈良公園の草地はシカが芝刈り機の任を果たし，シカが落とす糞が施肥となってほぼ自然の力で維持されている(北川, 2004)。

春日山原始林では，高木層を構成するコジイ，ツクバネガシ，ウラジロガシなどの実生や稚樹がシカに摂食されるため，それらの樹種は林床や下層に少なく，代わりに，シカの好まない植物であるイヌガシ，サカキ，アセビ，シキミが目立っている。さらに近年では，シカがまったく摂食しないナンキンハゼとナギが春日山原始林で分布を急激に拡大させている。ナンキンハゼは1930年ごろ奈良公園に植栽された中国原産の国外外来種であり，ナギは800年代に春日大社に献木され，植栽された国内外来種である。これらのことは春日山原始林の本来の天然更新がシカによって阻害されていることを示している(前迫, 2006)。

3. 奈良公園のイラクサ

(1) イラクサの刺毛

イラクサは多年生の草本で，茎や葉に刺毛(図3A)をそなえる。刺毛は全長が1.5～3 mmで，複数の細胞からなる台座と，そこから伸びる細長いガラス質の刺細胞で構成され, 先端は丸みを帯びる。刺細胞にはヒスタミン, シュウ酸，酒石酸をおもな成分とする毒液が含まれている(Fu *et al.*, 2006)。刺毛が皮膚に刺さると欠けた先端部からこの毒液が注入され，激しい痛みを引き起こす。ジンジンした痛みが1ないし2日続くが，腫れることはないので，気にしなくて良い(と思う)。

(2) 奈良公園のイラクサは刺毛が著しく多い

奈良公園にはイラクサの集団(コロニーという用語が適切かもしれないが，便宜上，本稿では集団とよぶ)が林縁部や木立にパッチ状に分布している。

図3 イラクサ

(A) 刺毛，(B) 刺毛を多数そなえたイラクサ (奈良公園東大寺大仏殿北側)，(C) 刺毛をわずかしかそなえていないイラクサ (シカがほとんど生息していない高取城趾)。

奈良公園のイラクサ(図 3B)は公園周辺部や他の地域のイラクサ(図 3C)と比べて著しく多くの刺毛を葉や茎に備えている。中でも，観光客が与える鹿せんべいを目当てに多数のシカがたむろしている東大寺周辺のイラクサや，シカが容易に摂食できる平坦部に生育しているイラクサでは特に多い(Shikata *et al*., 2013)。

先に記したように，奈良公園ではシカが 1000 年以上も手厚く保護され，その摂食圧は極めて高く，イラクサの刺毛は皮膚に刺さると激痛を引き起こす。このことから，奈良公園のイラクサにみられるこの夥しい数の刺毛は，シカに対する防御形質として自然淘汰によって進化したように思える。この仮説を，(ア)刺毛数が量的遺伝形質であり，(イ)刺毛を多くそなえるイラクサはシカの摂食を受けにくく，(ウ)イラクサ集団の平均刺毛数がシカの生息数と相関していること，を示すことによって検証した研究を次に記す。

(3) 自然淘汰による著しい刺毛数の進化

ある変異が量的遺伝形質であることを実証する確実な方法のひとつは，両親の形質値に対する子の形質値の回帰直線を求め，その傾きが有意な正の値を取ることを示すことである。しかし，この方法をイラクサに適用するのはかなり骨が折れる。そこで次善の策として，共通圃場栽培実験によって刺毛数が量的遺伝形質であることを確かめることにした。

奈良公園の 2 集団，奈良公園に隣接する 2 集団，奈良公園から 10 km 以上離れた 2 集団(図 2)から春に実生を採取して鉢植えし，ビニルハウスで育てた。そして，刺毛数(/ 葉)と刺毛密度(/ cm^2)に関して，栽培個体の集団間変異が野外での集団間変異と同じ様相を示すかどうかを調べた。もし同じならば，刺毛数は量的遺伝形質であると推定できる。結果は，期待通りであった(図 4；Kohyama *et al*., 2021)。実は，同様の結果を Kato *et al*.(2008)ですでに報告していたのだが，あとに述べる集団遺伝的構造を論じるために改めて実験した。独立した 2 回の共通圃場栽培実験の結果から，刺毛数は遺伝的支配を受けた量的形質であると考えて間違いないだろう。

次に，シカの摂食に対する刺毛の防御としての役割を確かめた野外実験の結果を示す(Iwamoto *et al*., 2014)。奈良公園東大寺のイラクサ(図 3B)と刺毛がほとんどない高取城趾のイラクサ(図 3C)を鉢植えし，それらを奈良公園

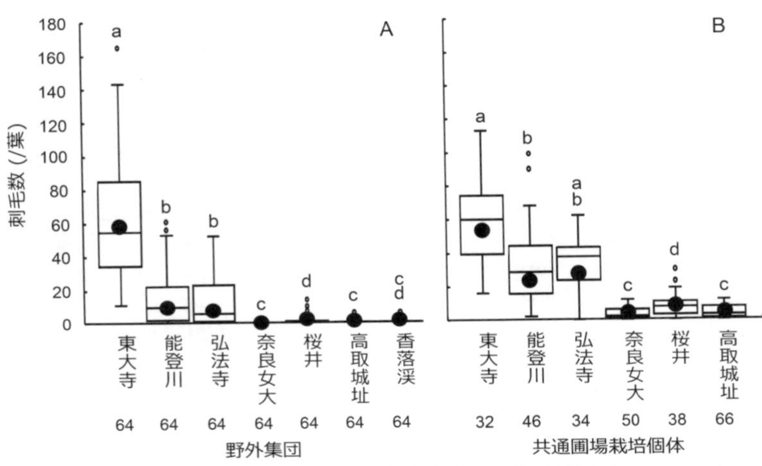

図 4　野外集団と共通圃場栽培個体での刺毛数（/ 葉）の箱ひげ図（Kohyama *et al.*, 2021）

圃場（＝ビニルハウス）の制約から栽培した集団は野外で調べた集団よりもひとつ少ない。●はGLMM（誤差：ポアソン分布；リンク関数：対数）によって得られた期待平均値。同じ英文字を付した集団間では平均値に有意差がない（α＝0.05, Šidák の多重比較）。地名の下の数値は測定した葉の総数を示すが，1 個体あたり 2 枚の葉を調べている。刺毛密度（/cm²）でも同じ傾向が得られている。

に置いてシカによる被食率を，また，シカのいない奈良女子大学構内に置いて植食性昆虫による被食率を，2 集団間で比較した。その結果，奈良公園のイラクサは高取城址のイラクサよりもシカによる被食率が有意に低く，およそ 1/4 であった（GLMM；誤差分布：二項分布；リンク関数：ロジット；$F_{s[1,44]} = 1140$, $P < 0.001$；図 5A）。しかし，昆虫による被食率には集団間で有意な違いはなかった（$F_{s[1,78]} = 0.003$, $P = 0.959$；図 5B）。したがって，刺毛

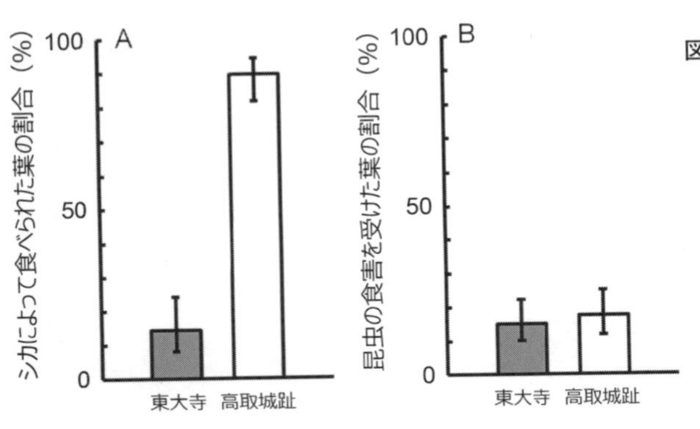

図 5　奈良公園東大寺と高取城址のイラクサにおけるシカ（A）と昆虫（B）による被食の程度

昆虫による食害を受けた葉の割合は，主茎に直接着いている葉のうち，食害面積が葉面積の 20% 以上あった葉とした。エラーバーは 95% 信頼区間を表す。Iwamoto *et al.*（2014）のデータを基に描き直す。

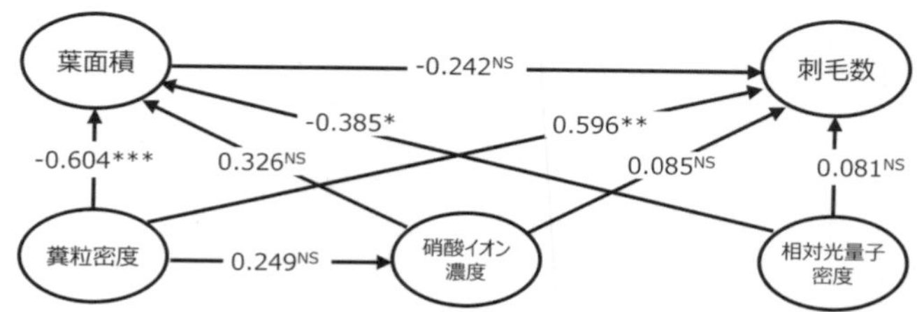

図6 19地点のイラクサ集団における刺毛数（/葉）と葉面積，シカ糞粒密度（＝シカの個体数の指標），土壌硝酸イオン濃度，相対光量子密度の関係（Shikata *et al.*, 2013）

数値は多段階構造方程式モデリングによって得られたパス係数を示す。
*: $P < 0.05$; **: $P < 0.01$; ***: $P < 0.001$

を多数そなえることは昆虫による植食に対してではなく，シカの摂食に対して防御の役割を果たしていると言える（このことは後に記すアカタテハを用いた実験で補強される）。シカは葉や茎を食べる際，花序も一緒に食べるし，高取城趾のイラクサならば根元まで食べてしまうこともあった。シカの食害は繁殖率や生存率を低下させることに疑いはないだろう。

最後に，19の野外集団（図2）で刺毛数（/葉）の集団間変異とシカの生息数との関係を調べた結果を示す（図6; Shikata *et al.*, 2013）。集団レベルでの刺毛数は，シカの生息個体数の指標となる糞粒密度と有意な正の相関があったものの，葉面積や，生育場所の相対照度，土壌硝酸イオン濃度とは有意な相関はなかった。このことは，刺毛数の集団間変異は光環境や土壌環境ではなく，シカの採食圧と関係があることを示唆している。

以上から，刺毛を多数そなえた奈良公園のイラクサ集団はシカの強い摂食下で自然淘汰によって進化した，と主張できると思う。シカの強い摂食圧が植物の刺を増やすことは，房総半島のアリドオシ *Damnacanthus indicus* でも知られている。しかも，この植物では刺の太さや長さも増す（Takada *et al.*, 2001）。しかし，この論文では，こうした変化は摂食が刺激となって誘導された可塑的変化であるとし，自然淘汰によって進化した形質であるという可能性は検討していない。房総半島でのシカの増加は1980年代以降であり，進化が生じるには時間が短すぎるかもしれないが，この可能性は捨てきれないと思う。

(4) 他にもある奈良公園のイラクサの特徴

奈良公園のイラクサは刺毛の多さだけでなく，（ア）草丈が低く，茎長も短

図 7　ビニルハウスで実生から育てた7ヵ月後の奈良公園東大寺（左）と高取城趾（右）のイラクサ

草丈や枝ぶりなど姿形が両者で明らかに異なる。奈良公園のイラクサの姿形はシカの摂食に対する防御のはたらきがあると考えられる（本文参照）。3年間の栽培で得られた数値データにもとづく詳細な比較は Hirata *et al.*（2019）を参照のこと。

い，（イ）分枝数が多い，（ウ）開花時期が早く，花期が長い，（エ）個体重が軽い，（オ）齢を経るにつれ個体重に占める葉重の割合が大きくなり，逆に茎重と根茎重の割合が小さくなる（図 7; Hirata *et al.*, 2019）。どうも，奈良公園のイラクサは空間占有体積を小さくし，多数の刺毛を備えた葉と茎を密生させて防御力を高めると同時に，シカの摂食によって繁殖の機会を失う前に花を咲かせようとしているようにみえる。また，多数の刺毛形成にかかるコストを，当年の成長の犠牲と，翌年の初期成長を支える根茎を軽くすることで賄っているのかもしれない。なお，奈良公園ではシカによる強い摂食圧のため，イラクサの丈を越えて育つ草本はほとんどなく，イラクサが成長を犠牲にしても光を巡る競争に不利になることはないと考えられる。

4. イラクサの集団遺伝構造

奈良公園のイラクサが刺毛の多さだけでなく，他の形質でもこれだけの特徴を有するのであれば，他地域のイラクサ集団から遺伝的に相当程度分化していることが予想される。地理的に離れた植物集団において遺伝的分化を検出した研究はそれこそごまんとあるが，その遺伝的分化のほとんどは地理的隔離に伴う遺伝的浮動や，気象ないし土壌などの非生物的要因が淘汰圧としてはたらいた結果であるとしている。これに対し，植食者などの生物的要因によって植物集団の遺伝的分化が生じたとする研究はほとんどないように思う。そこで仮説「奈良公園のイラクサ集団はシカの強い採食圧によって遺伝的分化が生じている」を立て，検証した（Kohyama *et al.*, 2021）。

調査対象とした集団は図 4A に示した 7 つである。各集団 30 個体から葉を採取し，DNA 分析試料とした。ゲノム中から網羅的に遺伝的多型を検出

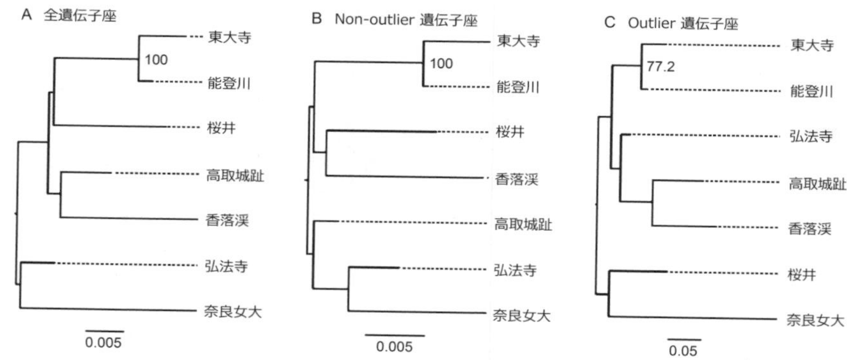

図 8 NJ 系統樹（Kohyama *et al.*, 2021）
数値は 10,000 回の繰り返しに基づくブートストラップ値。75% 以下は省略している。
線分の長さは Nei の遺伝的距離を表す。

する AFLP 法(amplified fragment length polymorphism method)によって，合計 546 個の AFLP マーカー(遺伝子座)の遺伝子型データを得た。遺伝子流動が生じている状況下においても，生息環境の異なる集団間で形質の違いが維持されるような強い自然淘汰がはたらいている場合，淘汰を受ける形質の原因遺伝子を含むゲノム領域は，それ以外のゲノム領域と比べて強い遺伝的分化を示すことが予測される。そこでこれらの遺伝子座を，ベイズ的手法を用いて，F_{ST}(固定指数；集団遺伝学においては集団間の遺伝的分化の指標として用いられる)が対立遺伝子頻度から期待される分布から大きく逸脱して高い値を示す outlier すなわち「自然淘汰を受けていると推定される」遺伝子座と，non-outlier すなわち「自然淘汰に中立であると推定される」遺伝子座に分けた。そして，全遺伝子座，non-outlier 遺伝子座，outlier 遺伝子座のそれぞれの群を対象に，近隣結合法(NJ)による集団系統樹の作成，主座標分析，STRUCTURE 解析を行い，集団遺伝的構造を調べた(Kohyama *et al.*, 2021)。

546 個の AFLP マーカーのうち 30 個(5.5%)が outlier とされた。全遺伝子座あるいは non-outlier 遺伝子座に基づく NJ 系統樹のいずれにおいても，奈良公園に位置する東大寺と能登川の 2 集団がひとつの明瞭なクラスター(ブートストラップ値 100%)を形成した(図 8A･B)。outlier 遺伝子座の NJ 系統樹においても，明瞭さにやや劣るものの東大寺と能登川の 2 集団がひとつのクラスター(同 77%)を形成した(図 8C)。他の集団に関しては，どの NJ 系統樹でも信頼性のあるクラスターを形成しなかった。

主座標分析においても同様の傾向が認められた。全遺伝子座あるいは non-

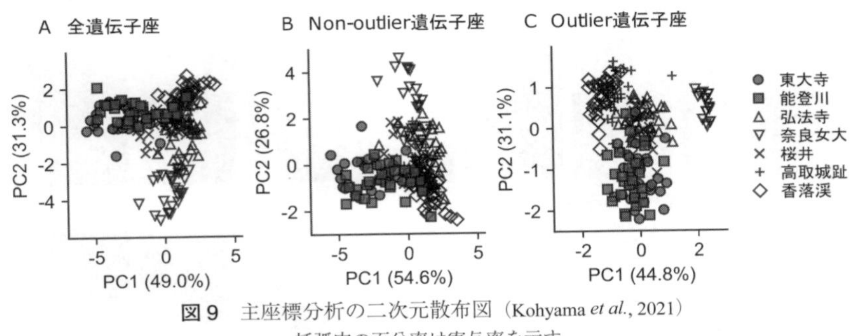

図 9 主座標分析の二次元散布図（Kohyama *et al.*, 2021）
括弧内の百分率は寄与率を示す。

outlier 遺伝子座に基づく二次元散布図いずれにおいても，奈良公園の東大寺と能登川の 2 集団は第 1 軸で他の集団から明らかに区別された(図 9A・B)，outlier 遺伝子座においては第 1 軸では不明瞭であったが，第 2 軸では明瞭に区別された(図 9C)。他の集団に関しては，どの散布図においても奈良女子大集団が独立性を示す以外は，区別できなかった。

STRUCTURE 分析でも奈良公園の東大寺と能登川の 2 集団の遺伝的特異性が示された。全遺伝子座あるいは non-outlier 遺伝子座の分析では k = 3〜7 において，また outlier 遺伝子座の分析では k = 4〜7 において，奈良公園の 2 集団では同じ固有のクラスターが優占し，他の集団とは明白に異なることが示された(図 10；対数尤度が頭打ちになり，加えてそのばらつきが小さいときの k が 5 ないし 6 であったので, 例として k = 5 の結果を載せている)。

5. 集団の遺伝的分化と遺伝子流動, 遺伝的浮動, 自然淘汰の関係

よく知られているように，遺伝的浮動と自然淘汰は集団の遺伝的分化を促進し，逆に遺伝子流動は遺伝的分化を阻害する。上の結果をもとに，奈良公園集団の遺伝的分化にこれらの要因が相対的にどの程度影響しているかを考えてみる。自然淘汰に中立であると推定される non-outlier 遺伝子座での分析結果は，奈良公園の東大寺と能登川の 2 集団が遺伝的に極めて近く，他の集団とは明確に異なることを示している。さらに，これら 2 集団の間では遺伝子流動はあるものの, 他の集団との間では遺伝子流動が制限されていること，そして，奈良公園の 2 集団では遺伝的浮動によって遺伝的分化が生じていることを示唆している。

イラクサは風媒花であり, 果実に微小な棘を有するため, 遺伝子流動は花粉

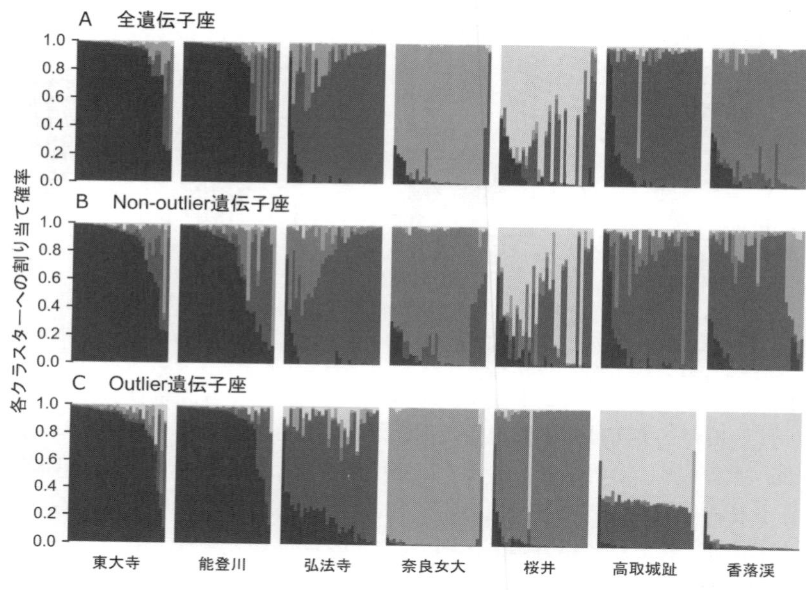

図 10　STRUCTURE 分析（$k = 5$）による集団遺伝構造（Kohyama *et al.*, 2021）

の飛散と果実の動物付着散布によると予想される（Pollard & Briggs, 1984）。奈良公園にはイラクサ集団が数十～数百メートルの間隔でパッチ状に分布しているため，集団間の遺伝子流動はそれほど制限されていないと思われる。一方，東大寺集団に近接する弘法寺集団（距離400 m）や奈良女子大集団（距離1.1 km）と奈良公園の集団との遺伝子流動は，花粉の飛散を妨げる木立や市街地，シカの移動の障壁となる塀や防鹿柵によって制限されていると考えられる。

弘法寺集団は，刺毛数が能登川集団と大差ないにもかかわらず（図 4），遺伝的には能登川集団とは明らかに異なっている（図 8～10）。この理由については本論から外れるので，ここでは省略する。

自然淘汰を受けていると推定される outlier 遺伝子座での分析でも，明瞭さに若干劣るものの奈良公園の 2 集団が遺伝的にかなり近く，他の集団とは異なることを示している。outlier 遺伝子座の近傍領域には，刺毛数の発現に関わる遺伝子だけでなく，シカの摂食に対する他の防御形質（図 7）に関係する遺伝子も含まれている可能性が高い。このことが，outlier 遺伝子座での分析においても，奈良公園 2 集団における他の集団からの遺伝的分化が検出された理由だと考えられる。また，明瞭さに若干劣る理由として，能登川集団はシカの採食場としては不適切な急斜面に生育しているため，シカの採食圧が東大寺集団ほど強くはなく，シカの摂食に対する刺毛を含む他の防御形質がそれほど堅固でないことが考えられる。事実，刺毛数は東大寺集団より有意に少ない(図 4)。

6. 奈良公園集団の遺伝的分化に果たす自然淘汰の程度

以上より，奈良公園のイラクサ集団は，周辺集団との遺伝子流動がかなり制限され，遺伝的浮動による遺伝的分化が生じている一方，シカの強い採食圧が刺毛数の著しい増加だけでなく，姿形や開花期の変化を促し，このような形質の違いが遺伝的分化を生じさせた，と言えそうだ。ただし，全体の 94.5% を占める「自然淘汰に中立であると推定される」non-outlier 遺伝子座のみに基づく解析でも地域集団間の遺伝的分化が明瞭であることから(図 8～10)，この遺伝的分化には，シカの採食という淘汰圧よりも遺伝的浮動が大きく寄与していることは認めざるを得ない。よって，先に提示した仮説は「奈良公園のイラクサ集団はシカの強い採食圧によってある程度の遺伝的分化が生じている」と若干変えることにより支持されるだろう。

残された課題は，これら防御形質に関わる遺伝子の特定と発現機構の解明である。しかし，これは我々の手に余る。この本の読者の中から，この課題に挑戦する方が現れることを願う。

7. 刺毛はアカタテハの産卵と幼虫の摂食に影響しないのか

先に示したように，奈良公園のイラクサの刺毛はシカに対しては防御の役割を果たすものの，植食性昆虫に対しては無力に見えた(図 5)。それでも，あの夥しい数の刺毛を目にすれば「昆虫が葉にとまったり，卵を産み付けたりすることを刺毛が妨げないわけがない。そのような葉で摂食するのも嫌なはずだ」と思わずにはいられない。そこでこの思い込みを，アカタテハを使って確かめることにした。アカタテハは日本全土に分布する普通種で，イラクサ科のカラムシ属 *Boehmeria* やイラクサ属 *Urtica* を食草とする。奈良女子大構内や奈良公園，高取城趾では成虫の飛翔が頻繁に目撃され，イラクサには幼虫の食痕が多々ある。材料として申し分ない。

まず，野外実験によって，アカタテハが刺毛を多数そなえた東大寺のイラク

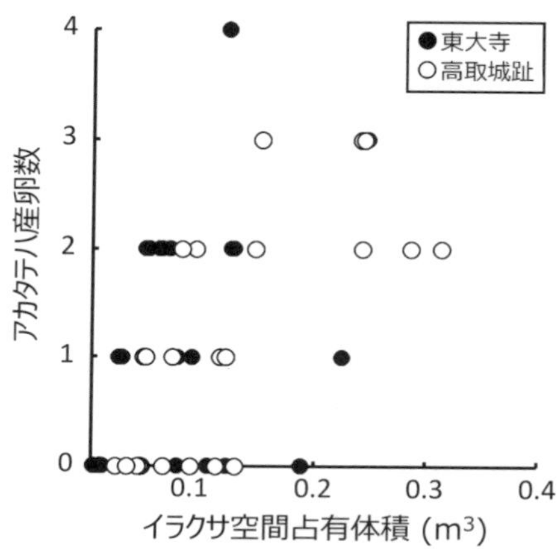

図 11 イラクサの空間占有堆積(楕円柱近似)とアカタテハの産卵数の関係(Iwamoto *et al.*, 2014)

サ(図 3B)と刺毛がほとんどない高取城趾のイラクサ(図 3C)のどちらにより多く産卵するかを調べた。奈良女子大構内に移植した東大寺と高取城趾のイラクサ 24 ないし 25 個体の全ての葉を，7 月のある日，丹念に調べ，アカタテハの卵を数えた。その結果，卵数はイラクサの空間占有体積と相関するものの，集団の影響は検出されなかった(図 11；GLM；誤差分布：ポアソン分布；リンク関数：対数；集団：Wald $\chi^2_{s[1]} = 1.721, P = 0.190$；体積：Wald $\chi^2_{s[1]} = 11.11, P < 0.001$；交互作用：Wald $\chi^2_{s[1]} = 0.711, P = 0.399$；Iwamoto *et al.,* 2014)。このことは，雌成虫は刺毛の多寡に関係なく，イラクサに産卵していることを示唆している。

次に，刺毛が幼虫の摂食活動を阻害しているかどうかを室内実験で調べた。飼育容器に東大寺の葉と高取城趾の葉を置いて，東大寺あるいは高取城趾のイラクサで採集した卵から孵化した幼虫を入れ，幼虫がどちらの葉を摂食するかを記録した。葉の由来と同じ 2 地域の幼虫を使用した理由は，後述するように，ひょっとすると局所適応があるかもしれないと思ったからである。結果は，東大寺の幼虫であれ，高取城趾の幼虫であれ，どちらの葉も同頻度で選択し，摂食していた(Iwamoto *et al.,* 2014)。刺毛が幼虫の摂食を阻害することはなさそうだ。

以上の結果は冒頭の思い込みを退け，「刺毛は植食性昆虫ではなく，シカに対する防御として機能している」という先の主張を補強している。

8. 刺毛だらけの葉が栄養的な質に劣るならば…

奈良公園のイラクサの葉は刺毛を多数そなえるだけでなく，厚みがあって硬そうに見え，昆虫が消化するには悪そうに思える。刺毛がアカタテハの産卵や幼虫の摂食を妨害することはなくても，刺毛を多数そなえる葉が栄養的質に劣るのならば，幼虫の成長に影響を及ぼすだろう。

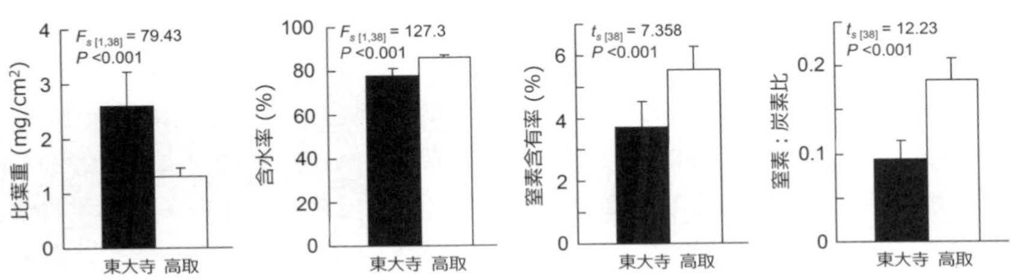

図 12 奈良公園東大寺集団と高取城趾集団の葉の質（Kohyama *et al.*, 2017）

一般に，比葉重（＝葉の硬さの指標）が重く，含水率，窒素含有率，窒素：炭素比が低い葉で飼育すると，幼虫期間が延び，幼虫・蛹・成虫の重さが軽くなるなど，発育成績が低下することから，このような葉は栄養的に質が劣るとされている（Awmack & Leather, 2002）。測定してみると，刺毛を多数そなえた東大寺のイラクサ集団の葉は刺毛がほとんどない高取城址集団の葉よりも，質的に明らかに劣っていた（図 12；Kohyama *et al.*, 2017）。そうなると，俄然，奈良公園のイラクサはアカタテハの成長に負の影響を及ぼしている可能性が高まる。

9. 局所適応の可能性も考慮したアカタテハの飼育実験

あり得ないとは思ったが，ここで局所適応という考えが頭をよぎった。2つの集団 A，B がそれぞれの生息場所 a，b に局所的に適応しているかどうかを評価するには，A，B に由来する個体をそれぞれ 2 群に分け，一方を a，他方を b の生息地で育て，その適応度を比較すればよい（Kawecki & Ebert, 2004）。図 13 に示すように，A の個体は a において B の個体よりも高い適応度を示し，逆に，B の個体は b において A の個体よりも高い適応度を示したならば，局所適応があると判断できる。

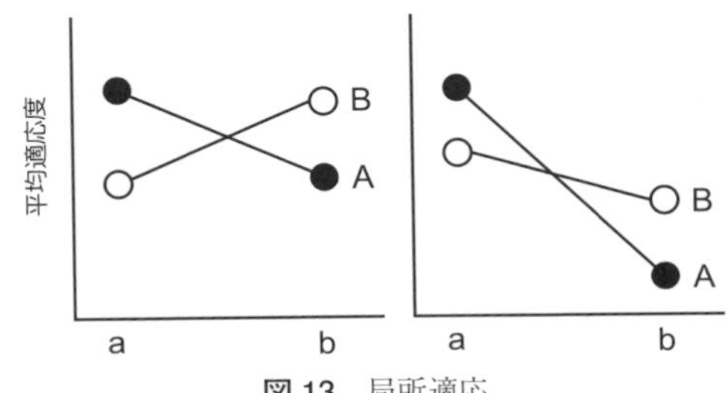

図 13 局所適応

生息場所を異にする 2 集団（A・B）それぞれが本来の生息環境（a・b）でもう一方の集団よりも高い適応度を示すなら，局所適応があることになる。Kawecki & Ebert（2004）を参考に描く。

アカタテハに当てはめれば，奈良公園と高取城趾のアカタテハ（A，B）の幼虫を 2 群に分け，一方を奈良公園のイラクサ(a)で，他方を高取城趾のイラクサ(b)で育てたとき，発育成績が図13のような結果になったならば，奈良公園のアカタテハは，栄養的に質が劣ると思われるイラクサに適応し，効率よく消化，吸収できるなんらかの生理的機構を進化させていることになる。もしそうなら，シカ-イラクサ-アカタテハからなる三者系で進化的形質変化の連鎖が生じていることにもなる。はたしてそのようなことがありうるだろうか。

発育成績の測定には，クヌギ *Quercus acutissima* の陽葉と陰葉でヤママユ *Antheraea yamamai* の発育成績を比較した経験が生きた(Oishi *et al.*, 2006)。含水量が高い葉，すなわち陰葉で飼育した幼虫の生体重は，含水量が低い陽葉で飼育した幼虫よりも重くなるが，蛹の生体重と乾燥重は逆に軽くなっていた。このことは，葉の過剰な水分が幼虫を水ぶくれの状態にしていることを示唆し，「発育成績の測定を幼虫期に限ることは，解釈に誤りをもたらしうる」と警告している。

東大寺と高取城趾のイラクサから卵を採集し，孵化した幼虫を供試個体とした。孵化直後から幼虫を東大寺のイラクサあるいは高取城趾のイラクサで育て，成虫を羽化させた。そして，発育成績として生存率(＝羽化した割合)，幼虫期間，成虫乾燥重，成虫の相対腹部乾燥重，相対成長速度を比較した。

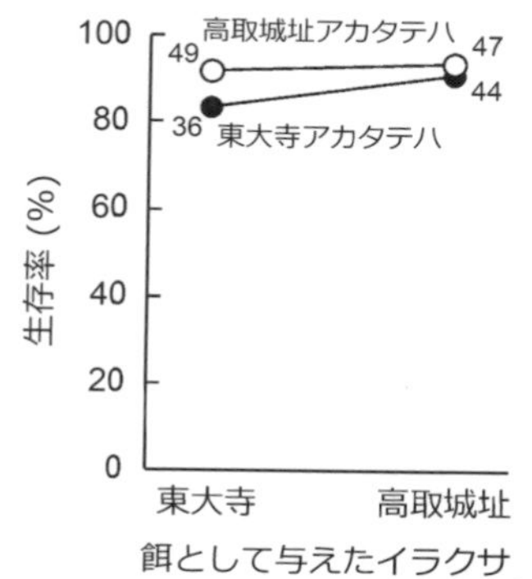

図14 アカタテハ幼虫を奈良公園東大寺あるいは高取城趾のイラクサの葉で育てたときの羽化率(Kohyama *et al.*, 2017)
数値は供試個体数。

10．アカタテハの局所適応と定着性

生存率(図14)と幼虫期間(図15上)，相対成長速度(図省略)いずれにおいても幼虫の出自ならびにイラクサの影響は検出されなかった(Kohyama *et al.*, 2017)。ところが，成虫乾燥重と相対腹部乾燥重においては，雌雄いずれでも，東大寺のイラクサで育てると，東大寺のアカタテハが高取城趾のアカタテハを有意に上回った(図15中，下)。特に，雌の相対腹部乾燥重では，図13に示したよう局所適応の傾向が検出された。高取城趾のイラクサで飼育したアカタテハの成虫乾燥重で出自による違いが検出されなかった

のは，高取城趾のイラクサの栄養的な質の高さが関係していると思われる。また，雄の相対腹部重での局所適応の傾向が雌ほどはっきりあらわれなかったのは，雄のタンパク質要求量が雌ほど必要としないためかもしれない(Harrison & Karban, 1986)。

この結果は，東大寺のアカタテハは栄養的に質の劣るイラクサの葉に局所適応し，効率よく利用する何らかの生理的機構を進化させていることを示唆している。雄では，体重が重い個体は縄張り防衛に有利であり(Peixoto & Benson, 2008)，また，相対的に重い腹部をもつ個体は精包の生産に有利だろう(Wedell & Cook, 1999; Karlsson, 1998)。一方，雌では，体重が重く，相対的に重い腹部をもつ個体は繁殖力が高いだろう(Karllson & Van Dyck, 2009)。

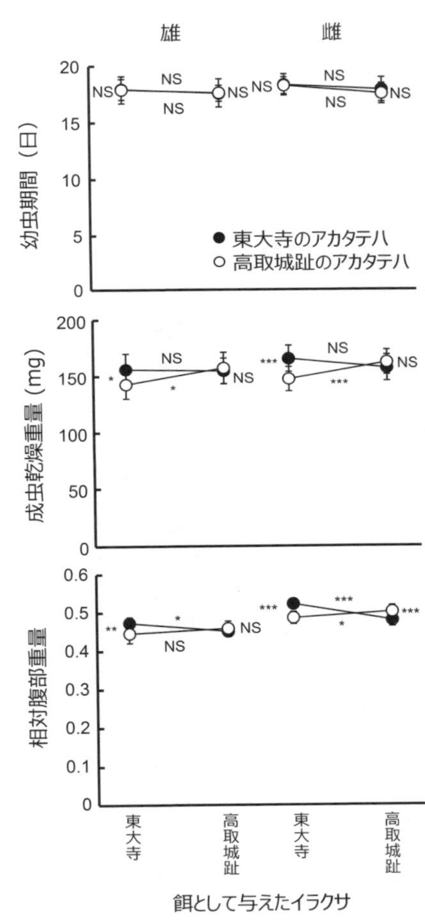

図 15　奈良公園東大寺と高取城趾のアカタテハ幼虫を奈良公園東大寺あるいは高取城趾のイラクサの葉で育てたときの雌雄別発育成績（Kohyama *et al.*, 2017）

そうなると，イラクサ同様，アカタテハでも奈良公園集団の遺伝的分化の程度が気になる。まず，ミトコンドリア DNA の COI 領域を比較した。東大寺，奈良女大構内，桜井，高取城趾，香落渓のイラクサから 23 ないし 24 個の卵を採集し，孵化直後の幼虫を試料とした。その結果，1 塩基のみが異なる 2 つのハプロタイプ(α，β とする)が検出され，α は東大寺集団の 6 個体(/24)だけから見つかり，他の集団も含め残りの 112

個体は全てβであった(Kohyama *et al.*, 2017)。この結果は，東大寺を含む奈良公園のアカタテハは定着性が高いことを示唆している。

次に，COIを調べた集団に能登川と弘法寺を加えた7集団から得た1齢幼虫(各集団20～28個体)の遺伝子型をAFLP法によって決定し，各集団間の固定指数F_{ST}を計算した。その結果，ほぼ全てのF_{ST}が有意に0よりも大きかったが，それらの値は極めて小さかった(0.004～0.034；Kohyama *et al.*, 2017)。STRUCTURE解析もしてみたが，明確な集団遺伝的構造は認められなかった(未発表)。

以上の結果は，奈良公園のアカタテハ集団は遺伝的分化には至っていないものの，ある程度の定着性があり，このことが局所適応を促していると考えられる。

11．結論：シカ–イラクサ–アカタテハの進化的相互作用

奈良公園ではわずか数ヘクタールの面積に，数百頭から千頭のシカが1000年以上も保護され，植物はシカの強い採食圧に晒されてきた。これが淘汰要因となり，イラクサは防御形質として夥しい数の刺毛を進化させるともに，姿形や資源配分を変え，早期に開花し，花期を延長することでシカの採食圧に対抗してきた。自然淘汰によるこのような形質の進化は奈良公園のイラクサ集団の遺伝的分化にある程度寄与している。一方，奈良公園のイラクサの葉の栄養的質は低い。この質の劣化に対し，奈良公園のアカタテハは効率的に葉を消化，吸収するなんらかの生理的機構を進化させ，局所的に適応している。

冒頭で述べたように，近年の群集生態学では，構成種における形質の可塑的ないし進化的変化が生物間相互作用によってどのように生じ，どう群集構造や動態に影響するか，に注目が集まっている(大串ほか, 2009)。しかし，3種以上からなる系で適応的形質進化の連鎖を示した研究は稀であり，進化的適応に伴う集団の遺伝的分化も示唆した研究となるさらに稀である。この点において，我々の一連の研究は価値があると思いたい。

しかし，アカタテハの局所適応に関する論文(Kohyama *et al.*, 2017)は公表から4年以上経過したが，被引用件数はたったの1である(2021年12月10日現在，Google Scholarで検索)。データが信頼性に欠けるのか，適応度を直

接測定していないからなのか，流行が既に去ったからなのか，それとも玉石混淆の電子ジャーナルに掲載されたからなのか。なんともつらい現実だ。

謝辞

本章で紹介した我々の一連の研究は，佐藤の研究室で卒業研究を行った学生がいなければなしえなかった。彼女らが上げた成果は共著論文として公表しているので，氏名をここに挙げることはしないが，万感を込め彼女らにあらためて感謝の意を表する。

〔引用文献〕

Awmack CS, Leather SR (2002) Host plant quality and fecundity in herbivorous insects. *Annual Review of Entomology*, 47: 817–844.

Benkman CW, Holimon WC, Smith JW (2001) The influence of a competitor on the geographic mosaic of coevolution between crossbills and lodgepole pine. *Evolution*, 55: 282–294.

Fu HY, Chen SJ, Chen RF, Ding WH, Kuo-Huang LL, Huang RN (2006). Identification of oxalic acid and tartaric acid as major persistent pain-inducing toxins in the stinging hairs of the nettle, *Urtica thunbergiana*. *Annals of Botany*, 98, 57–65.

藤田和(1997) 奈良の鹿　年譜．ディア・マイ・フレンズ．

Harrison S, Karban R (1986) Effects of an early-season folivorous moth on the success of a later-season species, mediated by a change in the quality of the shared host, *Lupinus arboreus* Sims. *Oecologia*, 69: 354–359.

Hirata R, Wasaka N, Fujii A, Kato T, Sato H (2019) Differences in flowering phenology, architecture, sexual expression and resource allocation between a heavily haired and a lightly haired nettle population: relationships with sika deer. *Plant Ecology*, 220: 255–266.

Iwamoto M, Horikawa C, Shikata M, Wasaka N, Kato T, Sato H (2014) Stinging hairs on the Japanese nettle *Urtica thunbergiana* have a defensive function against mammalian but not insect herbivores. *Ecological Research*, 29: 455–462.

梶光一(2006) エゾシカの個体数変動と管理．世界遺産をシカが喰う シカと森の生態学（湯本貴和・松田裕之　編）: 40–82，文一総合出版．

Karlsson B (1998) Nuptial gifts, resource budgets, and reproductive output in a polyandrous butterfly. *Ecology*, 79: 2931–2940.

Karlsson B, Van Dyck H (2009) Evolutionary ecology of butterfly fecundity. In: Settele J, Shreeve T, Konvička M, Van Dyck H (eds) *Ecology of Butterflies in*

Europe: 189–197. Cambridge University Press.

Kato T, Ishida K, Sato H (2008) The evolution of nettle resistance to heavy deer browsing. *Ecological Research*, 23: 339–345.

Kawecki TJ, Ebert D (2004) Conceptual issues in local adaptation. *Ecology Letters*, 7: 1225–1241.

北川尚史(2004) 奈良公園の植物. トンボ出版.

Kohyama T, Horikawa C, Kawai S, Shikata M, Kato T, Sato H (2017) Differential butterfly performance on host plant variants from populations under intense vs. low mammalian herbivory. *Ecosphere*, 8: e01568.

Kohyama TI, Yoshida M, Kimura MT, Sato H (2021) Intense browsing by sika deer (*Cervus nippon*) drives the genectic differentiation of hairy nettle (*Urtica thunbergiana*) populations. *Oecologia*, 196: 1095–1106.

前迫ゆり(2006) 春日山原始林とニホンジカ：未来に地域固有の自然生態系を残すことができるか. 世界遺産をシカが喰う シカと森の生態学 (湯本貴和・松田裕之 編): 147–165, 文一総合出版.

奈良の鹿愛護会(2021) 奈良公園の鹿生息頭数調査. https://naradeer.com/learning/number.html

大串 隆之・近藤倫生・吉田丈人(編)(2009)シリーズ群集生態学 2, 進化生物学からせまる. 京都大学出版会.

Oishi M, Yokota T, Teramoto N, Sato H (2006) Japanese oak silkmoth feeding preference for and performance on upper-crown and lower-crown leaves. *Entomological Science*, 9: 61–169.

Pollard AJ, Briggs D (1984) Genecologcal studies of *Urtica dioica* L, II. Patterns of variation at Wicken Fen, Cambridgeshire, England. *New Phytologist*, 96: 483–499.

Peixoto PEC, Benson WW (2008) Body mass and not wing length predicts territorial success in a tropical satyrine butterfly. *Ethology*, 114: 1069–1077.

Shikata M, Kato T, Shibata E, Sato H (2013) Among-population variation in resistance traits of a nettle and its relationship with deer habitat use frequency. *Ecological Research*, 28: 207–216.

Takada M, Asada M, Miyashita T (2001). Regional differences in the morphology of a shrub *Damnacanthus indicus*: an induced resistance to deer herbivory? *Ecological Research*, 16: 809–813.

Wedell N, Cook PA (1999) Butterflies tailor their ejaculate in response to sperm competition risk and intensity. *Proceedings of the Royal Society of London B: Biological Sciences*, 266: 1033–1039.

（佐藤宏明・甲山哲生）

17 モンシロチョウ属の繁殖干渉

1. はじめに

日本国内のモンシロチョウ属 *Pieris* は6種知られている。北海道から青森県・岩手県北部に分布するオオモンシロチョウ *Pieris brassicae*，北海道の石狩平野以東に分布するエゾスジグロシロチョウ *P. dulcinea*，北海道石狩平野西部から熊本県南部に分布するヤマトスジグロシロチョウ *P. nesis*，鹿児島県徳之島を南限とする日本全土に分布するスジグロシロチョウ *P. melete*，沖縄県西表島を南限に日本全土に分布するモンシロチョウ *P. rapae*，そして長崎県対馬島と沖縄県八重山諸島に分布するタイワンモンシロチョウ *P. canidia* である。この6種は全てアブラナ科の植物に産卵するが，同じアブラナ科植物種に産卵することはなく，チョウの種ごとに異なる植物を利用している。これら6種のうち日本の近畿地方に分布するモンシロチョウ属，モンシロチョウ(以下モンシロ)，ヤマトスジグロシロチョウ(以下ヤマト)，スジグロシロチョウ(以下スジグロ)の3種が本章の主役である。

モンシロはアブラナ科蔬菜やイヌガラシを主な産卵植物とし，3種の中では最も身近に目にするチョウである。ヤマトはハタザオ属植物を産卵植物としているので，ハタザオ属植物が自生している渓谷沿いに分布が限定されるが，渓谷内での個体群密度は高い。スジグロの産卵植物はタネツケバナ属植物やイヌガラシであるが，山地の渓谷や山里に分布している植物を利用することが多く，またスジグロ個体群の密度は疎らであることが多い。このように3種はそれぞれに異なる生息域・産卵植物に適応して生活している。生物は自然選択の結果，環境に適応・進化して生息している。環境にどれくらい適応したのかを測る尺度を適応度といい，"産卵数×生存率" で表される。つまり，自然選択に対して生存する確率の高い子をより多く生産できた個体の子孫は，代々生き残るわけである。したがって，モンシロチョウ属3種のチョウはそれぞれの産卵植物で他の植物よりも高い適応度を維持していると予想される。言い換えれば，他の植物に比べて，より多くの産卵数か・より高い生存率か・あるいはその両方が維持される植物に産卵しているはずだ，と言えよう。

ところで近年，様々な生態・進化の現象に繁殖干渉が深くかかわっていることが明らかとなってきている。繁殖干渉とは「種間配偶によって生じる干渉型の相互作用であり，特に雌の繁殖成功度の低下をもたらすもの」と定義され(高倉・西田, 2018)，チョウの産卵植物の決定にも影響することが理論的にもまた経験的にも指摘されてきている(Nishida *et al.,* 2015; Noriyuki, 2015)。本稿では，モンシロチョウ属の産卵植物が繁殖干渉により決定されていること及びこの繁殖干渉が雄の誤った種認識に基づく求愛行動により生じることを初めて実証した研究結果を紹介する。そして，その結果と文献情報からモンシロチョウ属 3 種の生態的特性について展望するとともに，雄の誤った種認識に対する求愛相手の雌の体の大きさの影響についての結果を報告する。加えて，雄の求愛行動に対する雌の体の大きさの影響が何故種ごとに異なっているのかについての仮説を提示する。

2. 幼虫が先か成虫が先か

「卵が先か鶏が先か」，これは様々な場面で使われる“どちらが先に始まったのか？”を問う因果性の隠喩である。実は産卵植物選択の決定要因の研究には，この喩えに似た因果性の問い“幼虫が先か成虫が先か”が存在する。産卵植物とは幼虫が餌として食べる植物であるから，産卵に選ばれる植物は幼虫にとってより良い餌であるはずだと考えるのが“幼虫が先”側である。言い換えると，幼虫にとって天敵の心配がなく大きく丈夫に成長できるような，幼虫由来の適応度成分(生存率)が高い植物を選ぶはずだということだ。一方，産卵するかどうかを決めるのは母親であるから，極端な場合，産卵に選ばれる植物は幼虫にとって良い餌であるかどうかにかかわらず母親の都合で決まるはずだと考えるのが“成虫が先”側である。言い換えると，母親にとって産卵するときに邪魔されることが少ないような，成虫(母親)由来の適応度成分(産卵数)が高い植物を選ぶはずだということになる。1994 年，大崎直太博士と佐藤芳文博士が Ecology 誌で発表したモンシロチョウ属 3 種の産卵植物決定要因は前者の“幼虫が先”であり，特に天敵である捕食寄生者からの回避の方法が産卵植物決定に強く影響するというものであった(Ohsaki & Sato, 1994)。次項では，ヤマトとスジグロの 2 種に焦点を当て，産卵植物決定が天敵の回避により説明されてきた中身を紹介するとともに，両種チョウの北海道での産卵植物利用の変遷と仮説の見直しについて述べる。

3. ヤマトVS.スジグロ　天敵の章

ヤマトとスジグロには主に2種の共通の捕食寄生者が存在し，若い幼虫に寄生するアオムシコマユバチと大きくなった幼虫に寄生するマガタマハリバエである。この天敵に対し，ヤマトは自己の免疫機能で寄生を回避できないので，“天敵が存在しない空間に生えているが質的には劣る”ハタザオ属植物を産卵植物として利用している。一方，スジグロは血球包囲作用という自己の免疫機能により寄生を回避できるので，“天敵が存在する空間に生えているが質的には優れている”タネツケバナ属植物やイヌガラシを産卵植物として利用している。以上が，従来の2種の産卵植物決定の解釈，「天敵不在空間と植物の質トレードオフ仮説」であった(Ohsaki & Sato, 1994)。しかし，この仮説が揺らぐ現象が北海道へのキレハイヌガラシの侵入により観察されることになる。1960年代にキレハイヌガラシが侵入した当初は2種のチョウがどちらも産卵植物として利用し始めたのだが，時代を経るにつれキレハイヌガラシに産卵するのはヤマトだけになり，スジグロはキレハイヌガラシには産卵せず在来種のコンロンソウだけに産卵するようになったのである。この2種のチョウの産卵植物決定が従来の仮説通りであるとすれば，キレハイヌガラシは“天敵が存在しない空間に生えているが質的には劣る”植物ゆえにヤマトだけが産卵植物としていることになる。しかし，大崎博士の調査の結果，キレハイヌガラシは葉が小さく密生することで天敵不在空間を作り出してはいたが質的に優れていて，コンロンソウは天敵が存在し質も劣る植物とわかった(Ohsaki *et al.*, 2020)。そこで，従来の研究を見直したところ，スジグロはアオムシコマユバチの卵を血球包囲作用で取り除くことができてもマガタマハリバエの寄生には負けることから，タネツケバナ属植物やイヌガラシはスジグロにとっても天敵不在空間とはならない可能性があることもわかった。つまりスジグロは，北海道でも近畿地方でも，幼虫にとって生存率が低くなる植物を産卵植物として選んでいることになるのである。以上のことは，2種のチョウの間に競争関係が存在し，ヤマトがスジグロを排除していることを強く示唆していた。しかし，植食性昆虫でのボトムアップ型の資源をめぐる(幼虫期の)競争排除は珍しいと主張されている(Strong, 1984)ことから，2種の産卵植物決定に影響する新たな仮説として，成虫期における種間の繁殖干渉仮説が浮上し，その検証が行われたのである。

4. ヤマトVS. スジグロ　繁殖干渉の章

先述のように，繁殖干渉とは雌の繁殖成功度の低下をもたらす種間配偶であるので，求愛→交尾→受精→交雑個体の出生という過程における様々な場面での繁殖成功度の低下が想定される(高倉・西田, 2015)。ではチョウの雌が低下させてしまう可能性のある繁殖成功度は何であろうか？ 一般に種間の交尾・交雑は野外では稀であると言われているので，誤った求愛行動における繁殖成功度の低下，すなわち産卵数の低下に焦点を絞って実験観察することとなった。実はこの実験は前年2009年に2 × 2 × 2 mの野外網室で企画したのであるが，実験に使用した個体は網目につかまってとどまる傾向があった。この網室では同種同士の交尾は観察され，既交尾雌の確保は可能であったのだが，観察された交尾は網にとどまる雌を雄が押し付けて成立する場合がほとんどで，正常な求愛行動を観察できず失敗していたのである。

そして2010年6月頃，大崎博士の研究室でどのようにすれば求愛行動を観察できるかを詰めにかかった。失敗を踏まえ求愛行動観察にはチョウの十分な飛翔スペースが必要であるとの結論が出たところで，大崎博士はやにわにデスクの端に置かれた黒電話を手元に引き寄せると，104をダイヤルしてどこかの電話番号を入手，続けて入手した番号宛に電話をかけて交渉に入られた。受話器の先のお相手は伊丹市昆虫館の学芸員(現・館長)の奥山清市さんであった。伊丹市昆虫館には直径31 mの半球型のチョウの生態展示用ガラス温室があり，今回の実験を行う上で好都合というわけであった。大崎博士は以前ベイツ型擬態の実験でこのチョウ温室を利用されており，旧知の奥山さんをはじめとする伊丹市昆虫館の皆さんのご厚意で程なく話はまとまり，筆者と大崎博士はヤマトとスジグロをチョウ温室に放した求愛行動観察実験を行うこととなった。

その結果，ヤマトの雄はスジグロの雄よりも求愛頻度が高く求愛時間も長いことが明らかとなった。また，ヤマト雄の求愛行動の65%が別種のスジグロ雌に対して行われていたのに対し，スジグロ雄の求愛行動の77%が自種のスジグロ雌に対して行われていたのである(後述の図 3-A)。さらに，この行動観察実験に先駆けて既交尾雌を用いて野外の別の小型ケージで産卵数に対する雄の存在の影響を調べた結果からは，どちらの種も自種の雄の存在時には産卵数を大幅に減少させることがわかった。一方，他種の雄の存在時ではヤマト雄の存在はスジグロ雌の産卵数を大幅に減少させるのに対して，スジグロ雄の存在はヤマト雌の産卵数を減少させないという，両種間の強い非対称的な繁殖干渉があることがわかった(図 1-C)。この種間の求愛の非対称性を明瞭に示したデータで書き上げられた投稿論文は，しかしながら受理されずに拒否されてしまった。モンシロチョウ属は翅による紫外線の反射や吸収を視覚的にとらえることが可能であり，この視覚的刺激が繁殖行動に影響しうる(小原, 2012)。伊丹市昆虫館のチョウ温室は紫外線をほぼすべて遮断するガラス製であるため，正常な求愛行動を観察したことにはならない，

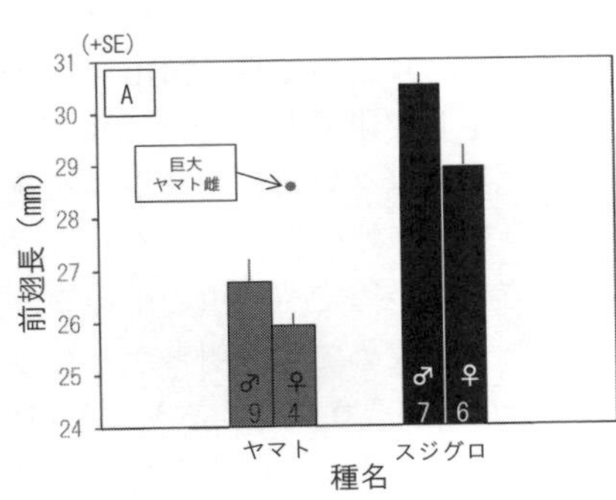

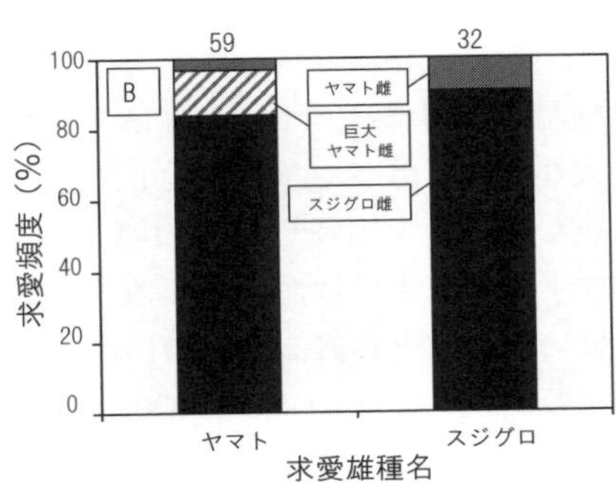

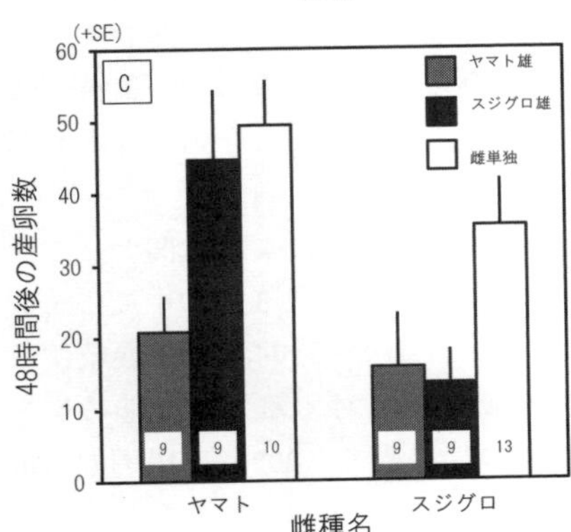

図 1　ヤマトとスジグロの繁殖干渉実験の結果（棒グラフの内部や上部の数字はサンプル数である）

A：供試個体の体サイズの種間比較。雌雄ともにスジグロのほうが大きい。

B：求愛された雌の頻度の雄種間比較。両種雄ともにスジグロの雌によく求愛している。ヤマト雄は巨大なヤマト雌にもよく求愛している。

C：雄の存在による産卵数の変化。ヤマト雄の存在下でヤマト雌・スジグロ雌ともに産卵数が減少する。スジグロ雄の存在下でスジグロ雌の産卵数は減少するが，ヤマト雌の産卵数は減少しない。

というのが論文掲載拒否の理由であった(がしかし，後述するように，この雌の翅の紫外線反射率は雄による求愛行動にそれほど決定的な影響は与えていない蓋然性が高いのであるが)。

その後紆余曲折を経て2018年，今度は京都大学昆虫生態学研究室の屋外網室をお借りして再実験を行うことになった。実験方法は少し変更し，ヤマトとスジグロの雌のどちらにより求愛するのかを観察することに重きを置いた。1つの網室にはヤマト雌2頭とスジグロ雌2頭を放して求愛行動観察用網室として準備した。それ以外に隣の2つの網室で同種だけを放して自由に求愛行動をさせ，そのうち最も求愛に積極的な雄をピックアップし求愛行動観察用網室に放した。そして，その行動記録を15〜20分ごとに雄を入れ替えながら繰り返した。観察実験を行ったのは7月半ばであったが，2018年は梅雨明けが7月9日ころと例年よりも早く，夏が既に盛りを迎えたような気温と梅雨の名残の湿度を伴っていて，実験観察中の大崎博士の体中から汗が滴り落ちていたのを思い出す。行動観察の結果，2010年の実験結果と同様に，ヤマト雄はスジグロ雌に集中して求愛しただけでなく巨大なヤマト雌へも多く求愛していたのに対し，スジグロ雄はヤマト雌を無視したことを実証した(図1-A･B)。つまり，繁殖干渉の結果スジグロはヤマトの存在下では産卵数を多くすることができないので，幼虫の生存率は低いがヤマトと異なる植物に産卵していることが改めて(！)明らかとなったのである(Ohsaki *et al.*, 2020)。体が小さく一見ひ弱そうに見えるヤマトが，体が大きく一見強そうなスジグロを排除した結果，現在の両種の産卵植物を決定していたという事実は，筆者の直感とは異なっていた。生物の生態をつまびらかにするには，多分にヒトの側の思い込みに偏った“直感”よりも，着実な事実と論理の積み重ねこそが重要であることを強く印象付けられた結果でもあった。

では，このヤマトとスジグロの両者にモンシロはどのように関わっているのだろうか？ 次項では，繁殖干渉という観点からみた3種の中でのモンシロのポテンシャルを文献情報から予想し，3種の生態的特性を展望する(なお，上記のヤマトとスジグロの産卵植物決定に対する繁殖干渉の影響に関する論文は，当初予定から実に10年の時を経て，2020年10月にThe American Naturalist誌に掲載された)。

5. モンシロが来た

日浦(1973)によると，日本で絵画の中に描かれたモンシロの中で最も古いものは1770～1776年に成立したとされる円山応挙の写生帖だという。この円山応挙の写生帖は東京国立博物館のホームページから39枚の画像として閲覧することができる。39枚のうち昆虫の写生が17枚，その中の9枚にはチョウが描かれている。この9枚をよく見ると4枚にはモンシロと判別できる翅の模様を持ったチョウが描かれており，1枚にはヤマトかスジグロと思われる筋の黒い翅模様を持ったシロチョウが見いだされる。応挙は現在の京都府亀岡市，筆者の所属先から徒歩圏内にある，金剛寺で小僧時代を過ごした。そののち15歳ころに京に出て狩野派の門に入り京を中心に上方で活躍，63歳で没している(円山応挙宅址の石碑が四条堺町東入南側，立売中之町に残っている)(参考：辻, 2019)。したがって，1770年ころの京都近辺で観察されるモンシロチョウ属は既にモンシロが優勢を占めていたものと思われる。また，集団遺伝構造の解析の結果，日本国内でのモンシロの遺伝的多様性は相対的に低く，比較的最近日本列島に定着したと考えられるという(高見, 2016)。つまりモンシロはモンシロチョウ属3種の中で最も新参者にもかかわらず，現在最もよく目にするチョウとなっているわけだ。

最新の研究では，市民から提供されたモンシロのサンプルに基づく地球規模の遺伝子比較解析の結果，北米への侵入が1855年頃，シベリアへの侵入が1700年頃であるなどモンシロの侵略の歴史を明らかにしてきている(Ryan *et al.*, 2019)。日浦(1973)の中には，モンシロの北米侵入の結果，エゾスジグロシロチョウやアメリカモンシロチョウが棲みなれた土地を追われ，山の中にわずかに生き残っているという記述や，当時の北方四島でモンシロが分布していない色丹島ではエゾスジグロシロチョウがアブラナ科蔬菜を加害し，モンシロが分布している国後島ではモンシロがアブラナ科蔬菜を加害しているという記述もみられるなど，侵入から比較的短期間でのモンシロの分布拡大と近縁種排除が生じていることをうかがわせる。さらに近年では，北海道に侵入したオオモンシロチョウの一時期の個体数増加が鳴りを潜め，モンシロが復権を果たしていると聞く(田中, 2016)。また，モンシロによる他種に対する間違った求愛の観察事例の記述も確認される。

表1 モンシロチョウ属3種の生態的特性比較

	モンシロ	ヤマト	スジグロ
体の大きさ	小	小	大
他種への繁殖干渉の強度	強	中	弱
産卵植物決定に影響する適応度成分	幼虫生存率≒産卵数	幼虫生存率<産卵数	幼虫生存率<<産卵数
種の豊富さ	大	中	小

小原(2012)には「モンシロチョウの雄は私の経験してきたかぎり，スジグロシロチョウの雌を発見すると，ほとんどまちがいなく追いかけて交尾しようとします。」という記述が写真とともに掲載されており，モンシロの雄によるスジグロの雌に対する求愛時の繁殖干渉が強く示唆される。ところで，小原(2012)には，さらにこれを受けて「(モンシロチョウ)雄の配偶者同定の感覚的メカニズムは紫外色が強い雌から極めて弱い雌までの幅広い雌を，配偶者として同定するように構成されている，と考えるようになりました。」という記述が見られる。モンシロの翅の紫外線反射と雌雄判別についての研究の創設者による“モンシロの配偶者選択に紫外線は決定的には重要じゃないかも”というこの結論は，別種であるがモンシロチョウ属の求愛行動観察結果の論文を紫外線反射の影響を理由に受理されなかった者としては，なかなか味わい深い。いずれにしても，これらの知見と本稿で紹介した繁殖干渉の影響を通して予想されるモンシロの繁殖干渉は3種の中で最も強烈なものと思われ，モンシロチョウ属3種の生態的特性は表1のようにまとめることができるだろう。

表1からみられる体の大きさと他種への繁殖干渉の強度の予想，またヤマト雄が巨大なヤマト雌へも多く求愛していたという観察結果からは，繁殖干渉の非対称性には雄の求愛行動に対する雌成虫の体の大きさの影響が強く示唆される。では本当に雄の求愛行動に影響している要因は雌の体の大きさなのであろうか？ そしてそれは，どの種に対しても当てはまる普遍的な影響なのであろうか？ そこで次項では，雄の求愛行動に対する雌の体の大きさの影響を実証するために企画された実験について述べる。

6. ヤマトの過ち

2010年に行った昆虫館での実験データを埋もれたままにしておくのはもったいない。また，紫外線の影響を受けずに体の大きさの視覚的影響だけに絞った条件にできることもあいまって，この昆虫館データを活用した実験を企画した。2010年での実験では通常の大きさでの求愛行動の観察を行ったので，ヤマトのほうが小さくスジグロのほうが大きかった。供試個体の前翅長の平均値で比較すると，ヤマト雄は27.7 mm，スジグロ雄は30.6 mm，ヤマト雌は26.1 mm，スジグロ雌は29.8 mmである。求愛行動に対する体の大きさの影響を探るには，体の大きさ以外の形質はそのままに体の大きさだけを操作して，2010年と同様の求愛行動観察実験を行えばよいだろう。チョウの成虫の大きさは幼虫期の飼育温度や密度・餌の質に影響され，低温で低密度・良質の餌であるほど大型に高温で高密度・低質の餌であるほど小型になることが知られている。そこで，ヤマトを14℃で低密度・良質の餌，スジグロを30℃で高密度・低質の餌条件で飼育し，体の大きさの操作を試みた(図2)。その結果，前翅長の平均値でヤマト雄は28.5 mm，スジグロ雄は27.8 mm，ヤマト雌は28.2 mm，スジグロ雌は26.2 mmとなり，とくに雌で顕著に体の大きさの逆転操作ができた。これらの個体を利用して再び伊丹市昆虫館の温室で同様の求愛行動観察実験を行った。その結果，ヤマト雄の求愛行動の57%が“大きくなった”自種のヤマト雌に対し行われていた。2010年の実験では求愛行動の65%が“大きな”別種スジグロ雌に対して行われていたので，ヤマトの雄は，種認識が間違っていても，大きい雌に惹かれ求愛していることが

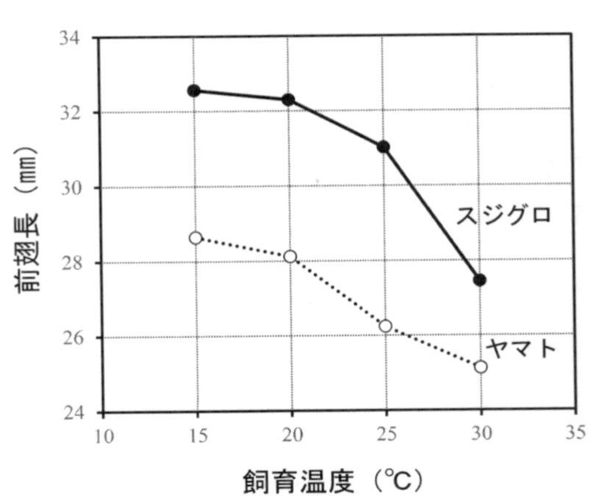

図2　飼育温度と成虫サイズ(前翅長)の平均値との関係
(Ohsaki(1982)を基に作成)
一貫してスジグロが大きいが，ヤマトを15℃以下，スジグロを30℃以上で飼育した場合，体の大きさは逆転する。

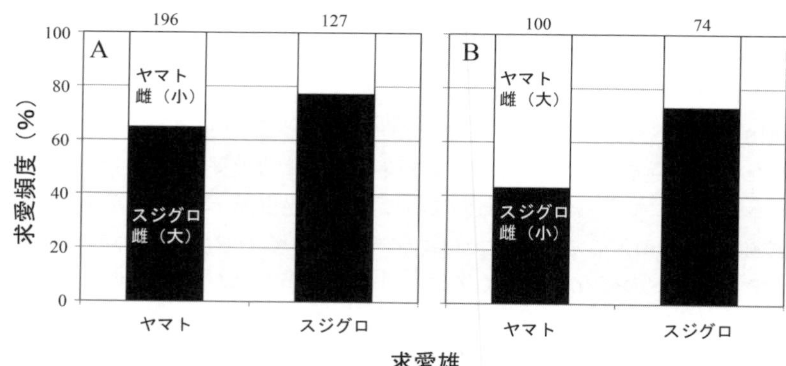

図3　雄に求愛された雌種の比較

A：通常の大きさ（ヤマト＜スジグロ）の場合，B：逆転した大きさ（ヤマト＞スジグロ）の場合。棒グラフの上の数字は観察された全求愛数を表す。

明らかとなった。これに対し，スジグロ雄の求愛行動の73%が“小さくなった”自種のスジグロ雌に対して行われていた。2010年の実験では求愛行動の77%が“大きい”自種のスジグロ雌に対して行われていたので，スジグロ雄は雌の体の大きさにとらわれず自種の雌を認識しているといえる(図3)。したがって，ヤマトとスジグロ間の非対称な繁殖干渉は雌の体の大きさに対する求愛時の雄の反応の違いによることが強く示唆されたのである。体が大きい雌は多くの卵を産めるため，雄は大きな雌を選ぶ傾向にあると考えることができるが，それが大型種スジグロでは見られず小型種ヤマトにおいて強く現れるのは興味深い現象である。なぜそのような現象が起きるのだろうか？ そしてそれは合理的に説明可能であろうか？ 最後にこのことについての仮説(妄想？)を2つ提示して本稿を締めくくろうと思う。

7．ヤマト雄は大きい雌を“選んでいない”

生物学的に生物が何かを“選んでいる”という言葉を使うとき，進化的・生態学的に有利であるために“選ぶ”という意思決定がその生物に維持されていると考えられる。上述のように大きい雌は多くの卵を持つので大きい雌を選ぶ，というのが有利な理由であろう。そして，それは特定の種にしか当てはまらない理由ではなく，どの種にも当てはまるはずだ。しかし，種を間違えてまで大きい雌に求愛することは本当に有利なのだろうか。雄による求愛間違いが維持されるかどうかについては，「雄の他種への配偶をしなくなるはずだという誤解」として，『繁殖干渉』（高倉・西田, 2018）の 31 ページに詳しい。大まかに要約すると，厳密に自種の雌の大きさに絞って求愛すると，大雑把に雌を選ぶ雄よりも自種の雌に対する求愛のチャンスを逃すことが多くなるので，雄は大雑把に選ぶほうが有利となり求愛まちがいは維持されるということだ。この，大きい雌が卵を多く持つ・間違っても大雑把に選ぶほうが求愛チャンスを逃さない，というシナリオによると，ヤマトが種を間違っても大きい雌に求愛する理由は大いに納得いく。では，この説明でスジグロの行動を理解できるだろうか。否であろう。スジグロはヤマトよりも体が大きく近縁種の中でも最大クラスである。それ故，大きい雌に求愛することは多くの卵を持つ雌を獲得できるだけでなく種を間違う蓋然性が低下することも予想され，スジグロ雄にとっても大きな雌に求愛することは有利なはずだ。しかし，スジグロ雄は大きい雌に求愛するわけではなかった。これはおかしい。このシナリオは観察された現象の一部(ヤマト雄の求愛行動)にしか適用されないので不十分である。では別のシナリオを検討する必要がある。それはヤマト雄が大きい雌を“選んでいない”というシナリオである。

8. 超正常刺激

ここで古いチョウの求愛実験の事例を見てみる。『虫の惑星』(エヴァンズ, 1972)にヒョウモンチョウの雄の求愛を誘導する刺激についての記述がある。いわく，雄は実際の雌の 4 倍もの大きさの雌の模型に最も強く反応を示し，それ以下の大きさであると大きければ大きいほど引き付けられたとある。この交配不可能な大きさの雌に強く誘引される現象は超正常刺激に対する反応として知られている。つまり大きい雌を“選んで”いるのでなく，通常よりも強い刺激に対して反応した結果であるということで，この現象はヒョウモンチョウ以外の他のチョウでも観察される。筆者が小川で蛍光オレンジ色の玉ウキを使って釣りをしていたところ，ベニシジミの雄が玉ウキめがけて猛烈に求愛行動を起こした現場を見たことがあり，これはまさに超正常刺激に対する反応であったと思われる。今回のヤマトの求愛もこの超正常刺激に対する反応ではないかということだ。このシナリオであれば，ヤマト雄は見境なく全く“選ばず”猪突猛進に雌に求愛を行うのだが, ついつい大きい雌(超正常刺激)に引き付けられ，結果的に大きい雌に対する求愛頻度が高くなる。

一方，スジグロ雄は体の大きさという超正常刺激に惑わされることなく，体の大きさ以外の別の識別刺激を利用して，自種の雌を比較的慎重に“選んでいる”ということになる。ヤマト雄が雌を“選ばず”，スジグロ雄が雌を“選んでいる”という予想は，ヤマト雄の求愛頻度がスジグロ雄の求愛頻度よりも一貫して高い結果(図 3)からも想定されうる。したがって，このシナリオが 2 種のチョウの求愛の違いを説明する上で一つ目のシナリオよりも妥当性が高いように思われる。しかし，このシナリオでも謎が残る。なぜスジグロだけが超正常刺激の誘惑を断ち切り，見境の無い猪突猛進な求愛から離脱したのか？ 以下に 2 つの仮説を挙げる。まず，ヤマト雄の求愛行動を激しい攻撃的なもの，スジグロ雄の求愛行動を穏やかな儀式的なものと捉えて，合理的な解釈を試みるためにタカとハトに登場してもらおう。

9. タカとハトの雄

なぜ儀式的闘争が進化したのかを説明するために提示されたゲーム理論をタカハトゲームという(Smith, 1976)。同じ種内(あるいは個体群内)に攻撃的な闘争を行うタカ派と平和的で儀式的な闘争を行うハト派が，どのような条件でどのような比率で存在するのかを明らかにした。攻撃的なタカ派は誰とでも闘争しタカ派同士で闘争が成立すれば報酬を得られるが損失も伴う。一方，平和的なハト派はタカ派と出会うと逃走するので報酬は得られないが損失は伴わず，ハト派と出会うと報酬を分け合うという前提がある。勝者(victor)の得られる報酬を V，キズ(wound)などで失う損失を W，闘争が成立した場合の勝ち負けの確率が半々であるとすると，タカ派とハト派の利得表は表 2 のようになる。ここで，タカ派の存在比率を p，ハト派の存在比率を 1－p としてタカ派とハト派がどのような比率で存在するのかを考えてみる。タカ派であるときに闘争の結果期待される利得は(利得表の上の行を横に見ていく)，タカ派と出会う確率(タカ派の存在確

表 2 タカハトゲームの(対戦者 a から見た)利得表
(Smith(1976)をもとに作成)

対戦者b ＼ 対戦者a	タカ派	ハト派
タカ派	(V－W) / 2	V
ハト派	0	V / 2

V が報酬，W が損失である。オリジナルの表では決着が長時間かかる場合のコスト T が想定されているが，この表では省略している。

率)と利得の積：p ×(V − W)/2 と，ハト派と出会う確率(ハト派の存在確率)と利得の積：(1 − p) × V の合計であるから，(2V − pV − pW)/2 となる。ハト派であるときに闘争の結果期待される利得は(利得表の下の行を横に見ていく)，タカ派と出会う確率(タカ派の存在比率)と利得の積：p × 0 と，ハト派と出会う確率(ハト派の存在比率)と利得の積：(1 − p) × V/2 の合計であるから，(V − pV)/2 となる。タカ派とハト派の双方が存在する場合とは，タカ派とハト派の期待利得が等しい場合と考えられるので，式で表すと，(2V − pV − pW)/2 =(V − pV)/2 となる。これを整理すると，p = V/W，(1 − p) =(W − V)/W となる。つまり，ハト派が存在するには(W − V)が正でなければならず，闘争の報酬よりも損失が上回ることが必要であり，報酬よりも損失が高くつけばつくほどタカ派の存在比率(V/W)は減少しハト派の存在比率は増加することになる。

では，損失が高くつく場合とはどのような場合であろうか。それは行動の結果，傷つきやすく大きなけがをするような場合であろう。行動の結果大きなけがにつながりやすい生物の身体的特徴としては力が強く体が大きいことであると考えられる。前置きが長くなったが，ヤマトの求愛が攻撃的でスジグロの求愛が儀式的であることを説明するには，このタカハトゲームの考え方が当てはまるのではないかということである。体が小さい種であるヤマトは激しい求愛行動をしても翅などが傷つきにくく損失が比較的少ないので，ヤマト種内では攻撃的な求愛行動の比率が高い状態が進化的に安定となる。一方，体が大きい種であるスジグロは激しい求愛行動をすると翅などが傷つきやすく損失が比較的多くなるので，スジグロ種内では平和的で儀式的な求愛行動の比率が高い状態が進化的に安定となるのではないかということである。

ところで，タカハトゲームは個体同士の闘争行動を念頭に置いた理論であるのに，雄個体同士が直接争うわけではない求愛行動に当てはめるのは筋が悪いと思われる向きもあろう。しかし，竹内(2021)にも書かれている通り，チョウの求愛行動は雌にだけ向けられるわけではなく雄にも向けられることが頻繁に起こり，それはあたかも雄間闘争(縄張り闘争など)のように見えることがある。筆者は，求愛行動の中に雄間闘争行動は内包されているのではないかと考えていて，種内あるいは個体群内の求愛行動の中にはタカハトゲームで想定されている闘争行動のような雄間の相互作用が生じていると考えている。

さて，ここまでの仮説は種内の行動的な雄間闘争の結果，体が大きい種の攻撃的行動は大けがをしやすく穏やかな(儀式的な)求愛のほうが有利であるため，スジグロでは雌の大きさに反応するという曖昧な(だが攻撃的な)求愛行動は進化しなかったのではないかという仮説であった。次の仮説では雄間の直接的闘争ではなく，雌による配偶者選択(female choice)という観点から，ヤマトとスジグロの雄の求愛行動の違いの説明を試みる。

10. 長生きしたい雌

本稿の「体の大きさを逆転させた求愛行動観察実験」(295 頁参照)の次の記述「供試個体の前翅長の平均値で比較すると，ヤマト雄は 27.7 mm，スジグロ雄は 30.6 mm，ヤマト雌は 26.1 mm，スジグロ雌は 29.8 mm である。」からわかるように，スジグロとヤマトはともに雄のほうが雌よりも大きい種である。このことは昆虫の世界では珍しい。雄のほうが雌よりも大きい理由は，大きな雄が残すと期待される子供の数は雌が大きくなって産むことのできる子供の数よりも多くなるからと考えられている(トリバース, 1991)。スジグロやヤマトなどのモンシロチョウ属では交尾の際に雄が精子以外の栄養物質を雌に渡すことが知られている。雄からの栄養物質をたくさん獲得した雌は生理的な寿命が伸びて生涯産卵数が増加することや，大きい雄ほど多くの栄養物質を雌に渡すことができることが報告されている(Wiklund *et al.*, 1993)。それ故，大きい雄と交尾した雌のほうが小さい雄と交尾した雌よりも長生きができ多くの子を残すことができるので，結果的に大きい雄が集団中に蓄積していくことになる(これはあたかも雌が大きな雄を選択しているかのように見えるので，見かけ上の雌による配偶者選択(cryptic female choice)と呼ばれる現象である)。つまり，スジグロもヤマトの雌も大きな雄と交尾するほうが有利だと考えられる。しかし，先述のように体が大きな種が攻撃的な求愛行動を行うと大けがを負いやすく，これは求愛を受ける雌側にとっても当てはまるだろう。大けがを負うと飛翔能力が落ち捕食されるリスクが高まるので，雌の生態的な寿命が縮むことになる。したがって，小さな種ヤマトでは，雌が大けがを負うリスクが低いので雄の攻撃的求愛行動が維持される一方，大きな種スジグロでは，体が大きく攻撃的な求愛をされた雌の寿命は穏やかな求愛をされた雌よりも短くなり生涯産卵数の減少につながる。その結果，スジグロ雄の求愛は体が大きく攻撃的な行動ではなく，体が大きくとも穏やかな行動に進化したのではないか，というのが2つ目の仮説である。

以上2つの仮説は互いに対立するものではなく，両方のシナリオが同時進行して現在の姿になった可能性もある(もちろん，どちらも正しくない場合もあるのだが)。

11. おわりに

モンシロチョウ属などの植食性昆虫の産卵植物は幼虫が餌として食べる植物である。それゆえ，産卵植物決定要因は幼虫の生存率を主とする“幼虫が先”の視点で説明されてきた。しかし，繁殖干渉という“成虫が先“の視点を取り入れることで，モンシロチョウ属種間の産卵植物の違いに加え分布や個体数の現状が驚くほど明快に理解できるようになったように思う。こうした視点の導入は，他種のチョウや植食性昆虫の近縁種間関係の理解にも広く役立つものであろう。また，近縁種間の繁殖干渉がどの種からどの種に向けられるのかは，それぞれの種内で働く雄間闘争や配偶者選択といった性選択(性淘汰：sexual selection)の結果である可能性があることを示唆した。本稿の中で「生物の生態をつまびらかにするには，多分にヒトの側の思い込みに偏った“直感”よりも，着実な事実と論理の積み重ねこそが重要であることを強く印象付けられた結果でもあった。」と書いておきながら，最後は直感的な妄想を披歴する結果となったかもしれない。なにか根本的な誤りなどがあればご指摘をお願いしたいと思う。(本稿は，『昆虫と自然 2021 年 3 月号 チョウの配偶行動，最近の話題，モンシロチョウ属の繁殖干渉』に加筆したものである。)

〔引用文献〕

エヴァンズ HE(1972)虫の惑星 ―知られざる昆虫の世界(日高敏隆 訳). 早川書房.

日浦勇(1973)海をわたる蝶. 蒼樹書房.

Nishida T, Takakura K, Iwao K (2015) Host specialization by reproductive interference between closely related herbivorous insects. *Population Ecology*, 57:

273–281.

Noriyuki S (2015) Host selection in insects: reproductive interference shapes behavior of ovipositing females. *Population Ecology*, 57:293–305.

小原嘉明(2012) 進化を飛躍させる新しい主役 —モンシロチョウの世界から. 岩波ジュニア新書.

Ohsaki N (1982) Comparative population studies of three *Pieris* butterflies, *P. rapae*, *P. melete* and *P. napi*, living in the same area III. Difference in the annual generation numbers in relation to habitat selection by adults. *Researches on Population Ecology*, 24: 193–210.

Ohsaki N, Sato Y (1994) Food plant choice of *Pieris* butterflies as a trade-off between parasitoid avoidance and quality of plants. *Ecology*, 75:59–68.

Ohsaki N, Ohata M, Sato Y, Rausher MD (2020) Host plant choice determined by reproductive interference between closely related butterflies. *The American Naturalist*, 196: 512–523.

Ryan SF, Lombaert E, Espeset A, Vila R, Talavera G, Dincă V, Doellman MM, Renshaw MA, Eng MW, Hornett EA, Li Y, Pfrender ME, Shoemakera D (2019) Global invasion history of the agricultural pest butterfly *Pieris rapae* revealed with genomics and citizen science. *Proceedings of the National Academy of Sciences of the United States of America*, 116: 20015–20024.

Smith JM (1976) Evolution and theory of games. *American Scientist*, 64: 41–45.

Strong DR (1984) Exorcising the ghost of competition past: Phytophagous insects. In D. R. Strong, D. Simberloff, L. G. Abele and A. B. Thistle (eds.), *Ecological Communities*. Princeton University Press, Princeton, NJ.

高倉耕一・西田隆義(2018)繁殖干渉 —理論と実態—. 名古屋大学出版会.

高見泰興(2016)都市環境と分子生態学を通して見るシロチョウの分布と移動. 昆虫と自然, 51(12): 6–10.

竹内剛(2021)武器を持たないチョウの戦い方　ライバルの見えない世界で. 京都大学学術出版会.

田中晋吾(2016)在来モンシロチョウと侵入オオモンシロチョウの個体群動態と天敵の影響. 昆虫と自然, 51(12): 19–23.

辻惟雄(2019)十八世紀京都画壇　蕭白, 若冲, 応挙たちの世界. 講談社.

トリバース R(1991)生物の社会進化（中嶋康裕・原田泰志・福井康雄 訳）. 産業図書.

Wiklund C, Kaitala A, Lindfors V, Abenius J (1993) Polyandry and its effect on female reproduction in the green-veined white butterfly (*Pieris napi* L.). *Behavioral Ecology and Sociobiology, 33*(1): 25–33.

（大秦正揚）

V. 科学哲学

⑱ チョウの行動生態学における前提に関する諸問題

筆者はチョウの縄張り行動や性認識に関する研究を行ってきた。その過程で，自然をどう見るかという問題，つまり科学哲学の問題に直面した。いや，最初は科学哲学の問題だと気づいていなかった。自然科学の研究者が科学とは何かを考えることは稀で，特に意識することなく研究をしていると，科学そのものについて考える機会がない。もちろん，考えなくても研究に支障がなければそれでよいかもしれない。しかし，人間が自然をどう見るかが問題になってくると，いつもの科学の手続きだけでは研究が成立しない。

本稿は，関連する科学哲学を概説したのちに，チョウの行動生態学の問題について紹介する。

1. 研究者向けの科学哲学

(1) 反証主義

科学とは何か？という問いに対して，反証可能な普遍言明が科学理論だ，という反証主義を聞いたことがある人も多いだろう。反証とはある言明に反する事実を提示することであり，普遍言明とは個別のケースに限らない一般性のある言明を指す。

反証主義が出てきた背景には，帰納の問題があった。理論は具体的な観察事実の集積によって形成されると考えるのが帰納主義で，起源はフランシス・ベーコン(1561–1626)にさかのぼる。直感的にはもっともな話に聞こえるかもしれないし，20 世紀の初め頃は，帰納主義を科学のあり方だとするのが哲学界の主流だったようである。

しかし，ポパーは 1934 年に処女作を書いたときから，科学理論とは単なる事実の集積ではないと考えていた(ポパー, 1971)。夜空の星を隅々まで観察し続けていたら，時とともに移動する星の位置の詳細な記録は得られるかもしれないが，それだけだと，せいぜい天動説しか出てこない。人間の頭の中で何らかの世界観を形成しなければ，地動説という科学理論は出てこないのだ。

しかし，人間の頭の中で構成した理論は，ひとりよがりのご都合主義に陥りやすい。ポパーは，フロイトやアドラーの心理学や，マルクスの歴史理論にこの問題があると考えていた。一方で相対性理論のように，アインシュタインが想像した世界観でしかないはずなのに，現実の宇宙で起こる現象を驚くべき精度で予測できる科学理論もある。その違いはどこにあるのかと考えたポパーは，科学理論は人間の想像の産物であり，それが正しいことは証明できないが，理論に反する事実を提示することによって否定できる性質(反証可能性)を備えていなければならない，と主張した。例えば，「すべてのカラスは黒い」という言明が正しいことは証明できないが，白いカラスを発見すれば反証することはできるので，この言明は科学理論たりえる。一方,「人生に起こる諸々の出来事は，すべて自分や祖先の過去の行いに対する応報である」という言明を使うと，実際の出来事が発生してからの後づけで何とでも説明できてしまう(都合のよい出来事が起これば過去の善行のおかげで，都合の悪い出来事が起これば過去の悪行の報い)。つまり，反証のしようがないので，この言明は科学理論たりえない。要約すると，事実を提示することで反証することが可能な構造になっており，今のところ自然現象について有効な記述を可能にする普遍言明を，科学理論として認めておこうという立場が反証主義である。

ポパーが,科学理論の進歩を自然選択のアナロジーで捉えていたところは,生物学者にとって受け入れやすいだろう。ある理論が学界に提示されると,様々な人による反証や批判が加えられて，それに耐え続けた理論は少しずつ修正されながらより正確で一般性のある理論になってゆき，ダメな理論は淘汰されてゆく。このようなプロセスが永遠に続くのが，ポパー流の科学活動である。

科学理論は事実の集積によって漸進的に形成されるものではなくて，人間の想像力の産物であることを認めて帰納主義から脱却し，一方で想像だけで好き勝手な理論が乱立することを防ぐために，事実による反証というテストを用意したポパーの科学論は，偉大な成果である。しかし，その後に展開される新科学哲学によって，科学は反証可能性で定義できるほど単純なものではないことが明らかになってくるのである。

念のために言っておくと，ポパーの著書を読むと，反証主義の限界と，本節(2)以降に出てくる全体論や理論負荷性も認識していたことがわかる。むしろ，反証主義の欠点は理解しながらも，科学を進歩させるためには，反証主義を建設的に使うべきだと考えていたようである。

(2) デュエム・クワインの全体論

全体論(ホーリズム)の元祖は1906年にデュエムが著した「物理理論の目的と構造」で，ポパーよりも30年ほど早い(デュエム, 1991)。実際，ポパーも著書の中でデュエムに言及している。したがって，デュエムがポパーを批判したのではなくて，反証主義に対する反論になっているとしてデュエムの著書が注目された，というのが順序だったようである。元々ポパーの反証主義を意識して書かれたわけではないので，対象も科学ではなくて物理学に限定されている。

デュエムは物理理論を，多数の経験法則を少数の原理からの演繹によって記述した数学的命題の集合と見なしている。物理理論は，物理現象の背後に隠れている実在を表すものではなく，少数の基本的な属性を決めて，それらを等式で結合させることで経験法則群(実験結果など)と一致すればそれでよい，という立場である。それだけなら当たり前のことに思われるかもしれないが，彼は理論と実験は分かちがたく結びついており，全体として一つの有機的な集合体をなしていると主張する。そこから，物理学において決定実験，すなわちある言明が間違っているか否かを決定する実験は不可能だとの結論に至る。

もう少し丁寧に説明しよう。デュエムは，物理実験は具体的な諸事実の確認ではないと言う。例えば，「この気体電池の起電力は，ある気圧分だけ圧力が増せばそれに相応したボルト分だけ増す」という実験結果は，具体的な事実の記述だろうか？ そうではない。圧力とは力学によって導入された概念を，起電力とは電磁気学によって導入された概念を数量化したものである。つまり，実験結果は具体的な事実ではなくて，理論を通した現象の記述なのである。

このことを理解したうえで，ある実験を行ったとして，仮説の予測とは違った測定結果を得た場面を想像しよう。このとき，その仮説は間違っていた(反証された)と結論できるか？ もちろん，仮説が間違っていた可能性はある。

しかし，測定機器が十分に機能していなかったのかもしれない。あるいは，測定の基になる物理理論のどれかが間違っていたのかもしれない。もしかしたら，その理論の基になっている物理学の原理に問題があったのかもしれない。つまり，その実験の結果から，測定の基になっている理論，測定機器，実験の対象となった仮説のいずれか，つまり物理学全体のどこかに間違いがあったことはわかるが，どこに間違いがあったかは決定できないのである。

結局，物理学とは原理的な部分から実験的な部分までが一体となって機能する有機体であって，個々に機能するものではない。だから，実験事実によって，特定の言明を反証することはできない，ということになる。

クワインは，この主張を物理学に限らず科学全体に適用している。クワイン(1992)から引用すると，

> 地理や歴史についてのごくありふれた事柄から，原子物理学，さらには純粋数学や論理に属するきわめて深遠な法則に至るまで，われわれのいわゆる知識や信念の総体は，周辺に沿ってのみ経験と接する人工の構築物である。あるいは，別の比喩を用いれば，科学全体は，その境界条件が経験である力の場のようなものである。周辺部での経験との衝突は，場の内部での再調整を引き起こす。

言っていることはほとんどデュエムと同じである。科学とは，経験的な事実と接する周辺部と，事実による反証に直接さらされていない内部との総体であり，周辺部で経験との不整合が多いと，内部に位置する原理原則にも変更がもたらされる，ということである。

(3) 観察の理論負荷性

ハンソンは理論負荷性という，全体論とよく似た概念を用いて，やはり観察された事実と理論は不可分であることを説いている(ハンソン, 1986)。彼は，x についての観察は，x についてあらかじめ持っている知識(理論)，およびその知識を言い表すための言語や記号によって形成されると主張し，これを理論負荷性とよんでいる。観察とは，カメラで写真を撮るような作業ではなくて，知覚刺激を自分の持っている知識体系(理論)と照合することなので，理論から独立したものではないのである。すると，理論は観察された事実によって反証できる，という反証可能性は揺るがされることになる。

ハンソン(1986)に出てきた，二人の天文学者の話を紹介しよう。ティコ・ブラーエとヨハネス・ケプラーが丘の上に並んで立って，明けゆく空を眺めている。二人の網膜に映っている朝日の像は同じかもしれないが，果たして二人は同じ朝日を見ていると言えるだろうか？ 天動説(地球中心説)の支持者であるブラーエは，昇ってくる朝日に，地球の周りを回転する太陽を見るだろう。一方，地動説(太陽中心説)の支持者であるケプラーは，昇ってくる朝日に，動いている大地を見るだろう。つまり，視覚的には同じ朝日を見ていたとしても，そこに認識しているものは，その人が持っている理論によって，異なったものになるのである。

天文学の歴史は，理論負荷性の例に事欠かない。19 世紀初め，当時の知られている惑星の中では太陽から最も遠くに位置する天王星の運動を観測していると，ニュートン力学による計算からの予測と一致しないことが発見された。この観測結果はニュートン力学の反証になるだろうか？ 単純な反証主義の立場なら，ニュートン力学を否定(少なくとも修正)すべきとなりそうだが，当時の人々はそうしなかった。ニュートン力学は様々な場面で十分に機能していたので，それを捨てるのではなく，未発見の惑星が天王星の近くにあって，その引力のせいで天王星の軌道が予測からずれるのだろうと考えた。こういうのはつじつま合わせのアドホックな仮説である。しかしその後，天王星の外側に公転軌道を持つ海王星が，実際に発見されたのである。この場合は，虚心坦懐に天体を観察するのではなく，ニュートン力学という理論の色眼鏡を通して天体を観察したことが，成功を導いたことになる。

その後，今度は水星の近日点の移動が，ニュートン力学による計算から微妙にずれていることが観測された。海王星の件を知っている天文学者たちは，また未発見の惑星が近くにあるのだろうと考えて，その探索を始めた。見つかることを予測して，その新惑星にバルカンという名前まで付けていたくらいである。ところが，いつまで経ってもバルカンは見つからなかった。結局，1915 年にアインシュタインが発表した一般相対性理論を使って水星の軌道を計算すると，観測値と一致したのである。今回は，バルカンというアドホックな仮説では解決せずに，本当にニュートン力学の反証だったのである。

このような経緯からわかることは，ある観測結果が理論を否定しているように見えても，理論の反証になっているのか，周辺の知識の不足が原因なのか，あるいは他の要因に起因するのかは区別できないのである。むしろ，その後の歴史のみが(暫定的な)真実を知る，という展開になる。

(4) パラダイム論

全体論や理論負荷性の話だけをすると，いったん科学理論が形成されると人間の先入観となって，そこから抜け出せないように思うかもしれない。しかし，過去の歴史を見れば，ニュートン力学から相対性理論への変革は起きたし，神による創造から自然選択による生物進化への変革も起きた。どのようにして理論負荷性は克服されたのだろうか？

クーンは，科学とはある支配的な枠組み(例えばニュートン力学)の中で行われる通常期と，支配的な枠組み自体が変わる革命期(例えばニュートン力学から相対性理論への変革)があると考えて，そのような枠組みの変化をパラダイムシフトと呼んだ(クーン, 1971)。クーンがパラダイムと呼んでいるものは，全体論や理論負荷性の基になっている理論的枠組みのことである。

通常科学は，その時代におけるパラダイムの中で行われる。言い方は悪いかもしれないが，既成のパラダイムの中に自然を無理やり押し込める努力をするのである。多くの場合はそのようなパラダイムがあることで，研究者は何をしたらいいのかわからずに途方に暮れることなく，効率的に研究を進めることができる。本節(3)に出てきた例だと，天王星の運動がニュートン力学による計算と一致しなくても，ニュートン力学というパラダイムを否定するのではなく，周辺に未発見の惑星があると考えるようなやり方である。

とはいえ，いかなるパラダイムも神の啓示ではなくて人間が作ったものであり，自然現象を完全に記述できるわけではない。したがって，観測される自然現象が蓄積してくるとパラダイムに矛盾する事象が出てくるものだが，学界はそういう事象をパラダイムの反証とは見なさずに，アドホックな仮説で対処するか，例外的なアノマリーとして放置して，パラダイムを保守する傾向がある。しかし，そのような場当たり的な対応では処理しきれずに困っているところに，蓄積していた矛盾を解消するような新たなパラダイムが出てくると，以前のパラダイムを捨てて新たなパラダイムを受け入れる科学革命が起こる。これがパラダイムシフトというわけである。

1900 年前後の科学界を思い出そう。当時の科学者たちは，宇宙は光波を伝えるところのエーテルという(人間には感知できない)媒質で満たされていると考えていた。そこで，マイケルソンとモーレーは光の干渉を用いて，エーテルに対する地球の速度を検出しようとした。ところが，どう測ってもエーテルに対する地球の速度は0だった。つまり，太陽の周りを公転しているはずの地球が，宇宙の隅々を満たしているエーテルに対しては静止していることになる。それでは天動説の再来ではないか！　この結果は，当時のパラダイムだったニュートン力学では説明が困難だった。苦し紛れの学説でつじつま合わせを試みても，別の深刻な問題をはらんでいた。そこに，特許局の一職員だったアインシュタインが登場する。彼はエーテルという概念を捨てて，ニュートン力学を光速を基準にした力学に書き換えた，特殊相対性理論を提唱した。様々な批判を受けながらも，この新しい理論が学界に受け入れられていくプロセスが，パラダイムシフトなのである。

結局クーンも，人間は事実を虚心坦懐に記述するようなことはできなくて，ある枠組みを通して自然を見ることを科学だと考えている。そして，その枠組みが変わるパラダイムシフトが，どのような状況で発生してきたかを説いているのである。

2. チョウの行動生態学

(1) チョウの縄張り争い

第1節で科学哲学を簡単に紹介したので，本節ではそれがチョウの行動生態学にどう関係するのかに話を移そう。第1節のポイントをまとめると次のようになる。

- 事実によって理論を反証できるというポパーに対し，新科学哲学は，事実と理論は不可分であると反論した
- 理論と事実の衝突が起こると，学界はその時代の支配的な理論(パラダイム)を保守する方向に動くことが多い
- 理論と事実の矛盾がたまっているときに，それを解消する新理論が登場すると，パラダイムシフトが起こりやすい

さて，様々な種のチョウで，オスが山頂や林内の陽だまり等で待ち伏せをして(以下，このようなオスを見張りオスとよぶ)，飛来したメスと交尾する

図 1 (a) メスアカミドリシジミ *Chrysozephyrus smaragdinus* の縄張り争い／(b) ヒオドシチョウ *Nymphalis xanthomelas* の縄張り争い（撮影：難波正幸）

配偶システムが知られている。もう少し細かく説明すると，見張りオスは飛来したメスを追いかけて，メスが付近の枝先などに静止すると，オスも傍らに止まって交尾する。メスが静止しないで飛び去ると，交尾は成立しない。見張りオスが待ち伏せているところに他のオスが飛来すると，見張りオスとの間で，くるくると回転するようにお互いを追いかけ合う縄張り争いが発生する(図 1)。ほとんどのチョウでこの間にお互いを攻撃することはなく追いかけ合っているだけで，そのうち一方のオスが飛び去る。もう一方のオスは相手を追いかけた後，元の場所に戻ってきて待ち伏せを続ける。

筆者は，このような相手を攻撃しないチョウの闘争に興味をもって，どのような個体が有利になるのかを調べていた。その結果については別の本で紹介しているので(竹内, 2021)，ここでは省略する。それよりも重要な問題があるからだ。チョウの縄張り争いが，行動生態学の枠組みではうまく扱えないことに気づいたのである。

(2) 行動生態学のパラダイム

行動生態学に限らず，個体レベルの生物学を貫く理論といえば，進化の歴史を通して，生き残って子孫を残す上で有利な遺伝的性質を持つ生物が選択されてきたとする自然選択説である。自然選択説はダーウィンの時代からあるが，選択されるのが生物種なのか生物種の中の特定の系統なのかがやや混乱していた。自然選択説の現代版は，もう少し洗練されている。生物は，種の存続ではなく，自己の子孫を存続させるかのようにふるまう，と見なすのが個体選択で，現代の自然選択説といえば個体選択のことである。哺乳類などで見られる同種の子殺しのように，生物はしばしば種の存続に不利益になる行動を示すが，このような行動も自己の子孫の存続という観点から見れば問題なく説明できるので，個体選択が生物学の主流となった。この考え方を突き詰めると「利己的な遺伝子」とよばれる遺伝子選択になるのだが(ドーキンス, 2018)，本稿で扱う内容では個体選択と遺伝子選択の違いは問題にならないので，わかりやすい個体選択を用いることにする。

個体選択の考え方は動物の闘争にも適用される。動物は配偶者や棲み処などをめぐって争うが，殺し合うような激しい段階には滅多に進まないことが知られていた。昔はこれを，同種で殺し合うのは種の利益に反するから，と説明していたらしい。Maynard Smith & Price (1973) はそういう考え方をせずに，ゲーム理論を用いて，個体選択の立場から動物の闘争を説明した。有名なタカハトゲームでは，タカ派は相手を攻撃して資源を取りに行き，ハト派は引き下がる(ハト派同士だと資源を等分する)として，どちらの戦略が多数派になるかを解析する。その結果，お互いに攻撃し合う闘争に負けたときに相手から与えられるコスト(負傷など)が大きくなるほど，タカ派の頻度が下がった。つまり，種の利益と関係なく，自分を守るためにも激しい闘争は避けた方が適応的なのである。しかし，チョウの縄張り争いのように相手を攻撃しない闘争には，タカハトゲームは適用できない。

そこで考え出されたのが持久戦というモデルである。持久戦では相手を攻撃せず，対戦者はそれぞれが自分にコスト(エネルギーなど)がかかるディスプレイを続ける。争っている資源の価値は無限大ではないので，いつまでもディスプレイを続けるわけにはいかない。ディスプレイのコストが閾値に達した個体がディスプレイを止めて引き下がる，と考えるのが持久戦である。チョウの縄張り争いは攻撃をともなわないので，持久戦だと考えられている。

(3) 持久戦モデルの問題点

筆者はチョウの縄張り争いについていろいろと考えているうちに，持久戦モデルに大きな問題点があることに気づいた。持久戦は，対戦者がそれぞれ相手にではなくて自分にコストのかかるディスプレイを続けて，先に切り上げた方が資源をあきらめる設定である。この設定は，個体選択に矛盾している。なぜなら，自分にコストがかかるディスプレイなら最初からしない方が

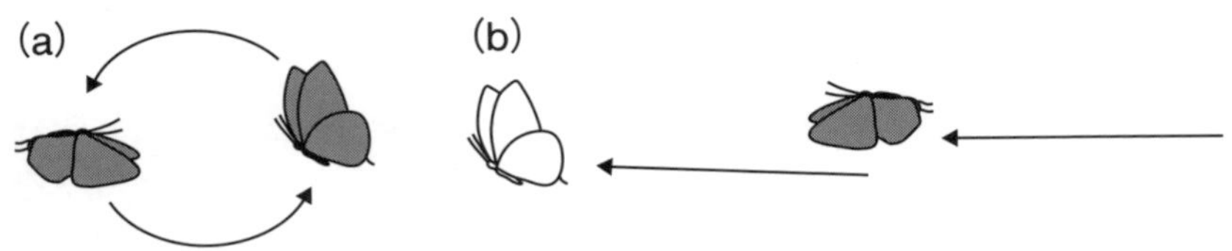

図2 チョウのオス同士の縄張り争い（a）と，メスを追尾するオス（b）
どちらの行動も，オスは相手にぶつからないように追いかけていると仮定するだけで説明でき，オスは相手の性を識別していると仮定する必要はない。

有利になるからだ。相手がそんなことをしていたら，勝手にさせておいて自分はおとなしくしていればよい。そうすれば自分にコストはかからないのだから。個体選択の原則を守る限り，持久戦の設定だと，お互いに何もしないことが最善手になってしまい，闘争が成立しないのである。しかし，自然界ではチョウは相手を攻撃せずに，追いかけ合って縄張り争いをしているように見える(図 1)。

さらに，持久戦モデルをチョウの縄張り争いに適用するにあたって，暗黙の仮定がある。それは，飛翔中の相手がオスであることがわかっている，ということだ。チョウの縄張り争いは，飛んできた侵入者に向かって見張りオスが飛んで行くことで始まるのだから，当然である。しかし，縄張り行動を示すチョウが，飛翔中の相手をオスだとわかっている証拠はどこにもないのである。オス同士の縄張り争いも，オスがメスを一方的に追いかける性的な追尾行動も，オスは相手の動きに合わせて相手を追いかけている，とだけ考えれば十分説明できる現象で，性を識別していると仮定する必要はない(図 2)。むしろ，性どころか種識別さえ不十分としか考えられない現象が多く観察されている。ノーベル医学生理学賞を受賞したことで有名なティンバーゲンの研究では，ハイイロジャノメ *Eumenis semele* のオスは，動くものならトンボや鳥どころか，灰色の板でも追いかけることが報告されている(Tinbergen *et al.*, 1972)。筆者も様々なチョウで，このような行動を観察している。

このように，持久戦モデルをチョウの縄張り争いに当てはめるのは相当無理がある。にもかかわらずチョウの縄張り争いが持久戦モデルで説明されている理由は，代わりとなる適当な考え方がないからに他ならない。

(4) 汎求愛説

どうやら，チョウの縄張り争いをめぐる問題は，チョウが性識別や種識別をしているという，人間が設定した暗黙の仮定にありそうだ。ハンソンの言葉を借りると，性識別や種識別を仮定することは理論負荷であり，人間はそういう色眼鏡を通してチョウを観察していたわけである。しかし，それではうまくいかないのだから，一旦この眼鏡を外してみよう。といっても，理論負荷のない観察はあり得ないので，別の理論に置き換えてみることにする。

さて，別の理論を考えるにあたって，最節約原理を用いることにする。最節約原理はオッカムの剃刀ともよばれる，存在する証拠がないものは存在しないと仮定しましょう，という思考上のルールである。超能力や幽霊が存在しないことは証明できないが，観察される現象が超能力や幽霊の存在なしに説明できるのであれば，今のところそういうものは存在しないと扱っておきましょう，というのと同じ思考法である。

本節(3)で述べたように，チョウの見張りオスが，飛んできた相手がオスだとわかっている証拠も，異種だとわかっている証拠もない。適当なサイズの飛翔物体が横切ったら追いかけるだけだ。だから，最節約原理を適用して，見張りオスは飛翔物体が何かはわかっていないと仮定する。すると，チョウのオスの「縄張り争い」は，相手がメスかもしれないと判断したオス同士が，お互いに求愛行動を示していると考えることができる。こう考えると，個体選択の理論とも矛盾しない。なぜなら，相手がメスかもしれない以上は，求愛しないと繁殖できないからだ。この考え方を，汎求愛説とよぶことにした (Takeuchi *et al.*, 2016; 竹内, 2021)。

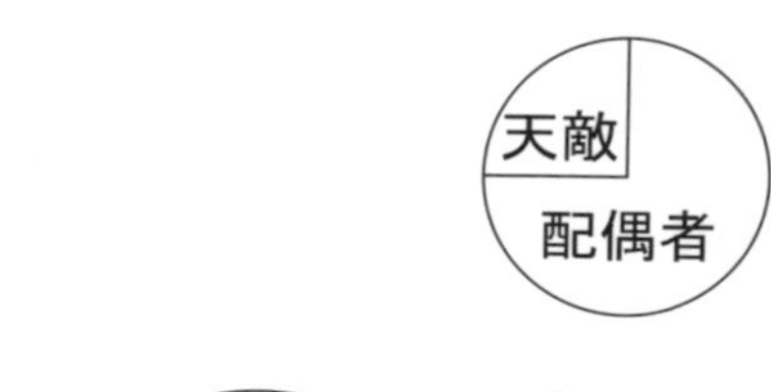

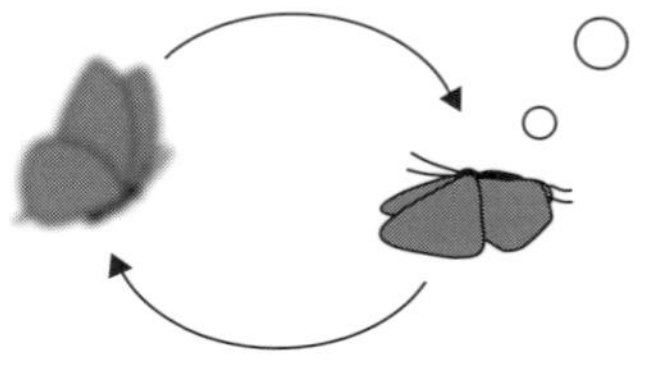

図 3 未確認飛行物体と追いかけ合いをするチョウ

カンの鋭い方は次のような疑問を持たれるかもしれない。汎求愛説だと，オス同士の追いかけ合いが終わった後に，片方のオスが縄張りから飛び去る理由を説明できないのではないか？ たしかに，相手をメスだと認識しているのなら，求愛をあきらめても縄張りから逃げる必要はない(実は持久戦モデルでも同様の疑問が発生する。相手に攻撃されないのなら，縄張りから飛び去る必要はない)。しかし，飛翔中の相手の性だけでなく種認識にも不確実性があることを考慮すれば，観察された現象を説明するうえでの問題はない(図3)。未確認飛行物体を追いかけているのなら，相手は天敵である可能性もあるのだから，相手を追いかけるのをあきらめたら，とりあえずはその場から(追いかけてくる相手から)逃げるという行動は個体選択に適う。つまり，認識が不確実な生物にとって，メスかもしれない相手を追いかけることはギャンブルであり，そのギャンブルなりの適当な戦略がある，ということである。

(5) 汎求愛説の反証

汎求愛説を唱え始めた頃，汎求愛説の反証になっているのではないかと指摘されたのが，キアゲハ種群の配偶行動だった。キアゲハの仲間は，オスが山頂や尾根で縄張り行動を示す。そこに他のオスが飛来すると，2頭が飛びながらお互いの脚をつかむような，いかにも闘争的な行動を見せる(図4)。一方，メスが飛来すると見張りオスはメスに向かって飛んでいき，メスの周りを縦に回転するように飛翔し，メスが周辺の枝先などに止まると，オスもその脇に止まって交尾する。この事実は，オスが飛んで来た相手の性を正確に認識していると仮定しないと説明できないのではないか？ これはもっともな指摘である。そこで，ポパーのように建設的な反証主義の立場から，キアゲハ *Papilio machaon* を用いて汎求愛説の反証を試みることにした。

具体的にどうするかというと，見張りオスに対して，羽ばたいている状態のキアゲハの標本を提示して，反応を記録する。つまり，見張り場所に同種が飛来した状況を再現するわけである。もし，オスの標本に対して攻撃していると解釈するしかない行動を見張りオスが示せば，汎求愛説は(少なくともキアゲハに対しては)反証されたと見るべきだろう。そのような行動が見られなけれ

図4 キアゲハのオス同士の闘争？(撮影：熊田聖三)

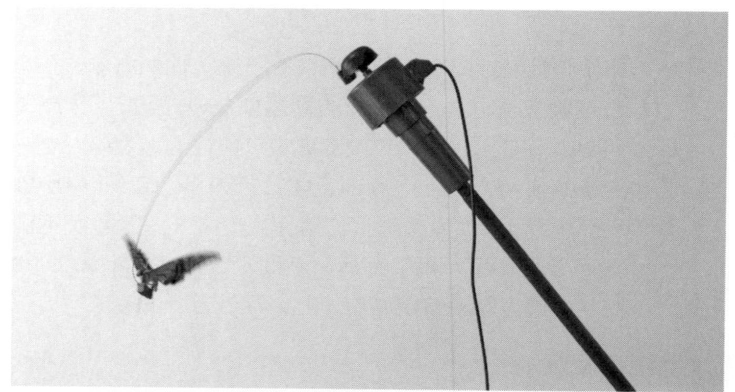

図 5　標本を羽ばたかせる装置（Takasaki *et al.*(2015)に基づいて作成）

ば，汎求愛説は今のところ成立している(反証されていない)ことになる。

標本を羽ばたかせるためには，モーターにつないだピアノ線の先にキアゲハの標本を固定して，モーターを回転させた(図 5)。こうすると，ピアノ線の付け根が回転することで，先の標本が揺れるので，羽ばたいているような動きをするのである。

以下の 4 種類の標本をモーターで羽ばたかせた状態で，野外でキアゲハの見張りオスに提示して，反応を記録した。化学物質を抜いた標本を使ったのは，対照実験のためである。

・死亡直後のメス
・死亡直後のオス
・クロロホルムに 48 時間漬けて化学物質を抜いたメス
・クロロホルムに 48 時間漬けて化学物質を抜いたオス

羽ばたかせた標本に対する見張りオスの反応は，4 段階のフェーズから成っていた。

1. 標本に飛んでくる(定位する)
2. 標本の翅の付け根あたりを脚で触れる
3. 標本の周りを縦に回転する(求愛飛翔)
4. 標本に対して腹部を曲げて交尾を試みる

反応はこの順番で進んでいくが，2 と 3 を繰り返すことはしばしばあった。4 種類の標本に対する反応フェーズを図 6(a)に示した。死亡直後のメスに対しては反応がフェーズ 3 まで進んだ。標本は羽ばたいているので，基本的にはフェーズ4には進めない。自然状態で起こる求愛行動では，飛翔中のメスが付近の枝先などに静止すると，オスはフェーズ4に進む。したがって，この実験条件での最大フェーズを示したことになる。死亡直後のオスに対しては反応がフェーズ2まで進むが，フェーズ3にはほぼ至らなかった。化学物質を抜いたメスに対してはフェーズ2まで進むことが多く，化学物質を抜いたオスに対してはフェーズ1まで，つまり近づいてくるが，すぐに飛び去ることが多かった。

また，それぞれの標本に対する反応時間を図6(b)に示した。死亡直後のオスに対する反応時間が最も長く，延々と標本の翅に触れる行動を繰り返していた。オスでもメスでも，化学物質を抜いた標本に対しては，短時間で関心を失った。

この結果を最節約原理に基づいて(キアゲハの認識能力を最も小さく仮定して)解釈すると，次のようになる。キアゲハのオスは，相手の翅に脚で触れることで，化学物質を用いて(死亡直後の)メスを配偶者と認識することはできる。だからこそ，化学物質を抜いた標本に対しては，すぐに関心を失う。一方，(死亡直後の)オスの標本に対しても翅に脚で触れるところまで反応は進むが，そこから先に進まない。つまり，同種のオ

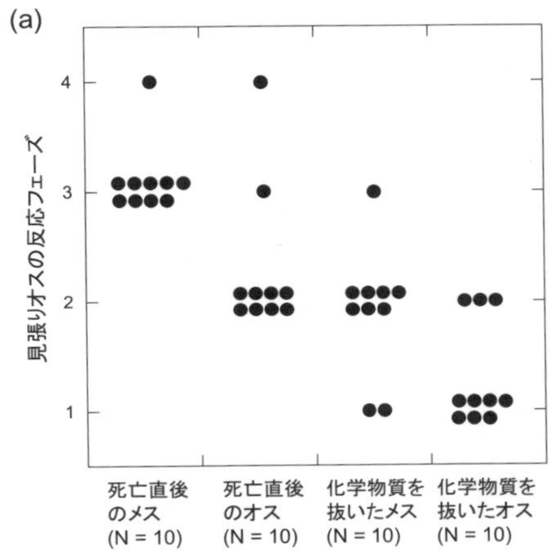

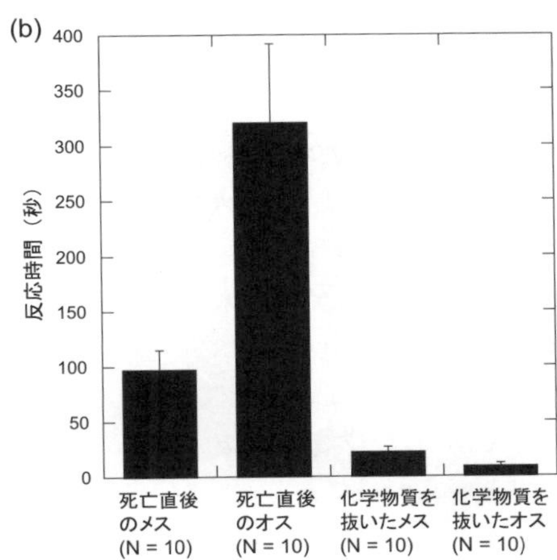

図6　(a)各標本に対する見張りオスの反応フェーズ：1. 標本に飛んでくる，2. 標本の翅に脚で触れる，3. 求愛飛翔を示す，4. 交尾を試みる／(b)各標本に対する見張りオスの反応時間

スは配偶者に似た「何か」ではあるが，メスだと決定的に認識できないので，そのまま情報収集を続けることになる。ということは，自然状態でオス同士が脚でつかみ合う行動は(図4)，縄張り争いというようなものではなくて，相手が何者かを知るために化学物質を摂る行動ということになる。

結局，汎求愛説に最も都合が悪そうなキアゲハでも，「チョウのオスにとって縄張りに飛び込んできた同種は未確認飛行物体」だと仮定する汎求愛説は，反証されなかったのである。

(6) 理論が違えば解釈が違う

本節(5)の実験結果を論文にまとめて，ある学術誌に投稿したところ，査読者からいろいろと批判された。それが科学哲学を理解する上でよい教材だと思うので，紹介しよう。

査読者の一人は，(死亡直後の)オスの標本よりも(死亡直後の)メスの標本に対して配偶行動のフェーズが進むのだから(図6(a))，見張りオスは性を識別している，つまり汎求愛説は反証された，と言い出した。そんなわけがない。配偶行動のフェーズが違うことと，性を識別しているかはまったく別問題である。では，化学物質を抜いたメスの標本よりも死亡直後のメスの標本に対して配偶行動のフェーズが進んだという実験結果は(図6(a)の一列目と三列目)，キアゲハのオスは性を識別している(化学物質を抜いたメスの標本を同性，死亡直後のメスの標本を異性と認識している)ことを意味するのか？　そうではない。配偶行動のフェーズが進む方が，より性的に魅力的なだけである。化学物質を抜いたメスは，死亡直後のオスに近い程度の魅力だった，というわけである。

しかし，この査読者のような反応になるのも仕方がないところはある。過去のほとんどの論文では，似たような実験結果を，性認識の証拠だと解釈していたからだ。もちろんそう解釈するのは，チョウ(動物)は性認識している，という暗黙の前提(理論)が学界で共有されているからである。それに慣らされていた人が，今さら虚心坦懐にデータを見ることは容易ではない。

結局，チョウは性認識しているという理論負荷のもとでは，図6の結果は性を識別している証拠となり，チョウにとって飛んできた物は未確認飛行物体である，という理論負荷のもとでは，図6の結果はオスを異性もどきだと見なしていると解釈されるのである。まさに，理論から独立した観察はできないという，理論負荷性のお手本のような例になっているのである。

二人目の査読者はもう少し思考が柔軟で，オスの標本よりもメスの標本に対して配偶行動のフェーズが進むという結果は，見張りオスが性を識別していると仮定しても，していないと仮定しても説明できるので，さらなる検証が必要だと言っていた。しかし，この指摘は間違いである。性を識別しているとも識別していないとも受け取れるというのなら，最節約原理を適用して，性を識別していないという仮定を採用すればよい。さらなる検証をしろなどというのは無理難題である。性を識別していない(正確には，同性という認識がない)という主張は，何かが「存在しない」という主張なので，証明はできない。超能力が存在しないことを証明できないのと同じだ。だから，性を識別していると仮定しないと説明できない現象が見つからない限りは，識別していないことにしておくべきなのだ。

こういう当然の判断ができないのも，チョウは性認識しているはず，という暗黙の前提(理論)が学界で共有されているからである。やはり，理論から独立した事実というものは存在しないことがわかるだろう。

このときは，論文はリジェクトされた。学界は，既存の枠組みを保守する傾向が強かったのかもしれない。仕方がないので，少し観察を加えた上で他の学術誌に投稿したらアクセプトされて，論文を出版することはできた(Takeuchi *et al.*, 2019)。その後，筆者の論文に反応する形で，動物の闘争は求愛と区別できないことがある，という趣旨の論文が出ていたので(Pinto & Peixoto, 2019)，汎求愛説もある程度は受け入れられてきたようである。

このいきさつからわかるように，実験や観察によって事実を集めても，適当な説明をこじつければ，ある理論にとって都合のいいように解釈できてしまう。そもそも，事実というものが理論から独立ではないのだから当たり前である。だから，実験や観察によって理論の反証を試みるだけでは，なかなか支配的な理論を崩すことはできない。それよりも，理論には理論をぶつけて，新理論の方が旧理論よりも，様々な現象を記述する上で有効である(優れたパラダイムである)と認めさせることを目指すべきだろう。そういうわけで，筆者は今日も少しずつ汎求愛説を進化させているのである。興味を持たれた方は，竹内(2021)を読んでほしい。

(7) 認識を物理現象から定義できるか？

ここまでの筆者の立場は，チョウの認識を，観察される行動を説明するための最節約的な仮定として扱っている。しかし，チョウの認識を，物質や電位のような物理現象によって測定するのが科学的なやり方ではないかと考える人もいるだろう。例えば，チョウの視神経の反応強度を調べることで，性を認識しているかどうかを明らかにできるのではないか？ そうすれば，本節(6)に出てきたような査読者からの批判もなくなるのではないか？

結論から述べると，そのやり方はうまくいかない。理論負荷性を唱えたハンソン(1986)から引用しよう。

> 見ることは，一つの経験である。網膜上の反応は，単に一つの物理的な状態－光化学的な昂奮である。生理学者は，経験と物理的状態を必ずしも区別してこなかった。しかし，見るのは人間であって，人間の眼が見るわけではない。(中略)網膜や視神経や視領などの物理的な状態を引き合いに出したところで，どうこうできるものではない。見ることは，単に眼球を向けること以上のものである。

何を言っているか分るだろうか？ 前節(3)を思い出してほしい。ブラーエとケプラーそれぞれの網膜上に同じ朝日の像が映っていても，そこに何を認識するかは，各人の知識体系に依存する。つまり，見ることは単なる個別の物理的な反応ではなくて，外部から入力される刺激をその人の知識体系に照合して，人がある結論を出すことなのである。ということは，途中の物理的な反応，たとえば網膜や視神経の電位や，脳の遺伝子発現を調べたところで，その人が何を認識しているかはわからない。その人の発言や行動から判断するしかない。

チョウの場合も同じである。感覚器の物理的な状態を調べたところで，何を認識しているかがわかるわけではない。ただし，チョウは発言しないので，行動を調べるしかない。

参考のために，チョウの色認識に関する研究を取り上げてみよう。チョウは色鮮やかな翅をもち，様々な色の花を訪れるので，チョウが色覚を持っていることは昔から予想されていた。そして，チョウの網膜には様々な色受容細胞(特定の波長域の光を吸収する細胞)があることもわかっていた。しかし，網膜に色受容細胞があるからといって，チョウが世界をどう見ているかがわ

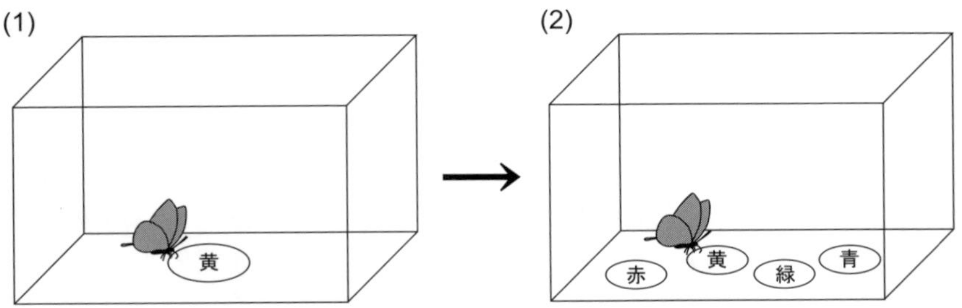

図7 アゲハを用いた色とエサのありかの連合学習。黄の色紙を訪れるとエサ(ショ糖水)が得られる経験を積ませると(1)，赤，黄，緑，青の4色の色紙を提示したときに，選択的に黄の色紙を訪れるようになる(2)。赤，緑，青の色紙でも，黄の色紙と同様に連合学習させることができた (Kinoshita *et al.*, 1999)

かるわけではない。チョウが色覚を持つことが証明されたのは，21世紀を迎える直前である。

Kinoshita *et al.*(1999)は行動実験を行って，アゲハ *Papilio xuthus* が，色とエサのありかを連合学習することを示した(図7)。さらに同じ色で濃度を変えても学習効果があることを確かめたり，色ではなくて明度を学習している可能性を否定する実験を行った。つまり，アゲハが色相を目印にエサのありかを記憶できることを「行動」で示したことで，ようやくアゲハに色覚があると結論できたのである。決して，チョウに色覚があることは，神経伝達物質や網膜電位のような物理現象によって証明されたのではない。

性認識でも同じことである。感覚器の物理的な状態を調べても意味はなく，行動から判断するしかない。ハンソンの言葉を借りれば，認識するのはチョウであって，チョウの眼が認識するわけではない。そして行動を調べた結果，筆者は汎求愛説に至ったのである。

同性を認識するとは，異性をめぐるライバルを事前に認識することであり，色覚よりもさらに複雑な認識である。なぜチョウにこのような認識が存在することを，今まで証拠もなしに仮定していたのかが不思議なくらいである。しかし，それが理論負荷性というものである。その理論とは，人間の常識を単純にチョウにも当てはめただけなのかもしれない。あるいは，ダーウィン以来の性選択の影響なのかもしれない。クーン(1971)から引用しよう。

> 科学者は，教育やその後の文献の精通によって得たモデルから仕事を始めるのであって，その科学者の属するパラダイムの地位が，どういう性格のものであるか知りもしないし，知る必要がないことが

> 多い。だから，完全にルールを心得ている必要はない。自ら属する研究の伝統の中にある相互の諒解事項は，その背後にある(研究の)ルールや仮定の存在を必ずしも意味しない。そのようなルールや仮定は，後から歴史的哲学的研究で見つけられ，つけ加えられるものである。

研究がうまく進んでいるように感じられる間は，パラダイムもそれにともなう研究のルールも，取り立てて意識されることのない，当たり前の習慣なのである。研究者は同僚たちのやり方を真似したり，自分と同じような分野の論文に出てくる実験手順を参考にしたりすることで研究手法を獲得するもので，自分が依拠している仮定や研究のルールの妥当性を確かめているわけではない。それは，我々の日常生活が通常に機能している間は，憲法や法律を知らないのと似たようなものだろう。

3. まとめ

なぜ科学には，理論負荷性やパラダイムといった自然の見方に対する面倒な問題が発生するのだろうか？ 筆者は，生の自然は複雑すぎて，人間はそれをありのままに見ることができない，という人間の能力の制約に行きつくと考えている。それは，見たものすべてを「そのまま」記録することなどできない，ということである。だからこそ，適当な理論や概念を使って，見たものの情報をより単純に「圧縮」する必要がある。どういうことかを以下に説明しよう。

「2 頭のキアゲハのオスが縄張り争いしていた」と圧縮されて記述される現象は，もちろんこの 20 文字以上の複雑な現象である。もう少し詳しく書けば「キアゲハのオスが〇〇山の山頂付近の約 50 m^2 ほどの範囲で飛んだり静止したりしていた。そこに別のキアゲハのオスが飛来すると，元いたオスが飛来したオスに向かって飛び立ち，まもなく 2 頭が絡み合いながら上昇する飛翔が見られた。続いて，一方のオスがもう一方のオスの後方から追うように飛翔する状態が続き…」のような感じになるだろう。もちろん，この文章でも，実際に起こっていた現象を大幅に圧縮している。この文章よりも，優れたカメラマンの撮影した動画の方が生の情報に近いだろうが，それでも実際の現象そのものではない。見たものを「そのまま」記録することなどできないのである。

そして，キアゲハの行動を研究するとなると，動画をたくさん撮影して，それをデータと称してそのまま提示しても，誰も見ないだろう。実際，そんなやり方では論文も本も書けない。だから，動画から一部の情報だけを取り出して(オス同士の相互作用の時間や，オスの体長など)，平均値や中央値を求めるような，大幅な情報の圧縮が必要である(図 6 のように)。そして，そのような行動を「縄張り争い」というカテゴリーでまとめるという情報の圧縮も必要である。

こうしてみると，人間が自然現象をうまく捉えられるかどうかは，圧縮法(＝理論)が優秀かどうかにかかっていることになる。そして，自然を圧縮する以上は，そこに人間のものの見方や問題意識が反映されること，つまり理論負荷やパラダイムが発生することは避けようがない。

本稿では，「チョウの縄張り争い」という，人間の直感的には当然に見える圧縮法があまりうまく機能していなかったので，縄張り争いとされていた行動も求愛行動の初期フェーズと見なしてしまおう，という汎求愛説が生まれたいきさつを紹介した。行動生態学が動物の行動を記述する方法は，自然言語をそのまま使っていることが多く，今回のようにそれがうまくいっていないケースはまだまだあるのではないかと思う。たとえば，性選択の理論では，動物が配偶相手の質(生存能力や性的な魅力，育児能力など)を評価していると仮定するモデルがしばしば出てくる(Kuijper *et al.*, 2012)。しかし，こういう理論は人間の認識を動物にも無理矢理持たせている雑な科学のやり方であり，広く成功しているとは言いがたい(Prum, 2010)。

このような状況では，研究によって新たな事実を発見するだけではなくて，新たなものの見方を提示することも重要である。事実集めを重視する経験的帰納主義は，知識の精密化だけを求めて，それを創造的に発展させることを忘れやすい。本稿の読者が，自分の得意な領域で，よりよい動物の行動の記述法を生み出してくれることを期待している。

謝辞

奈良教育大学の村松大輔博士には，本稿に対する貴重な意見をいただいた。本研究は，科学研究費補助金基盤研究 C(19K06859)の助成を受けた。

〔引用文献〕

ドーキンス R(2018)利己的な遺伝子 40 周年記念版（日高敏隆・岸由二・羽田節子・垂水雄二 訳）．紀伊國屋書店，東京．

デュエム P(1991)物理理論の目的と構造(小林道夫･熊谷陽一･安孫子信 訳)．勁草書房，東京．

ハンソン NR(1986)科学的発見のパターン（村上陽一郎 訳）．講談社，東京．

Kinoshita M, Shimada N, Arikawa K (1999) Colour vision of the foraging swallowtail butterfly *Papilio xuthus*. *Journal of Experimental Biology*, 202: 95–102.

クーン T(1971)科学革命の構造（中山茂 訳）．みすず書房，東京．

Kuijper B, Pen I, Weissing FJ (2012) A guide to sexual selection theory. *Annual Review of Ecology, Evolution, and Systematics*, 43: 287–311.

Maynard Smith J, Price GR (1973) The logic of animal conflict. *Nature*, 246: 15–18.

Pinto NS, Peixoto PEC (2019) What do we need to know to recognize a contest? *The Science of Nature*, 106: 32.

ポパー CR(1971)科学的発見の論理（上)(下）（大内義一・森博 訳）．恒星社厚生閣，東京．

Prum RO (2010) The Lande-Kirkpatrick mechanism is the null model of evolution by intersexual selection: implications for meaning, honesty, and design in intersexual signals. *Evolution*, 64: 3085–3100.

クワイン WVO(1992)論理的観点から（飯田隆 訳）．勁草書房，東京．

Takasaki H, Seike A, Inoue A, Murakami R (2015) Bricolage of a portable motor-driven decoy apparatus to lure butterflies. *Butterflies*, 69: 39–47.

竹内剛(2021)武器を持たないチョウの戦い方　ライバルの見えない世界で．京都大学学術出版会，京都．

Takeuchi T, Yabuta S, Takasaki H (2019) Uncertainty about flying conspecifics causes territorial contests of the Old World swallowtail, *Papilio machaon*. *Frontiers in Zoology*, 16: 22.

Takeuchi T, Yabuta S, Tsubaki Y (2016) The erroneous courtship hypothesis: do insects really engage in aerial wars of attrition? *Biological Journal of the Linnean Society*, 118: 970–981.

Tinbergen N (1972) The courtship of the grayling *Eumenis* (=*Satyrus*) *semele* (L.) (1942). In: Tinbergen N (ed) *The animal in its world (Explorations of an ethologist, 1932–1972), Volume one: Field studies*: 197–249. Harvard University Press, Cambridge, Massachusetts.

（竹内　剛）

和名索引

本書に出てくる動植物の和名を抽出し索引とした。本文中の和名については，見出しで区切られた文節中に繰り返し登場する場合，初出のページのみを掲載した。図表に出てくる和名はその都度すべて抽出してある。なお，索引中のローマ数字は巻頭の口絵のページ数を示す。

ア

イ

ウ

学名索引

本書に出てくる動植物の学名を抽出し索引とした。本文中の学名については，見出しで区切られた文節中に繰り返し登場する場合，初出のページのみを掲載した。図表に出てくる学名はその都度すべて抽出してある。なお，索引中のローマ数字は巻頭の口絵のページ数を示す。

環境Eco選書 15

チョウの行動生態学

令和 4 年 3 月 25 日　初版発行
〈図版の転載を禁ず〉

編　集　井　出　純　哉
発行者　福　田　久　子
発行所　株式会社 北 隆 館
〒153-0051 東京都目黒区上目黒3-17-8
電話03(5720)1161 振替00140-3-750
http://www.hokuryukan-ns.co.jp/
e-mail : hk-ns2@hokuryukan-ns.co.jp
印刷所　大盛印刷株式会社

ISBN978-4-8326-0765-1 C0345